COLETTE

l'éternelle apprentie

Jean Chalon

COLETTE

l'éternelle apprentie

FRANCE LOISIRS
123, boulevard de Grenelle, Paris

Une édition du Club France Loisirs, Paris,
réalisée avec l'autorisation des Éditions Flammarion.

ISBN : 2-7441-2136-3

À Carlos de Angulo qui m'a accompagné, et soutenu, pendant ce voyage en « Colettie », comme disait notre amie commune, Natalie Barney...

Il m'a fallu toute une vie pour comprendre que le bonheur se trouve dans les petites choses et non dans les paroxysmes de l'extase.

Anaïs Nin

Adorable Colette qui savez tenir le porte-plume comme personne au monde, renifler le mensonge, reconnaître un melon honnête, un vrai bijou, un cœur d'or...

Léon-Paul Fargue

Avertissement

Si Colette disait : « Je suis née dans Balzac », je peux dire, à mon tour, « Je suis né dans Colette » que je lis depuis 1950, sans m'en lasser, et découvrant toujours, à chaque lecture, quelque chose de nouveau et de « substantifique ». En 1963, je n'ai voulu connaître Natalie Barney que parce qu'elle avait connu Colette. Natalie qui devint rapidement ma meilleure amie me présenta à ses amies qui, elles aussi, avaient compté parmi les intimes de l'écrivain comme Germaine Beaumont ou Marthe Lamy.

Pendant les fêtes de la Toussaint de 1966, à la demande de l'Amazone, je rangeai les lettres qui avaient, peu à peu, envahi sa chambre, débordant des tiroirs, des corbeilles et des coupes. Dans cet apparent désordre, les lettres de Liane de Pougy voisinaient avec celles de Renée Vivien qui jouxtaient celles de Colette. Comme je ne dissimulai pas mon intérêt pour ces dernières, reconnaissables à leur légendaire papier bleu, Natalie me demanda de les lire. J'obéis et je les lus. Après quoi, Natalie me demanda de les déchirer. Je refusai d'obéir, je parlementai, je plaidai. Bref, de guerre lasse, l'Amazone me dit : « Emportez-les, je vous les donne ». Pour couper court à toute effusion et tout excès de remerciement, elle ajouta, en riant, « Comme c'est dommage, vous déchirez si bien ! Enfin, puisque mon désordre est inépuisable, ne vous y épuisez pas ! »

Certaines de ses lettres, et d'autres que m'avaient données d'autres amis de Colette comme Jean Denoël, sont inédites, comme le sont les lettres de Maurice Goudeket à Colette dont on pourra lire des extraits. Toutes les citations qui sont en italique dans les pages qui vont suivre sont donc imprimées pour la première fois.

Chapitre 1

La naissance du « soleil en or »
(28 janvier 1873)

Éternelle apprentie, Colette essaye, sa vie durant, de transformer ses prisons éphémères en paradis provisoires. L'art qui consiste à changer une prison en paradis, c'est précisément celui qu'elle enseigne à travers son œuvre où se reflète souvent son existence.

Pour accomplir cette métamorphose, point de magie, ni de mystère. Colette a simplement suivi l'évidence de ses sens, ou de son bon sens. Elle aurait pu faire sien l'hommage que Marguerite Yourcenar avait adressé à Natalie Barney [1], « Je vous ai particulièrement su gré d'avoir échappé aux grippes intellectuelles de ce demi-siècle, d'en avoir été ni psychanalysée, ni existentialiste, ni occupée d'accomplir des actes gratuits, mais d'être au contraire restée fidèle à l'évidence de votre esprit, de vos sens, voire de votre bon sens ».

Cette soumission à de telles évidences, Colette semble l'avoir reçue en héritage de sa mère, Adèle-

1. In *Lettres à ses amis et à quelques autres* de Marguerite Yourcenar, Gallimard, 1995, p.189.

Eugénie-Sidonie Landoy, Sido pour les intimes, et cela, dès sa naissance, le 23 janvier 1873, vers dix heures du soir, à Saint-Sauveur en Puisaye, dans le département de l'Yonne. L'accouchement qui a duré « près de quarante-huit heures » a été tellement laborieux que l'on s'occupe plus de la mère que de l'enfant qui naît, « à demi étouffée », mais manifeste déjà « une volonté personnelle de vivre, et même de vivre longtemps ».

Il fait tellement froid que l'on attendra une température plus clémente pour baptiser, le 11 avril, la nouveau-née qui reçoit le prénom de Gabrielle, et celui de Sidonie. Elle a pour parrain et marraine le colonel Louis Desandré et son épouse. Baptême de pure forme : les Colette ne croient ni en Dieu, ni au Diable. Mais il faut bien, de temps en temps, sacrifier aux usages et satisfaire l'opinion publique que ce baptême tardif choque.

Dans les familles bien-pensantes, le baptême s'effectuait dans les quarante-huit heures qui suivaient la naissance, ou, au plus tard, huit jours après. Ce délai de deux mois scandalise Saint-Sauveur-en-Puisaye, comme l'a scandalisé la grossesse tardive de Sido. Être mère à trente-cinq ans est un défi aux convenances qui ont puisé un regain de puissance dans la chute du second Empire.

Les désastres de 1870 ont mis fin à ces licences dont on trouve l'écho dans les opérettes d'Offenbach. Vénus ne fait plus cascader la vertu de la Belle Hélène qui s'est acheté une conduite. La déesse de la volupté est détrônée par la déesse de la raison. Les bonnes œuvres remplacent les liaisons dangereuses. C'est le triomphe de M. Thiers et de M. Homais. Les représentants de la IIIe République se doivent de donner l'exemple et de montrer le droit chemin, celui qui conduit à la prospérité et au progrès.

Prospérité et progrès sont les nouvelles idoles de la France qui, encore une fois, montre qu'elle est un phénix éternellement capable de renaître de ses cendres. Les incendies allumés par la Commune ne sont qu'un mauvais souvenir. Comme leurs contemporains, M. et Mme Colette ont foi en l'avenir et espèrent que leur petite Gabrielle ignorera les horreurs de la guerre.

Ces horreurs-là, le père de Gabrielle, Jules Colette, ne les connaît que trop. Né le 26 septembre 1829 au Mourillon, près de Toulon, il est le fils de Jean-Joseph Colette, capitaine d'armes, et de Marie-Adélaïde Funel. Voué à la carrière militaire, il entre à Saint-Cyr et en sort avec le grade de sous-lieutenant. Indiscipliné, il va faire oublier ses incartades en Algérie qu'il quitte pour la Crimée. Blessé à la bataille de l'Alma, il est promu lieutenant, puis capitaine en 1855. En 1859, il participe à la guerre d'Italie. Blessé à nouveau, il est amputé de la jambe gauche et mis à la retraite.

Cette précoce retraite à trente ans est adoucie par sa nomination, en 1860, comme percepteur à Saint-Sauveur-en-Puisaye où il rencontre Sido qui est alors l'épouse de Jules Robineau-Duclos.

Sido est née le 12 août 1835 à Paris. Elle est la fille de Sophie Chatenay et de Henry Landoy. Ce Landoy est un mulâtre, un négociant en café, cacao et autres denrées exotiques, un expert en séductions diverses. À la mort de Sophie le 2 octobre 1835, Sido est mise en nourrice dans l'Yonne, à Mézilles. Quand Henry meurt à son tour, le 17 janvier 1854, Sido est recueillie par ses frères, Eugène et Paul. Elle doit son éducation à Eugène qui a débuté comme rédacteur au *Figaro* et qui, ensuite, à Bruxelles, a fait une belle carrière dans le journalisme et dans l'édition.

À Bruxelles naissent alors ces sociétés secrètes où s'épanouissent ces anarchistes qui ne veulent plus ni foi, ni loi et que fréquentera Alexandra David-Néel. Dans ce libre brassage des idées nouvelles, dans cette fréquentation des artistes qui se moquent du qu'en-dira-t-on, Sido trouve son oxygène et resplendit. Son ironie, ses mots d'esprit, ses façons très libres éloignent les épouseurs qui n'aiment pas les femmes trop spirituelles et trop indépendantes. À vingt et un ans, Sido est encore célibataire. Elle ne peut pas briller indéfiniment comme une étoile de Bruxelles, et continuer ainsi à être à la charge de ses frères. Un mariage est arrangé avec Jules Robineau-Duclos, riche propriétaire terrien de Saint-Sauveur-en-Puisaye. Il a quarante-trois ans et, pour compagne, « la dive bouteille ». L'abus de l'alcool l'a rendu bizarre et, parfois, brutal.

Le 15 janvier 1857 sont célébrées les noces de Sidonie Landoy et de Jules Robineau-Duclos. Entre l'étoile de Bruxelles et le notable de Saint-Sauveur, la mésentente est immédiate. Ils parviennent pourtant à engendrer une fille, Juliette, qui naît le 10 août 1860. Peu après, Jules Colette et Sidonie Robineau-Duclos font connaissance et ne tardent pas à reconnaître qu'ils sont faits l'un pour l'autre. Une telle liaison serait passée inaperçue à Paris. En province, dans cette Bourgogne repliée sur ses vignes et sur ses forêts, on jase. Quand un deuxième enfant, Achille, naît, le 27 janvier 1863, la rumeur publique lui attribue comme père, non pas Jules Robineau-Duclos, mais Jules Colette. Pour une fois, la rumeur a raison et s'amplifie, à tort cette fois, lors de la mort subite de Jules Robineau-Duclos due à une apoplexie foudroyante, le 30 janvier 1865.

On parle de poison administré par Sido selon les uns, par le Capitaine-percepteur selon les autres. On découvre que les époux faisaient chambre à part et que le notable de Saint-Sauveur est mort, seul comme un chien, dans la sienne. On se voile la face quand, juste à l'issue du délai légal, Mme veuve Jules Robineau-Duclos épouse M. Jules Colette, le 20 décembre 1865.

Le ciel, plus indulgent que les commères de Saint-Sauveur, ne tarde pas à bénir cette union puisque le 22 octobre 1866 naît un fils, Léopold. Ce prénom est celui du roi des Belges. Visiblement, Sido n'oublie pas la Belgique où elle a puisé cette liberté de mœurs complètement ignorée par les prudes

Bourguignons qui l'entourent, et qui seraient bien étonnés d'apprendre que, en ce 28 janvier 1873, vient de naître celle qui donnera à Saint-Sauveur-en-Puisaye une renommée internationale.

Dès qu'elle ouvre les yeux, Gabrielle, Gabri pour ses proches, voit ce qu'elle passera sa vie entière à contempler : des plantes et des bêtes, des fleurs et des chats sur lesquels elle ne tarde pas à régner, comme sur le reste de la famille. Elle est la petite dernière, la petite reine, le centre de l'univers familial, celle qui attire les regards de sa demi-sœur, Juliette, et de ses deux frères, Achille et Léopold.

Sido, grisée d'avoir été mère à trente-cinq ans, se demande, comme toutes les mères, comment elle a pu enfanter une telle merveille, son « soleil en or », comme elle dit. Son époux, qui a quarante ans, partage cette griserie. Après huit ans de mariage, Jules et Sido restent profondément amoureux l'un de l'autre. Colette est une enfant de l'amour et qui vit ses premières années dans un incomparable climat de tendresse qu'elle cherchera toujours à retrouver, ou à recréer...

Chapitre 2

L'école du regard
(1873-été 1879)

Son remariage avec le Capitaine, sa grossesse tardive, suivie du tardif baptême de sa dernière-née font de Sido la scandaleuse de Saint-Sauveur. Comme elle n'en est plus à un scandale près, elle choisit comme nourrice de son « soleil en or » une fille-mère, autrement dit une mère célibataire, ce qui, à l'époque, était considéré comme la pire des ignominies. Ces malheureuses allaient généralement cacher leur honte et leur bâtard à Paris, ou dans quelque autre grande ville.

Sido s'élève contre cet ostracisme et réclame, pour la femme, le droit d'enfanter sans passer par la mairie et l'église. Elle reçoit sous son toit la pécheresse, une belle fille blonde, Émilie Fleury, qui étant elle-même une enfant illégitime, s'applique à perpétuer une tradition familiale. Car chaque village compte quelques-unes de ces femmes que l'on dit vicieuses, ou passionnées, et dont la seule vue est une offense pour les femmes honnêtes.

Bien qu'Émilie Fleury, dite Mélie, soit une excellente nourrice qui restera ensuite au service des

Colette comme cuisinière, le choix de Sido provoque la réprobation du Tout-Saint-Sauveur. Mme Colette offre un front serein au blâme villageois et justifie l'excellence de son choix en présentant triomphalement sa magnifique Gabri à qui le bon lait de Mélie profite.

Ainsi, dès sa naissance, le « soleil en or » est nourri du lait du scandale et n'en resplendit que davantage. Son portrait, à dix-neuf mois, par Stéphane Baron, en apporte une preuve éclatante, et aussi, l'éclatante preuve de sa ressemblance avec Sido. Même morphologie du visage, même acuité du regard qui, très tôt, chez Colette, se voile d'une incroyable, d'une inexplicable tristesse. Il suffit, pour s'en persuader, de regarder la photo de Colette à cinq ans. Vêtue d'une robe à ganses, assise sur un petit fauteuil de velours, elle semble incarner toute la tristesse du monde, et tous les abandons. Et pourtant, jamais petite fille ne fut plus entourée par les siens et plus joyeuse que celle pour qui sa mère invente chaque jour de tendres surnoms. « Minet-chéri » est celui qui revient avec fréquence, Sido l'emploiera longtemps, bien après que sa fille aura cessé d'être une enfant...

En attendant, Minet-chéri est une aimable nourrissonne qui, grâce au lait de Mélie et à la vigilance de Sido, grandit et embellit de jour en jour. Née en Bourgogne, Minet-chéri apprend à parler avec l'accent bourguignon qu'elle gardera jusqu'à la fin de ses jours. C'est sa façon à elle de marquer sa fidélité à une province chère à son cœur, et dont elle enregistre peu à peu les usages et les fêtes liés au passage des saisons.

Le jour de l'An est signalé, dès l'aurore, par le roulement du tambour municipal. Aux feux de la Saint-Jean succèdent les bannières des Rogations, et puis, c'est l'automne. On s'en va dans les bois ramasser des châtaignes et des champignons. En hiver, dans la cheminée, la forme des flammes alimente la conversation et fait naître les rêves, ou les contes. Très tôt, Minet-chéri se passionne pour les histoires de loups qui sortent des bois pour rôder autour des fermes. La peur, la salutaire peur du loup ne semble pas avoir impressionné outre mesure Minet-chéri pour qui les chats et les chiens sont d'indispensables compagnons de jeu. Pourquoi ne peut-on pas jouer avec les loups ? Gabri doit se contenter de jouer avec sa sœur de lait, Yvonne. Sa demi-sœur, Juliette, et ses deux frères, Achille et Léo, sont en pension et ne reviennent qu'aux vacances. Déjà, Sido a décidé qu'elle épargnerait les ténébreuses promiscuités de la pension à son « soleil en or » à qui elle inculque les bonnes manières, et aussi l'art, très utile, de réprimer ses pleurs.

Minet-chéri fait ses premiers pas dans les deux jardins que possède la maison, située rue des Vignes. Il y a un jardin du haut qui fait figure de verger désordonné avec ses deux sapins, son noyer, ses rosiers, ses abricotiers, sa glycine, ses lilas et un jardin du bas qui s'offre comme un potager plus sage avec ses plants d'aubergines, de piments, de tomates. Le tout forme le royaume de Sido, son école du regard puisque son enseignement suprême et permanent se résume en un mot : « REGARDE ». Dès qu'elle est en âge de comprendre cette injonction, Minet-chéri contemple la fleur, le bouton, le germe, la feuille, le papillon, l'oiseau qui semblent naître sous les pas de Sido. Véritable déesse des jardins, armée d'un sécateur, brandissant un arrosoir, sachant prévoir les caprices du vent ou la venue de l'orage, telle se présente Sido aux yeux éblouis de son Minet-chéri. Une admiration mutuelle lie la mère et la fille. La première se contemple dans la seconde comme en un miroir. La seconde essaie, du mieux qu'elle peut, de ressembler à la première...

La compagnie de sa mère, ou d'Yvonne, ne suffit pas à Minet-chéri qui s'invente une compagne, « Elle s'appelait Marie et ne voulait porter que des tabliers à carreaux ». Le soir venu, dans son lit, Minet-chéri laisse toute la place à l'invisible Marie, et Sido de s'exclamer : « Mais quelle manie prend cette enfant de coucher sur l'extrême bord de son lit ? »

Marie, la compagne des songes, disparaît, chassée par des compagnes plus réelles, celles de l'école laïque de Saint-Sauveur où Minet-chéri entre à l'automne 1879.

Chapitre 3

La fille de Balzac et de la communale (automne 1879-hiver 1883)

Avec son école, sa mairie, sa tour en ruine, sa grand'rue, et son millier d'habitants, Saint-Sauveur-en-Puisaye n'offre rien d'original et ressemble à des centaines d'autres villages. On se croirait dans l'un de ces tranquilles paysages qui servent de décor aux contes de Benjamin Rabier.

Ce calme n'est qu'apparent. La révolution de 1789 qui n'a pas encore cent ans n'est pas complètement oubliée. D'alertes nonagénaires se souviennent des luttes fratricides entre les Blancs et les Rouges. Ceux qui vont à l'église sont des Blancs, et ceux qui vont faire leurs dévotions à la mairie sont des Rouges. Entre les Blancs et les Rouges, la guerre continue à Saint-Sauveur où le calme n'est vraiment qu'apparent, comme ailleurs...

Les Colette, que l'héritage Robineau-Duclos a momentanément enrichis et placés dans le camp des nantis, c'est-à-dire des Blancs, devraient confier leur dernière fille à quelque institution religieuse, à Auxerre ou à Paris. Ils se comportent comme des Rouges en mettant Minet-chéri à la communale.

Certes, par ce choix, ils s'affichent comme des partisans inconditionnels de la IIIe République. Cette décision est autant politique que sentimentale. Sido n'a jamais caché son intention d'éviter une séparation avec son « soleil en or ». Et ce que veut Sido, le Capitaine l'exécute aveuglément.

À six ans, Minet-chéri va en classe avec des filles de commerçants ou de paysans. Elle est fille de fonctionnaire, et du plus prestigieux fonctionnaire de Saint-Sauveur, celui que commerçants et paysans saluent avec une considération proche de la crainte : le percepteur. Comme si cette différence sociale ne suffisait pas, Sido veille à ce que sa fille soit mieux habillée que ses compagnes et porte sous l'uniforme – le sarreau noir que la laïque impose à ses élèves – des robes de soie ou de velours.

Enfin, différence suprême, Minet-chéri sait déjà lire. Dans ses souvenirs, Colette affirme que, à six ans, elle lisait couramment Daudet, Mérimée, Hugo et surtout Balzac qu'elle va idolâtrer, sa vie durant. « Je suis née dans Balzac » répétera-t-elle. Impossible de vérifier si elle a vraiment lu Balzac à six ans, et si, comme elle le prétend, elle a obtenu, pour son septième anniversaire, le théâtre complet de Labiche...

Comme sa mère, son père, sa demi-sœur et ses deux frères, Colette est une lectrice infatigable, une dévoreuse de livres. À l'âge où l'on découvre les contes de fées et où l'on connaît Peau d'Âne, Minet-chéri affirme ne rien ignorer des secrets de la princesse de Cadignan. Bref, qu'elle ait lu Balzac à six ans et Labiche à sept, ou un peu plus tard, ce qui est plus vraisemblable, elle sait lire et fait figure de phénomène aux yeux de ses compagnes qui, elles, ne le savent pas encore et ânonnent péniblement le Nouveau Testament, la IIIe République n'a pas eu le temps de faire imprimer des abécédaires moins tendancieux.

Fille de riches, ou passant pour telle, trop bien vêtue, trop savante, Minet-chéri a tout pour se faire détester par ses semblables, ou plutôt, ses dissemblables. Il n'en est rien. Non seulement elle n'est pas rejetée, ou moquée pour sa différence, mais elle est acceptée, recherchée, courtisée et fait bientôt figure de petite souveraine de la communale. Ce qui conforte Sido dans l'excellente opinion qu'elle a de son « soleil en or », un soleil aux yeux pers. Face à ces yeux pers, Sido perd son sens critique. Elle n'a qu'un reproche à adresser à sa dernière fille : à huit ans, Minet-chéri ne s'intéresse pas encore à Saint-Simon. C'est certainement le saint que révère le mieux Sido qui n'hésite pas à emporter un volume des *Mémoires* à la messe, à moins qu'elle ne prenne, en guise de missel, le théâtre de Corneille, qu'elle lit pour oublier la longueur des sermons.

Les épouses de notables, même notoirement athées comme le percepteur, se doivent d'assister à la messe du dimanche. On pardonnerait tout à Mme Colette, sauf son absence à cette cérémonie hebdomadaire dont Minet-chéri apprécie les chants et les odeurs d'encens. La messe est pour la mère et la fille un spectacle où il est bon de se montrer, et de s'ennuyer un peu.

L'ennui qui a conduit Emma Bovary, et ses émules, à l'adultère puis au suicide, continue à ravager les provinces françaises. Sido, que sa fille présentera comme un pur produit de sa province, n'en garde pas moins les yeux fixés sur Paris et Bruxelles où elle s'échappe parfois pour de brefs séjours. Elle en revient exaltée, exténuée par les découvertes qu'elle y a faites. Parfois, Minet-chéri participe à ces expéditions. À Bruxelles, elle est présentée à sa famille belge. À Paris, elle assiste à l'inauguration des lampes à gaz sur les Champs-Élysées.

Colette reconnaîtra toujours qu'elle a eu une enfance heureuse et n'oubliera jamais le flamboiement des jardins de sa mère. Contrairement à sa fille qu'elle a vouée au bleu, Sido aime le rouge, rouge des roses, des géraniums, des pélargoniums, des digitales. Elle se prend à rêver à une glycine rouge... En cet éden bourguignon règne la paix, « la paix de notre jardin, où les enfants ne se battaient point, où bêtes et gens s'exprimaient avec douceur, un jardin où, trente années durant, un mari et une femme vécurent sans élever la voix l'un contre l'autre ».

À lire ces lignes tirées de *Sido*, on a l'impression que Colette a déjà trouvé, dans le jardin de sa mère, son paradis terrestre. Elle n'a que faire de ce paradis que l'on dit céleste. Pour Colette, comme pour Sido, le ciel est vide, ou seulement peuplé de ces créatures fantasques que sont les nuages.

La sérénité de ce paradis est à peine troublée quand viennent en vacances Juliette, Achille et Léo. Achille est le préféré de Sido. C'est un beau garçon aux yeux verts. Il se destine à la médecine. Léo vit dans un autre monde, celui de la musique, qu'il abandonne momentanément pour visiter des cimetières qu'il s'efforce ensuite de reconstituer, en miniature, dans le grenier ou dans le fond du jardin. Sido qui ne comprend rien à cette manie ne cache pas sa réprobation !

Entre Achille et Léo, c'est un accord parfait qui se manifeste particulièrement quand ils jouent du piano à quatre mains. Ils veillent à ce que leur petite sœur soit aussi une musicienne accomplie. Ils organisent des concerts familiaux pendant lesquels M. Colette joue les barytons, et Mme Colette les sopranos. Juliette assiste, en spectatrice unique et ennuyée, à ces débauches musicales. Elle est la mal-aimée du clan, l'étrangère, la fille de l'autre Jules, elle est une Robineau-Duclos avec les bizarreries que cela comporte. Elle se réfugie dans la lecture et se cache sous une chevelure qui descend jusqu'à ses talons. « Ma sœur aux longs cheveux », comme la nommera Colette, tombe gravement malade, et dans son délire, appelle les auteurs à la mode, Catulle Mendès ou Octave Feuillet. Guérie, Juliette retourne à ses livres, et les concerts reprennent de plus belle.

Quand ils s'arrêtent d'interpréter Beethoven ou Bizet, Achille et Léo s'en vont à la chasse aux papillons, suivis par Minet-chéri, fière d'accompagner ses aînés à travers les prairies et les bois, et d'apprendre à distinguer les différentes variétés de lépidoptères. Ce trio manifeste un « mutisme allègre », une « sociabilité limitée ». Tous trois ne pratiquent pas seulement en musique l'art de la fugue : ils savent s'enfuir, disparaître dans les recoins de leur vaste maison dès que des visiteurs non désirés, et peu le sont, s'annoncent. Alors retentit, immuable et angoissé, le cri de Sido, « Où sont les enfants ? »

En mars 1880, Jules Colette prend sa retraite de percepteur. Il redevient ce qu'il n'a jamais cessé d'être, un militaire. Le capitaine Colette qui s'est battu avec tant de vaillance en Crimée et en Italie souhaite connaître d'autres champs de bataille, électoraux ceux-là. Il veut être élu au conseil général de l'Yonne, il mène sa campagne tambour battant, il est accompagné de sa fille qu'il présente comme un exemple de ce que peut donner l'éducation laïque. Minet-chéri prend, à ces exhibitions, le goût de la parade et des applaudissements du public. Le tout se termine, comme il se doit, par une tournée générale de vin chaud à la cannelle. La « jeune demoiselle » montre qu'elle sait lever le coude et accompagne son geste d'un « Ça fait du bien où ça passe » qui provoque des rires et d'autres applaudissements.

Le père et la fille reviennent tard dans la nuit à Saint-Sauveur où Sido les attend, inquiète. Quand elle s'aperçoit que Minet-chéri empeste le vin à la cannelle et tient des propos décousus, Sido prie le Capitaine de poursuivre seul sa campagne électorale. Jules Colette est battu par le docteur Pierre Merlou qui paiera cher sa victoire : il sera le libidineux docteur Dutertre de *Claudine à l'école*. Car si elle éprouve une dévotion sans faille pour sa mère, Minet-chéri aime également son père : il la traite comme une grande personne à qui il lit ses discours et ses poèmes. Le Capitaine n'écrira rien d'autre bien qu'il veuille être écrivain et s'entoure de tout ce qu'il faut pour entreprendre une œuvre : plumes de différentes tailles, encres de différentes couleurs, cahiers reliés portant des titres pompeux. Hélas, l'inspiration du Capitaine s'arrête à ces titres et les pages de ses cahiers restent désespérément vierges. C'est sa fille qui deviendra l'écrivain qu'il aurait tant souhaité être...

Chapitre 4

La fin de l'innocence (1884)

Sido qui amène son chien à l'église où il se révèle « un modèle de tenue » consent à ce que Minet-chéri fasse, comme ses compagnes, sa première communion. Le catéchisme, et les innombrables questions qu'il contient, exaspèrent Sido dont la tolérance a des limites : « Ah ! que je n'aime pas cette manière de poser des questions ! Qu'est-ce que Dieu ? qu'est-ce que cela ? [...] Ah ! je n'aime pas voir ce livre dans les mains d'une enfant, il est rempli de choses si audacieuses et si compliquées... »

Le catéchisme marque pour la fille de Sido la fin de l'enfance, et d'une certaine innocence. Si par innocence, on entend l'ignorance de ce que l'on appelle pudiquement les mystères de la nature, Minet-chéri, comme toute fille de la campagne, n'a pas ce genre d'innocence. Elle a vu s'accoupler les bêtes, et ces mêmes bêtes mettre bas. Comme elle est loin d'être idiote, elle a compris. Mais dans le catéchisme, elle apprend des mots comme « adultère » qui la troublent parce qu'elle en perçoit mal le sens exact, ou qu'elle n'en voit pas pour le moment l'emploi. C'est peut-être pour la détourner de telles pensées, ou de la tentation d'un facile mysticisme issu des fumées d'encens et des fastes catholiques, que Sido engage sa fille à découvrir ce que l'univers peut offrir de plus innocent et de plus païen : la naissance du jour. À trois heures et demie du matin, Minet-chéri peut se lever et vagabonder à son aise dans la proche campagne, « J'allais seule, ce pays mal pensant étant sans dangers. C'est sur ce chemin, c'est à cette heure que je prenais conscience de mon prix, d'un état de grâce indicible et de ma connivence avec le premier souffle accouru, le premier oiseau, le soleil encore ovale, déformé par son éclosion ».

Vraiment, Minet-chéri n'est pas une enfant comme les autres ! Non seulement, elle a lu Balzac, visité Paris et Bruxelles, joué les agents électoraux, mais encore, elle se promène seule quand il fait encore nuit, ce qui est impensable pour ses compagnes qui ne quittaient guère les jupes de leur mère !

Grâce à ces grisantes escapades, les démons du catéchisme sont vaincus et Minet-chéri ressemble à l'une de ces rayonnantes jeunes déesses cheminant aux premiers matins du monde. Sido est rassurée, sa fille ne sera pas la proie de l'obscurantisme. Sans le savoir, peut-être, Mme Colette reprend à son compte les explications que Mme Dupin de Francueil donnait à sa petite-fille, George Sand, qu'elle priait de ne voir en sa première communion qu'« un acte de bienséance » qu'il faut accomplir sans y croire, et sans croire surtout que l'on va « manger son créateur ».

Minet-chéri imagine un paradis à sa convenance, avec des nymphes, des chèvre-pieds, et des animaux qui parlent, « Vieux curé sans malice qui me donnâtes la communion [...] je vous écoutais parler de votre enfer, en songeant à l'orgueil de l'homme qui, pour ses crimes d'un moment, inventa la géhenne éternelle ». Voilà des pensées bien élevées, et bien audacieuses, pour une première communiante qui offre pourtant l'apparence de la sagesse et du recueillement au curé de Saint-Sauveur, M. le chanoine Millot.

Cette cérémonie terminée, Sido se laisse envahir par de plus graves préoccupations. Comme Minet-chéri a eu le caprice de faire sa première communion, Juliette, elle, manifeste son intention de se marier. Elle en a assez d'être tenue à l'écart, d'être une exclue. Elle épouse, au printemps 1884, « le premier chien coiffé », selon Sido, en fait un voisin, le docteur Charles Roché qui est venu s'installer à Saint-Sauveur, rue de la Roche. En cette noce, Minet-chéri ne voit que prétexte à ripaille, l'occasion de sacrifier à sa « religion du lapin sauté, du gigot à l'ail, de l'œuf mollet au vin rouge ». Déjà, elle aime manger, elle n'est pas effrayée par ces repas qui durent quatre heures, comportant cinq plats de viande et trois entremets.

Aux plaisirs du banquet s'ajoute celui, plus subtil, d'avoir une chambre à elle, celle de Juliette, que Minet-chéri occupe au premier étage, avec son lit aux rosaces de fonte argentée et son placard-cabinet de toilette. Succédant à une jeune fille, Minet-chéri se sent déjà jeune fille. Ce qui ne plaît guère à Sido à qui la crainte d'un enlèvement donne des cauchemars. « Songes, mensonges » se répète Mme Colette pour se rassurer.

Un autre cauchemar, et bien réel celui-là, s'abat sur Sido et sa famille. Juliette demande des comptes. Le Capitaine chargé de gérer l'héritage Robineau-Duclos est accusé de « tutelle imprévoyante » et de « prodigalité inexcusable ». Accusations, hélas, fondées. Imprévoyant et prodigue, M. Colette l'a été, comme le sera sa fille. Tous deux sont incapables de gérer un budget et dépensent toujours plus qu'ils ne gagnent.

Mauvais administrateur, le Capitaine s'est fortement endetté pour financer sa nouvelle campagne électorale, en mai 1884. Il veut être maire de Saint-

Sauveur. Son échec au conseil général n'a fait que stimuler son besoin d'action, son désir de revanche que couronne un autre échec : il n'est pas élu maire de Saint-Sauveur !

Une guerre familiale éclate entre les Colette et les Roché. On ne se parle plus, on ne se salue plus et le Tout-Saint-Sauveur, enchanté par cette discorde portée sur la place publique, joue le chœur antique. « On ne parla que de nous. On fit queue le matin à la boucherie de Léonore pour y rencontrer ma mère et la contraindre à livrer un peu d'elle-même. [...] Elle revenait épuisée, avec le souffle précipité d'une bête poursuivie » rapporte Colette dans *La Maison de Claudine* qui date de juin 1922. Trente-huit ans après les événements du printemps 1884, l'indignation de la fille de Sido devant l'acharnement mis par les gens de Saint-Sauveur à poursuivre sa mère, et à en faire une bête traquée, est intacte. Pour la première fois de sa vie, et ce n'est pas la dernière, Minet-chéri rencontre la bêtise humaine, la méchanceté gratuite, et cela dans son village natal. Attachée aux paysages de Saint-Sauveur, Colette se détache complètement de ses habitants pour lesquels elle sera, à son tour, sans pitié quand elle écrira *Claudine à l'école*. Le Saint-Sauveur qui persécuta Sido et les siens ne se reconnaîtra que trop dans ce Montigny où Colette fait naître sa Claudine à une date révélatrice, 1884, année qui marque le déclin de ce paradis terrestre où Juliette prend figure de serpent. Mme Roché, née Robineau-Duclos, n'est peut-être pas mécontente de marquer son pouvoir sur ces Colette qui la traitaient comme une quantité négligeable. C'est la revanche de la laide Juliette sur le bel Achille, le beau Léo et la belle Minet-chéri. La nature qui n'a pas gâté Juliette a réservé ses dons aux enfants de l'amour.

En septembre 1884, les Colette et les Roché se réunissent chez le notaire de Saint-Sauveur, maître Coudron. L'héritage Robineau-Duclos, ou ce qu'il en reste, est partagé en trois : une part pour Sido, une part pour Juliette, une part pour Achille qui, pour l'état civil, est Robineau-Duclos. Aussitôt, Sido passe avec aisance de l'état de plus heureuse des mères à celui de mère martyre. Elle se dit ruinée par Juliette. Une ruine relative, d'autant que la maison où les Colette habitent est devenue la propriété d'Achille. Or, ce qui est à Achille, fils modèle, appartient à Sido.

À onze ans, Minet-chéri apprend que les roses ont des épines, que la naissance du jour n'est qu'un prélude au crépuscule et que tout n'est pas pour le mieux dans le meilleur des Saint-Sauveur. C'est la fin de l'innocence. La créature des prairies et des bois se trouve mêlée à des discussions de famille, découvre « l'appareil redoutable des notaires et des avoués » et surprend sa mère « avec un visage fermé et ironique » qui la bouleverse.

Chapitre 5

Un Narcisse féminin (1885-1889)

À douze ans, et de son propre aveu, Colette offre « le langage et les manières d'un garçon intelligent, un peu bourru, mais la dégaine n'est point garçonnière, à cause d'un corps déjà façonné fémininement, et surtout de deux longues tresses, sifflantes comme des fouets ». On ne saurait mieux dire. Un esprit de garçon dans un corps de fille, telle est, et telle sera Colette, à douze ans, comme à quatre-vingt-un ans ! Chemin faisant, elle aura perdu, et sans trop de regrets, sa longue chevelure qui lui valait, chaque matin, de se lever une demi-heure plus tôt que ses camarades d'école. Pendant une demi-heure, Sido brosse et peigne les longs cheveux de sa deuxième fille, en essayant d'oublier les longs cheveux de la première qui, en 1885, a mis au monde une Yvonne sans que les Colette en soient officiellement prévenus.

Avertie par une voisine que l'accouchement a commencé rue de la Roche, Sido, dans la nuit, seule en son jardin, et sans savoir qu'elle est observée par son Minet-chéri « commença d'aider, de doubler, par un gémissement bas, par l'oscillation de son corps tourmenté et l'étreinte de ses bras inutiles, par toute sa douleur et sa force maternelles, la douleur et la force d'une fille ingrate qui, si loin d'elle, enfantait ».

La chambre de Minet-chéri, au premier étage, constitue un excellent observatoire. Mais au spectacle de l'extérieur, Minet-chéri préfère, le soir, quand elle se couche, le spectacle plus intime qu'elle se donne à elle-même, à demi dévêtue, et tellement fascinée qu'elle en oublie de fermer les volets. Dans la glace de l'armoire, elle aime contempler son reflet, sourire à son image, sans se douter que, en face, une petite voisine regarde avec passion ce ballet de Narcisse féminin. La petite voisine se gardera bien de souffler mot à personne de ce qu'elle voit et ne livrera que bien plus tard le souvenir de ses impressions...

Quand Minet-chéri se décide enfin à fermer les volets de sa chambre, il n'y a plus de témoin pour savoir ce qui se passe entre cette Mlle Narcisse et son reflet. On sait que cette contemplation conduit souvent à ces plaisirs que l'on nomme, à tort, solitaires puisqu'ils incitent à chercher d'autres semblables, « les plus semblables possibles », comme l'affirmera, plus tard, Natalie Barney, experte en ces domaines.

En juin 1885, Minet-chéri passe, avec succès, les épreuves du certificat d'études à Saint-Sauveur. Elle brille particulièrement en dictée, en analyse grammaticale, en histoire et en géographie. Elle ne se distingue pas particulièrement en composition française. Et pour cause : elle préfère la lecture à l'écriture. Elle n'a aucune envie de rivaliser avec son bien-aimé Balzac et d'écrire des romans. Elle ne se lève pas la nuit pour écrire des vers. Elle ne jette pas « des paroles inspirées » au clair de lune. Bref, elle ne croit pas avoir la vocation d'écrire. Ce qui ne l'empêche pas d'écrire avec une incroyable facilité, et de rédiger en un quart d'heure ce que ses compagnes mettent une heure à composer !

Un cours supérieur s'est créé à Saint-Sauveur, il est dirigé par Mlle Olympe Terrain, vingt-quatre ans, qui a pour assistante une institutrice, Mlle Emma Duchemin, dix-neuf ans. D'abord frondeuse, menant le chahut, Minet-chéri ne tarde pas à s'incliner devant le savoir et l'intelligence de Mlle Terrain à qui elle demande une faveur aussitôt accordée : chaque élève sera simplement appelée par son nom de famille. Minet-chéri ne sera plus en classe Mlle Colette, mais Colette. Déjà...

En fin d'année scolaire, Mlle Terrain, à son tour conquise, ne tarit pas d'éloges sur Colette à qui elle reconnaît de l'imagination, de l'humour, de la précision dans le style, et le sens du mot rare et inattendu. Si elle ne se sent pas de vocation littéraire, Colette a tout pour devenir un écrivain ! Elle apprécie les compliments de Mlle Terrain et sait rendre la politesse. Pour l'anniversaire de sa directrice, elle récite un poème composé, à cette occasion, par son père et qui se termine par ces deux vers en forme de déclaration :

Pardonnez aux enfants timides
Ils ne savent que vous aimer.

Cette déclaration n'empêchera pas Colette dans *Claudine à l'école* de changer Mlle Terrain en Mlle Sergent « d'une laideur flagrante », et Mlle Duchemin en Aimée, l'assistante trop aimée de cette même Sergent. On explique généralement ce règlement de compte par une liaison que Mlle Terrain aurait eue avec le docteur Pierre Merlou qui avait été le rival heureux du Capitaine dans sa course à la mairie de Saint-Sauveur. Mais, à travers ce couple de femmes, Colette n'aurait-elle pas revécu ses fantasmes d'adolescente imaginant des scènes d'intimité intense entre Mlle Terrain et Mlle Duchemin qui vivaient sous le même toit et avaient les apparences d'un couple ? Ne venaient-elles pas toutes les deux de cette École Normale qui passait alors pour une pépinière de Lesbos ? Si, pour les anticléricaux, les couvents étaient peuplés par les disciples de Sapho, les bien-pensants pensaient que les normaliennes n'étaient pas aussi normales qu'elles prétendaient l'être... Dans les revues légères qu'Achille, qui poursuivait ses études de médecine à Paris, rapportait à Saint-Sauveur, les caricaturistes s'en donnaient à cœur joie et mêlaient allègrement les amours des religieuses et des normaliennes. Colette ne fait que refléter là l'un des préjugés les plus tenaces de son temps qui voit en chaque rassemblement de femmes une colonie de Gomorrhe !

Qu'elles appartiennent ou non à Lesbos, Mlle Terrain et Mlle Duchemin dispensent un excellent enseignement qui ne tarde pas à porter ses fruits. En juillet 1889, Colette est brillamment reçue aux épreuves du brevet élémentaire à Auxerre où, pendant trois jours, elle éblouit ses compagnes en changeant, chaque jour, de toilette et en aguichant les examinateurs. Elle a obtenu la meilleure note en composition française : 17 sur 20. Si elle persiste à garder sa préférence pour la lecture, elle doit reconnaître qu'elle a acquis un joli brin de plume, et que Mlle Olympe Terrain n'est pas étrangère à cette acquisition.

Tous les espoirs semblent donc permis à cette séduisante jeune fille de seize ans dont les beaux yeux pers, les longues tresses, la taille fine font certainement rêver les messieurs, et certaines dames, d'Auxerre et de Saint-Sauveur.

Chapitre 6

Une pie sentimentale
(été 1889)

Oui, tous les espoirs sembleraient permis à Mlle Colette si elle avait une dot. Or, Colette, comme Sido à son âge, est sans dot. C'est pour une jeune fille la tare majeure en cette fin de siècle qui a restauré le culte du Veau d'or et pour qui l'être, sans l'avoir, ne compte pas.

Fervente et attentive lectrice de Balzac, Colette aura certainement remarqué que, dans *La Cousine Bette*, le règne de « la sainte, la vénérée, la solide, l'aimable, la gracieuse, la belle, la toute-puissante pièce de cent sous » avait commencé, et n'avait pas arrêté depuis. Au contraire. Le vieux proverbe « Mieux vaut bonne renommée que ceinture dorée » s'est changé en « Mieux vaut ceinture dorée que bonne renommée ». La preuve ? Juliette qui était laide et sans esprit a facilement trouvé un épouseur, parce qu'elle avait une dot ! Colette qui est belle et qui a de l'esprit risque de ne pas en trouver. Elle est condamnée à rester vieille fille, et à gagner sa vie en donnant des leçons de solfège puisque la musique est le seul domaine où elle croit exceller.

Une telle perspective a de quoi faire frémir d'horreur l'étoile de Saint-Sauveur qui, pour le moment, ne s'en soucie pas trop et préfère savourer sa récente victoire au brevet élémentaire. Certes, elle n'a pas été sans remarquer que, depuis le règlement de la succession Robineau-Duclos, le train de vie a diminué. On voyage moins, on fait durer les vêtements.

Pour essayer de racheter sa mauvaise gestion, le Capitaine a vendu la maison de ses parents, au Mourillon. Il a procédé à d'autres ventes, à d'autres emprunts aussi. Les Colette vivent souvent à crédit, remboursent, puis s'endettent à nouveau. Il arrive à Sido de reprocher au Capitaine son incompétence et de maudire Juliette pour sa rapacité. Le vert paradis n'est plus ce qu'il était, mais garde quand même son apparence de paradis où Colette conserve ses habitudes. Elle lit, et relit indéfiniment ses auteurs préférés, se lance à la conquête de l'aurore, et court les bois à la rencontre des saisons. Plus tard, elle avouera qu'elle aurait aimé être un écureuil, mais que personne ne lui avait offert un destin d'écureuil...

Sido avait surnommé son premier mari le Sauvage. Sa dernière fille est aussi une sauvage qui fuit la société et ne se plaît qu'en compagnie des bêtes, des plantes ou de quelques jeunes campagnardes qui ont déjà des galants et qui se laissent embrasser dans le cou. Tant de liberté dans ses fréquentations, tant de licence à aller et venir, seule, et où bon lui semble, choque le Tout-Saint-Sauveur.

Une demoiselle comme Mlle Colette se doit d'avoir quelqu'un qui l'accompagne dans n'importe laquelle de ses sorties. Ce rôle de chaperon était primordial, assumé en général par la mère ou par quelque proche parente. Sido se soucie peu d'accompagner sa fille dans ses errances. Elle a trop à faire dans la maison et dans le jardin. Le Capitaine s'enferme dans ses comptes, et dans ses rêves d'écriture. Colette est donc libre de vagabonder à son aise, libre comme peu de filles de sa condition le furent à son époque. Au même moment, l'exacte contemporaine de Colette, Thérèse Martin, future sainte Thérèse de Lisieux [1], ne faisait pas un pas dehors sans être accompagnée par son père ou par l'une de ses sœurs. Une bonne réputation était à ce prix.

La mauvaise réputation de Sido – personne à Saint-Sauveur n'a oublié qu'elle a été la maîtresse du Capitaine avant d'en devenir l'épouse – s'ajoute à la mauvaise réputation de Colette, vagabonde précoce en sa Puisaye natale. Ces vagabondages, cette absence de dot éloignent les possibles épouseurs bourguignons. Forte de ses seize printemps, Colette s'en moque. Elle profite du mieux qu'elle peut du bel été 1889.

L'Exposition universelle bat son plein à Paris où vient de débarquer Anne-Marie Chassaigne qui s'apprête à devenir Liane de Pougy, l'une des plus célèbres courtisanes de son temps. Ces « cocottes », ces « horizontales », comme on les appelle, font rêver Colette et ses copines dont l'une affirme sérieusement « Je serai cocotte » comme d'autres veulent être épicière. À quoi rêvent les jeunes filles de Saint-Sauveur, y compris, et surtout, Colette ? À ces demi-mondaines dont les exploits galants défraient la chronique, et emplissent les colonnes des journaux parisiens.

Sido et le Capitaine évoquent, à mots couverts, les fantaisies de ces hétaïres. À mots plus ou moins couverts, puisqu'il est temps que leur fille apprenne que, du côté Landoy, on compte l'une de ces créatures. Irma est une sœur de Sido qui a mal tourné. Elle a pris un nom de guerre, se dit modiste alors qu'elle n'est qu'une femme entretenue. Irma n'est mentionnée qu'une fois dans l'œuvre de sa nièce [2]. Cette tante Irma incarne ce demi-monde pour lequel Colette éprouve une fas-

1. Née le 2 janvier 1873.
2. Exactement dans le texte intitulé « La fille de mon père ».

cination qu'elle assouvira plus tard en fréquentant la Belle Otero et en créant le personnage de Léa de Lonval. Tante Irma fait partie de ces membres que la famille renie, sans pouvoir les effacer complètement, et qui puisent dans ce reniement même leur pouvoir d'attraction.

Prennent le relais dans l'évocation de ces libertines Achille et son ami, Maurice, venus en vacances à Saint-Sauveur, « Je leur dérobais, à lui et à mon frère, tout ce qui tombait sous ma petite serre de pie sentimentale : des journaux illustrés libertins, [...] et surtout des boîtes d'allumettes vides, les nouvelles boîtes blasonnées de photographies d'actrices [...] ». On confond alors, et souvent avec raison, actrice et courtisane à qui le photographe fait prendre la même pose mettant en valeur la langueur du regard et la nudité des épaules. Langueur et nudité troublent Colette qui l'est aussi par Maurice, « Je fus, huit jours durant, revêche, jalouse, pâle, rougissante – en un mot amoureuse ».

Amoureuse de Maurice et de sa « moustache comme roussie au feu ». Cette flamme qu'il a involontairement allumée, Maurice, futur avocat, fait tout pour l'éteindre, ne cachant pas qu'il est déjà fiancé, et heureux de l'être. Il laisse entendre que, quand il sera marié, il ne viendra plus à Saint-Sauveur et ne fréquentera plus les infréquentables Colette. À cette brutale confidence, la fille de Sido oppose un silence qui se voudrait moqueur et qui réussit à masquer son « grand regret enfantin » de perdre bientôt le premier Maurice de sa vie.

Cette première déception sentimentale dure peu et tout est oublié, balayé, par une visite à l'Exposition universelle. À Paris, chacun trouve de quoi satisfaire ses goûts profonds. Le Capitaine rend visite à un ancien camarade avec qui il est resté en relation, Jean-Albert Gauthier-Villars, imprimeur-éditeur. Sido se grise de musiques diverses, violons d'Offenbach et flûtes de l'Extrême-Orient. Colette se passionne pour la chanteuse Augusta Holmès dont la virile beauté blonde la trouble autant, sinon plus, que les moustaches de Maurice. Celle qui se définit comme une « pie sentimentale » peut considérer le butin qu'elle a amassé pendant cet été 1889 comme des plus satisfaisants...

Chapitre 7

Une excentrique à marier
(1890)

Quand l'été 1890 touche à sa fin et que l'Exposition universelle s'achève, Colette se retrouve à Saint-Sauveur, plus isolée que jamais. Elle a entrevu ce que pouvait être la vie à Paris, elle a compris qu'elle attirait les regards et elle n'a pour compagnie que son père, sa mère et leur perpétuel souci d'argent. Cygne parmi les oies, et cygne sauvage, Colette ne compte pas d'amie véritable à Saint-Sauveur. Ses vraies compagnes, ce sont Paquita Valdés et Valérie Marneffe qui sont les deux héroïnes de Balzac que Colette citera dans son œuvre, avec le plus de fréquence. Une fille qui est intime avec Paquita et Valérie n'est plus une ingénue et sait, en théorie, comment s'y prendre avec les hommes et les femmes. Mais à quoi un tel savoir peut-il servir en ce désert de Saint-Sauveur où chacun, sauf Colette, a une occupation?

Ses camarades d'école aident déjà leurs parents dans les champs, ou dans les boutiques. Aucune n'est oisive comme l'est Colette pour qui l'oisiveté n'est pas la mère de tous les vices, mais l'inséparable compagne de l'ennui. Elle apprend à connaître les vertus de l'ennui et fera dire à l'un de ses personnages, « Tu t'ennuies chez toi ? Ennuie-toi un peu. Ce n'est pas mauvais. L'ennui aide aux décisions ».

Cet ennui est interrompu par la venue des journaux et des revues de Paris que les Colette reçoivent, et consomment, sans modération aucune. Du *Figaro* à *La Revue des Deux-Mondes*, ils sont de fidèles, de fervents abonnés. De Paris arrive également une bonne nouvelle : Achille Robineau-Duclos a brillamment soutenu sa thèse de doctorat, *Les incisions chirurgicales du rein*, dédiée à sa mère qui persiste à le nommer, comme elle l'a toujours fait, « Beauté ». Entre Achille et sa mère, c'est l'accord absolu. Moins brillant que son frère, Léo poursuit de vagues études pour être pharmacien et finira comme clerc de notaire. Toujours dans les nuages, Léo est trop éloigné de la terre pour être proche de Sido...

Sitôt sa thèse soutenue, Achille décide de s'installer à Châtillon-sur-Loing, actuellement Châtillon-Coligny. Sido ne supporte pas d'être séparée plus longtemps de ce fils très aimé et décide, à son tour, de s'installer à Châtillon-Coligny dans une maison plus petite que celle de Saint-Sauveur, et nantie d'un seul petit jardin. Adieu jardin du haut, adieu jardin du bas.

Colette a nettement dramatisé ses adieux à Saint-Sauveur, et à sa maison natale, rue des Vignes. D'abord cette maison qui appartient maintenant à Achille, n'a pas été vendue, comme elle l'a affirmé, mais louée. Et si une partie des meubles et la presque totalité de la bibliothèque – il n'est pas question de se séparer des Balzac – ont été vendues aux enchères, c'est « par adjudication volontaire et pour cause de départ », et non par « autorité de justice » comme Colette l'a raconté plus tard.

La maison de Châtillon-sur-Loing n'aurait pu contenir les livres et les meubles accumulés par des générations de Robineau-Duclos. Il a fallu se débarrasser des reliques d'un passé que Sido veut vouer à un oubli complet. Cette vente aux enchères ne marque pas, comme on l'a cru trop longtemps, la ruine des Colette. Elle ferait plutôt honneur à leur sens pratique.

Si elle a souffert de voir exposés sur la place publique des objets qui formaient son décor intime, Colette ne peut que se réjouir secrètement de quitter ce Saint-Sauveur qui n'a jamais complètement assimilé sa mère et son père jugés trop différents. Elle ne se heurtera plus, à chaque coin de rue, à sa demi-sœur Juliette avec qui Sido vient de se réconcilier. Car le ménage Roché va mal, la jalousie, justifiée ou non, de Juliette exaspère son époux. Sido n'est pas fâchée de prendre parti contre ce gendre détesté. Elle ne supporte pas d'être supplantée par un étranger, ou une étrangère, dans l'affection des siens. L'époux de Juliette, les époux de Colette et l'épouse d'Achille apprendront, à leurs dépens, qu'il vaut mieux ne pas essayer de rivaliser avec Sido. Elle veut toujours garder la première place dans le cœur de ses enfants et pourrait passer pour le modèle des mères adorablement abusives. Sido, c'est une mère Goriot, prête à tout pour protéger, sauver sa nichée, comme le fait le père Goriot pour ses deux filles...

À Châtillon, on retrouve Léo qu'Achille a pris sous sa protection. Le clan familial est ainsi reconstitué. Le déménagement, l'installation, tout cela occupe, et distrait, Colette qui apprécie que chaque chambre ait son cabinet de toilette et que les « commodités » soient dans la maison, et non au fond du jardin, comme à Saint-Sauveur. Elle accompagne souvent Achille dans ses tournées, « et lorsqu'il jetait [...] sa trousse de chirurgie sur le siège du cabriolet, il était sûr de me trouver installée avec mon livre, mon goûter, mon vieux manteau, prête au long trajet, [...] bref réintégrée dans mon enfance ».

Comme Léo, Colette ne veut pas quitter son enfance. Elle découvre que les paysages du Loiret ne sont pas tellement différents de ceux de l'Yonne, des champs, des collines, des bois, tout cela rappelle heureusement le décor de ses premières années.

À Châtillon, petite maison et petits revenus, les Colette s'installent dans une médiocrité à peine dorée dont Sido ne veut pas pour sa dernière fille qu'elle souhaite marier, et bien. Mais à Châtillon, comme à Saint-Sauveur, pas le moindre épouseur à l'horizon. Colette a gardé sa liberté d'allure et de conduite. Elle accorde plus de soin à sa propre personne qu'aux soins du ménage, elle tient des propos qui n'ont rien de conventionnel et sa hardiesse suffit à mettre en déroute de possibles prétendants. En outre, elle manifeste, comme son Provençal de père, un goût immodéré pour l'ail. Qui, en 1890, dans le département du Loiret, voudrait se marier avec une fille qui parle de Paquita Valdés et de Valérie Marneffe comme si elles existaient réellement, qui se promène seule dans la campagne et qui mange de l'ail ? Personne. Colette ne trouvera d'épouseur qu'à Paris, et cela uniquement dans les milieux artistes, où ce que l'on considère ici comme d'insupportables excentricités sera plus facilement toléré. Qu'elle soit parisienne ou provinciale, la bourgeoisie fin de siècle ne peut admettre une créature aussi singulière que Mlle Colette. C'est alors que le nom d'Henry Gauthier-Villars, fils de l'un des amis parisiens du Capitaine, revient de plus en plus fréquemment dans les conversations qu'anime Sido. Cette dernière appelle le fils Gauthier-Villars par son pseudonyme, « M. Willy », qu'elle prononce « Villy »...

Chapitre 8

Un chef-d'œuvre libertin
(15 mai 1893)

Henry Gauthier-Villars, né le 10 août 1859, appartient à la grande bourgeoisie parisienne. Imprimeurs depuis le XVIIe siècle, les Gauthier-Villars sont devenus, à la fin du XIXe, des libraires-éditeurs renommés, spécialisés dans la publication d'ouvrages scientifiques. Ils comptent parmi leurs auteurs Louis Pasteur.

La maison Gauthier-Villars, 55 quai des Grands-Augustins, dans le VIe arrondissement, est réputée dans la France entière pour son sérieux. Son patron, Jean-Albert Gauthier-Villars, polytechnicien émérite, a veillé à ce que l'un de ses fils, Albert, et l'un de ses gendres soient aussi des polytechniciens distingués. Toute l'imposante gravité de l'École polytechnique imprègne la famille Gauthier-Villars qui, de plus, est catholique pratiquante, fait maigre le vendredi et observe scrupuleusement les rigueurs du carême.

Dans cette famille qui aurait pu servir de modèle à Philippe Hériat pour ses Boussardel, il y a, comme chez les Boussardel, un mouton noir : Henry. Il a préféré la compagnie des musiciens à celle des polytechniciens. Beethoven, Chopin, Saint-Saens, Wagner n'ont plus de secret pour celui qui, sous le pseudonyme de l'Ouvreuse, s'affirme comme un redoutable critique musical. Il voue à la littérature un culte égal à celui qu'il manifeste pour la musique. Il a participé aux combats d'avant-garde, il a appartenu aux groupes des Décadents, des Zutistes, des Ironistes dont les extravagances font se voiler la face à la famille Gauthier-Villars.

Henry fréquente les cafés et les salons où se font, et se défont, les réputations. Il est connu des cénacles, apprécié par Alfred Vallette et son épouse Rachilde qui règnent sur le prestigieux Mercure de France en compagnie de Remy de Gourmont et de quelques autres.

Willy – c'est le nom de plume que s'est donné Henry – est aussi le chéri de ces dames aux spécialités audacieuses, le client assidu des bordels et la providence des entremetteuses. Cédant toujours à la tentation, il ne dédaigne pas les jeunes proies. Il a toujours « adoré les gamines », confie-t-il à un ami.

Ces fantaisies ne l'empêchent pas de connaître la passion, la vraie, avec une femme mariée, Germaine Sevrat. Germaine divorce, ô scandale, et vit avec son amant. Ils ont un fils, Jacques, que Willy reconnaît et qui a deux ans quand sa mère meurt, soudainement, en décembre 1891. Willy est désespéré, il adorait Germaine. Au poids du chagrin s'ajoute la charge de cet enfant dont il ne sait que faire et qu'il met en nourrice à Châtillon, après avoir consulté Achille qui a, entre autres missions, celle d'inspecter les nombreux nourrissons de la région. Réputée pour ses vins, la Bourgogne l'est aussi pour l'excellence du lait de ses nourrices.

Les relations amicales qui unissaient le Capitaine Colette et l'éditeur Gauthier-Villars se sont poursuivies à travers leurs fils. Achille a été reçu chez les Gauthier-Villars quand il étudiait la médecine à Paris. Willy est reçu chez les Colette quand il vient à Châtillon visiter Jacques que Colette aime bien.

Colette admire, en Willy, l'auteur de brillants articles et de romans légers. Elle connaît peu l'homme qui, en décembre 1891, débarque à Châtillon, un enfant sur les bras. Et le cœur en écharpe. Pas pour longtemps. Le volage Willy ne demande qu'à être consolé. Comme la provinciale Eugénie Grandet tombe amoureuse de Charles, son cousin parisien et malheureux, la provinciale Colette ne tarde pas à tomber amoureuse du parisien, et malheureux, Willy.

Willy, lui, ne peut être qu'attiré par cette fleur de dix-neuf ans qui ne demande qu'à être cueillie et qui a l'air de l'une de ces gamines de quatorze ou quinze ans qu'il rencontre parfois dans certaines « maisons » de Montmartre. À dix-neuf ans, Colette paraît moins que son âge et ressemble à une écolière en goguette, à la Claudine qu'elle créera plus tard...

Commencent alors entre la provinciale et le Parisien les petits jeux de la séduction, les petits cadeaux, les petits billets. Sido suit de près cette naissante idylle. Elle ne déborde pas d'amour pour M. Willy en qui elle voit néanmoins un cadeau du ciel, un don de cette Providence en laquelle elle ne croit pas. Si elle épouse Willy, sa fille sera riche et respectée. La fille du capitaine Colette, accablé de dettes, épousant le fils de Jean-Albert Gauthier-Villars, éditeur fortuné, quelle revanche sur les commères de Saint-Sauveur que la vente aux enchères avait tant réjouies, et sur les commères de Châtillon qui prédisaient à son « soleil en or » le sinistre crépuscule des vierges laissées pour compte...

Que d'obstacles à vaincre avant d'en arriver à ce mariage ! Comment faire admettre aux Gauthier-Villars, qui rêvent d'alliances avantageuses, que leur Henry va épouser une fille sans dot ? Et, comme si cela ne suffisait pas, cette fille est aussi dépensière que l'est sa mère. Elle ne peut donc qu'apporter ruine et perdition, et même ébranler les bases de l'auguste maison Gauthier-Villars. Face à ces avertissements et à ces réticences, Henry renonce, en un très beau geste, aux parts qu'il possède dans l'affaire familiale d'imprimerie-édition. Il décide de vivre uniquement de sa plume. Colette doit comprendre que si légalement, elle sera Mme Henry Gauthier-Villars, elle ne sera, en fait, que Mme Willy. Qu'importe ? Le principal est de ne pas moisir plus longtemps à Châtillon et de vivre à Paris avec l'homme qu'elle aime de plus en plus.

Au printemps 1892, Colette et Willy se fiancent, ce qui provoque l'envie, et son cortège de calomnies et de lettres anonymes, à Châtillon, comme à Paris.

À l'automne de cette même année, la fiancée est enfin présentée à la famille Gauthier-Villars qui essaye de faire contre mauvaise fortune bon cœur, et qui reconnaît que cela aurait pu être pire. Le jour de la présentation, Colette n'a pas mangé d'ail, a renoncé à faire étalage de ses connaissances balzaciennes, et a joué à la perfection son rôle d'innocente qui aurait servi de modèle à Greuze. Tant d'apparente retenue surprend agréablement les Gauthier-Villars qui s'attendaient à recevoir une sauvage de Bourgogne. Ils donnent leur consentement à ce mariage auquel ils préfèrent ne pas assister pour marquer, quand même, leur réprobation à une union qu'ils persistent à juger peu avantageuse.

L'annonce du mariage de ce célibataire en vue, et endurci, qu'est Willy suscite dans *Le Gil Blas*, en mai 1893, l'écho suivant :

« On jase beaucoup à Châtillon, du flirt intense dont un de nos plus spirituels clubmen parisiens poursuit une exquise blonde, célèbre dans toute la contrée pour sa merveilleuse chevelure.

On ne dit pas que le mot mariage ait été prononcé.

Aussi nous engageons fort la jolie propriétaire de deux invraisemblables nattes dorées à n'accorder ses baisers, suivant le conseil de Méphistophélès " que la bague au doigt " ».

Le *Gil Blas*, toujours bien informé des affaires d'alcôve dont il a la spécialité, sait parfaitement que le mot mariage a été prononcé. Mais il laisse entendre que le flirt a été peut-être plus loin qu'il n'est permis... A-t-il été, ce flirt, aussi poussé que les contemporains l'ont cru ? Colette a-t-elle cédé à Willy avant son mariage ? Willy a-t-il épousé Colette pour réparer sa faute ? Difficile de répondre par une affirmation absolue à ces questions. Il se peut que la fille de Sido ait tout accordé au fils Gauthier-Villars, sauf le principal, farouchement réservé à la nuit de noces. Ce qui est certain, c'est que Colette a dit à Willy, « Je mourrai si je ne suis pas ta maîtresse ». Willy traitera donc son épouse légitime comme si elle était l'une de ses innombrables maîtresses. Et cela, avec le consentement de son ardente moitié qui s'en expliquera, plus tard, « Elles sont nombreuses, les filles à peine nubiles, qui rêvent d'être le spectacle, le jouet, le chef-d'œuvre libertin d'un homme mûr ».

Quand le mariage a lieu, à Châtillon, le 15 mai 1893, Colette n'est plus une adolescente, comme elle prétend l'être dans ses souvenirs, elle a vingt ans. Willy a trente-quatre ans, ce qui, même pour l'époque, ne constitue pas la pleine maturité qui coïncidait alors avec la quarantaine. C'est un séducteur qui sait se faire apprécier. Colette apprécie.

L'amour n'aveugle pas complètement Colette qui se rend compte que, en ce 15 mai 1893, et en l'absence remarquée de tout membre de la famille Gauthier-Villars, son mariage a l'air d'être célébré à la sauvette, à la mairie comme à l'église. Dans *Noces*, elle évoque ainsi cet événement, « Ç'avait été un petit mariage bien modeste que le mien [...]. Point de messe, une simple bénédiction l'après-midi à quatre heures. [...] Vit-on noce plus paisible ? [...] ».

Après la cérémonie, les témoins du marié, Alphonse Houdard et Pierre Veber, vont jouer au billard avec Léo. Le Capitaine lit *La Revue bleue*. Sido, « raidie dans sa robe de faille à pampilles de jais » contemple son « soleil en or » noyé dans des flots de mousseline blanche. Si Sido est visiblement congestionnée, Colette est « pâlotte ». À la fin du repas de noces, « assez simple et très bon », brochet en sauce et gâteau de Savoie, elle pâlit de plus en plus et s'endort, vaincue par quelques gorgées de vin de Champagne. Willy compare sa jeune épouse endormie à la Beatrice Cenci du palais Barberini, et Pierre Veber note sa ressemblance avec une colombe poignardée. Sido ne cache pas qu'elle trouve ces comparaisons de mauvais goût et s'empresse de réveiller sa fille afin qu'elle découpe rituellement le gâteau des noces.

Le lendemain, constate Colette, « Mille lieues, des abîmes, des découvertes, des métamorphoses sans remède me séparaient de la veille ». Cet aveu suffirait à prouver que si elle n'était pas aussi parfaitement innocente que la plupart des jeunes mariées de son temps et de son âge, Colette, en une nuit, a fait du chemin en terre libertine. Elle poursuit son voyage en prenant le train pour Paris, escortée de son mari et de ses deux témoins. Willy, Veber, Houdard somnolent puis s'endorment pendant que veille Colette, le cœur gonflé par une pénible image, celle de sa dernière vision de Sido « abandonnant son visage à une expression d'affreuse tristesse ».

De temps en temps, la jeune mariée colle son visage à la vitre pour guetter l'approche de Paris. Mais c'est surtout le réveil de son mari qu'elle guette, « Mon Dieu, que j'étais jeune, et que je l'aimais, cet homme-là ». Comment pourrait-elle ne pas aimer ce séducteur qui a su, grâce à sa science de la débauche, être un parfait initiateur à « ces plaisirs que l'on nomme, à la légère, physiques » ? Willy n'a rien d'un ogre, ni d'un homme des cavernes. C'est un homme féminin, non pas efféminé, absolument pas, mais féminin avec tout ce que cela comporte d'agréables rondeurs et de peau tellement douce que Colette qui, comme sa mère, a la manie des surnoms, ne tardera pas à appeler son époux « Doucette ». Ses rondeurs, ses douceurs, pourraient même constituer une tentation pour Lesbos trompé par une telle apparence...

Colette a besoin de féminiser celui qu'elle aime,

elle appellera son deuxième mari, Henry de Jouvenel, « la Sultane ». Elle a aussi besoin d'un maître et elle a trouvé en Willy un maître en voluptés diverses, « En peu d'heures, un homme sans scrupules fait, d'une fille ignorante, un prodige de libertinage, qui ne compte avec aucun dégoût. Le dégoût n'a jamais été un obstacle ». Colette approuvera son ami Jean Lorrain quand il déclarera : « Tous les dégoûts sont dans la nature ».

On ne répétera jamais assez que la fille de Sido n'a rien d'une « fille ignorante » quand elle entre dans le lit de Willy. Quant à Willy, quel scrupule pourrait-il avoir face à cette proie consentante, qui manifeste une « brûlante intrépidité sensuelle » qu'il faut combler ?

Willy n'a plus les impatiences d'un jeune homme, il sait attendre le plaisir de l'autre, et jouer de ses attraits d'homme dodu et polisson qui préfère le déshabillé à la complète nudité. Colette doit à Willy sa « foudroyante découverte du plaisir ». Sido n'avait pas eu cette chance avec Jules Robineau-Duclos. Elle avait résumé cette désastreuse expérience conjugale en une phrase qu'elle répétait souvent à la fin de sa vie, « Le pire, dans la vie d'une femme : le premier homme ». À quoi Colette, qui n'en était plus à son premier homme, répondait invariablement, « On ne meurt que de celui-là ».

Quand le couple arrive à Paris, Willy ne représente pas la mort, mais la vie, et précisément la plus délicieuse des vies, la vie en ce Paris qui est alors le centre du monde et qui représente, d'après les Américains, les Russes, les Italiens, les Espagnols, les Anglais, et même les Monténégrins qui s'y pressent, le paradis sur terre.

Chapitre 9

Un début à Paris (juin-décembre 1893)

C'est à Paris que Colette commence sa vie de femme, accrochée au bras de Willy qui n'est pas peu fier d'exhiber ce charmant tendron et de jouer les pères incestueux, « Ma vie de femme commence à ce jouteur. Grave rencontre pour une fille de village. Avant lui, tout ne me fut – sauf la ruine de mes parents, et le mobilier vendu publiquement – que roses. Mais qu'aurais-je fait d'une vie qui n'eût été que roses ? »

Ce n'est pourtant pas l'éden et ses roses qui attendent Colette à Paris, mais un appartement « vert bouteille et chocolat », orné de cartonniers, de journaux et de cartes postales pornographiques fabriquées en Allemagne. C'est la garçonnière de Willy. Drôle de décor pour une jeune épousée qui ne pense qu'à fuir ce gîte baptisé pompeusement par son propriétaire, le Venusberg. Trop de Vénus de rencontre s'y sont succédé et Colette entend bien, comme Sido, avoir l'usage exclusif de son époux. Les Willy quittent le Venusberg situé au dernier étage du 55 quai des Grands-Augustins pour un troisième étage au 28 rue Jacob où ils emménagent en juin.

L'appartement, situé entre deux cours qu'ignore le soleil, est formé de trois pièces tapissées de plus de deux cent soixante-quinze mille confettis multicolores laissés par le précédent locataire. Un cauchemar bariolé dont Colette vient à bout par un sérieux lessivage. Après quoi, l'appartement retombe dans son obscurité, sa tristesse ornée de portes Restauration et de guirlandes. Ce n'est pas exactement le logis dont rêvait Colette pour ses débuts à Paris. Le seul objet qui trouve grâce à ses yeux, c'est une salamandre qui brûle de septembre à juin.

En compagnie de cette salamandre, Colette, vêtue d'une robe d'intérieur de style Renaissance, prétend s'enliser dans les songes et le silence qu'elle rompt pour écrire à Sido une lettre quotidienne. Cette recluse solitaire et désœuvrée que présente Colette dans *Mes apprentissages* n'a pas grand-chose à voir avec la réalité. Jamais, en ce mois de juin 1893, Colette n'a vu autant de monde et n'a été autant émerveillée. Tous les auteurs des articles ou des livres qu'elle lisait à Saint-Sauveur sont là, en chair et en os, la plupart sont des amis de son mari. Anatole France, Jules Renard, Pierre Louÿs, Marcel Schwob, Catulle Mendès, tous ces dieux, ou ces demi-dieux, de l'Olympe littéraire sont là, à portée de la main, offerts par Willy à Colette sur un plateau d'argent. Rude travail pour une débutante de plaire à ces écrivains et à leurs vigilantes égéries.

Pour quelqu'un qui se dit sauvage et fuyant le monde, le « soleil en or » sait briller de tous ses feux quand il le faut. Son accent bourguignon étonne, ses interminables tresses surprennent, ses yeux pers, sa taille fine et la finesse de ses reparties font sensation. On attendait avec une immense curiosité la petite provinciale qui avait su fixer le plus parisien des Parisiens, eh bien, on n'est pas déçu ! Willy laisse entendre que son épouse est une incomparable épistolière s'il en juge par les lettres qu'il a reçues pendant leurs fiançailles. Bref, M. et Mme Willy sont, d'emblée, un couple à la mode, comme sont à la mode, ou sur le point de l'être, d'autres couples à ce moment-là : Henri Meilhac et Liane de Pougy, Marcel Proust et Reynaldo Hahn, Élisabeth de Gramont et Agénor de Clermont-Tonnerre, Natalie Barney et Éva Palmer.

Ce monde, et ce demi-monde, se côtoient, au théâtre ou au bois de Boulogne, sans jamais se mêler. Les Greffulhe ou les Guermantes ignorent les Mesnard-Dorian ou les Verdurin, et vice versa. La France en général, et Paris en particulier, vit sous le régime des castes aussi rigoureux que celui qui régit l'Inde. Par exemple, une divorcée est l'équivalent d'une intouchable et n'est plus reçue nulle part.

Le monde, et le demi-monde, sont strictement soumis à d'immuables lois, à d'incessantes obligations parmi lesquelles les visites. On va chez des gens à qui on n'a généralement rien à dire, on boit une tasse de thé tiède, et on s'en retourne chez soi en attendant que l'on vous rende la visite que vous venez de faire. Une dame digne de ce nom choisit un jour dans la semaine pour rester chez elle et recevoir. Colette n'a pas encore pris de jour et se promet, intérieurement, de n'en jamais prendre. Elle préfère satisfaire son insatiable curiosité en allant chez les autres, et se soumet, de bon cœur, quoi qu'elle en dise, à l'implacable noria des mondanités à laquelle il est impossible de se soustraire, sauf deuil ou maladie grave. Et c'est ainsi que, harnachée de velours et de soie, ployant sous un chapeau dont la lourdeur l'excède – elle a horreur des chapeaux – Colette suit son époux le mardi soir au Mercure de France.

Le mardi, en fin d'après-midi, Rachilde et son époux Alfred Vallette reçoivent les auteurs du Mercure et leurs amis. Attentif aux nouveaux talents, Vallette discute volontiers avec Willy de ces jeunes inconnus qui seront, peut-être, les gloires de demain. Colette ne manifeste aucun effroi devant les rats blancs folâtrant sur les épaules de Rachilde qui s'avoue conquise par tant de courage. La fille de Sido n'a pas peur des souris ni des rats qui pullulaient à Saint-Sauveur comme à Châtillon, et qui justifiaient, dans chaque maison, la présence d'un ou de plusieurs chats.

Si, le mardi, les Willy viennent à pied et en voisins au Mercure, le vendredi, ils prennent un fiacre pour se rendre au 100 boulevard Malesherbes, au temple musical que régit Mme de Saint-Marceaux. Là, Emma Calvé chante sans se faire prier. Debussy, Chabrier, Messager improvisent au piano. Et c'est également en fiacre qu'ils se rendent le dimanche soir au 12 avenue Hoche, où trône Mme Arman de Caillavet, Léontine pour les intimes parmi lesquels figurent Pierre Loti, Jules Lemaître, Jean Jaurès et surtout Anatole France dont elle est la maîtresse et l'inspiratrice. France, en public, l'appelle cérémonieusement « madame », apportant un bouquet de violettes et prétendant passer par hasard. Comédie mondaine que Colette contemple d'abord en spectatrice, puis en actrice.

Sur les dames qui l'entourent et qui, elles, ont toutes été, sans exception aucune, éduquées par des religieuses, Mme Willy a l'avantage d'avoir été élevée à l'école laïque et gratuite, ce qui semble le comble de l'excentricité. Priée de raconter ses exploits à la communale de Saint-Sauveur, elle se lance dans des improvisations qui remportent un vif succès. On l'écoute comme on écouterait un voyageur revenant de terres lointaines. Et cela se passe en France, en Bourgogne, est-ce possible ? Les dames n'en croient pas leurs oreilles et les messieurs se retiennent d'applaudir. Willy note, avec intérêt, le succès que remportent ces improvisations orales et se demande s'il ne devrait pas suggérer à son épouse de les mettre par écrit ? Car Willy, s'il écrit de temps en temps, signe surtout les livres des autres. Des livres qui ne verraient pas le jour s'il n'était là pour les susciter, les corriger, les faire publier. De nos jours, Willy serait un directeur littéraire dans une maison d'édition. Il n'a pas son pareil pour détecter les défauts d'une phrase, le paragraphe à améliorer, le personnage à approfondir. Colette découvre donc que son auteur d'époux se contente de signer des romans écrits par Pierre Veber, Jean de Tinan, Curnonsky, Marcel Boulestin et quelques autres. Ils exercent ainsi un métier ingrat et obscur, celui de « nègre » qui met tout son talent à rédiger des textes dont il ne sera jamais, pour le public, l'auteur.

Le public connaît Willy et ignore Veber, Tinan, Curnonsky qui, peu à peu, se libéreront de leur esclavage et réussiront à se faire un nom. Willy est un impitoyable « négrier » qui veille à ce que le produit achevé plaise au client. C'est un parfait chef d'atelier. En cet été 1893, Colette ne travaille pas encore à cet atelier très clandestin. Son tour viendra. Elle découvre, elle apprend, elle s'applique, du mieux qu'elle peut, à jouer son rôle de maîtresse de maison, ayant à son service une cuisinière, une femme de chambre et un valet. Elle n'a pas grand-peine à régenter ce petit monde et à dresser les menus de la semaine. Il est vrai que les Willy sont plus invités qu'ils n'invitent, ou alors, ce sont des invitations de dernière minute faites à des visiteurs tardifs, on garde Pierre Veber ou Marcel Schwob à la fortune du pot.

Contrairement à Sido qui se sentait vieillir quand elle rangeait ses tiroirs, Colette se révèle une femme d'intérieur qui veille à ce que les placards soient en ordre et qui traque la poussière, la négligence, le laisser-aller. Si elle est imbattable sur l'éclosion de l'iris, la naissance du jour ou les machinations de Philomène de Watteville, Mme Willy sait aussi éplucher les comptes de la cuisinière. Il faut bien. Au cri de Sido, « Où sont les enfants ? », a succédé le gémissement de Willy, « Il n'y a plus un sou à la maison ». L'impécuniosité des Colette a laissé la place à l'impécuniosité de Willy. En ce constant manque d'argent, Colette ne voit pas de différence, elle a si peu de besoins.

Quand elle est seule, et c'est souvent le cas – Willy a de nombreux rendez-vous d'affaires, il ne précise pas lesquels – Colette se nourrit de bananes, de sucreries et de chocolat au lait. Habituée aux solides nourritures de la Bourgogne, elle dépérit, elle a mauvaise mine. Charitablement, on pense que Mme Willy fait la noce parce que, la nuit venue, son époux l'entraîne dans les cabarets de Montmartre, les cafés des boulevards pour échouer vers minuit dans les salles de rédaction où Willy remet sa copie qui est aussitôt envoyée à la composition. Il en attend les épreuves qu'il corrige, bientôt aidé par son épouse qui trouve là un moyen de passer le temps, et de se rendre utile. Puis ils vont traîner dans quelque brasserie où Colette s'abreuve de limonade au sirop de groseille ou d'anisette à l'eau. Elle meurt de soif. Elle meurt de sommeil. Est-ce là cette vie de bohème tant vantée et dont elle rêvait à Saint-Sauveur ? À cette interrogation, Colette donne une réponse péremptoire : « Ce qu'on appelle la vie de bohème m'a toujours convenu aussi mal que les chapeaux emplumés ou une paire de pendants d'oreille ». Lucide, elle n'aime pas ce que cette vie peut avoir de factice et les promenades au bois de Boulogne ne sauraient remplacer les promenades dans les bois de Saint-Sauveur.

À la fin de cet été 1893, Colette fait une crise de « je-veux-voir-ma-mère ». Elle veut aussi voir son père que la mort du maréchal de Mac-Mahon vient de mettre à l'honneur, c'est le Capitaine qui a été chargé de prononcer son éloge funèbre au cimetière de Montcresson.

À l'automne, les Willy vont passer quelques jours à Châtillon. Le Capitaine souhaite écrire une vie de Mac-Mahon. Il n'ira pas plus loin que ce souhait dont il discute longuement avec sa fille et son gendre. Colette trouve là un moyen d'éviter le tête-à-tête avec la perspicace Sido qui veut absolument savoir si sa fille est heureuse, vraiment heureuse. Sido a immédiatement noté l'amaigrissement de sa fille, et veut en connaître les raisons. Le « soleil-en-or » explique ces changements par des excès de mondanités, par les exigences de la vie littéraire que mène son époux, « Le soir de mon arrivée, je dépeignais à ma mère les visages nouveaux de Mendès, de Gustave Charpentier, le chat noir et le lézard vert de Judith Gautier, Courteline [...] Elle me pressait, m'épiait avec une sagacité à faire peur. Mais j'étais sa fille, et déjà savante au jeu ». Chacune joue à l'autre la comédie du bonheur, avec plus ou moins de bonheur. Mais chacune sait parfaitement à quoi s'en tenir sur le compte de l'autre !

Fin 1893, c'est au tour du beau-père de Colette d'être à l'honneur. Jean-Albert Gauthier-Villars préside le bal annuel de l'École polytechnique avec Colette à son bras, faveur insigne qui prouve bien qu'elle a été admise par sa belle-famille. Elle ouvre le bal « dans une belle robe vert d'eau [...], chef-d'œuvre d'une couturière batignollaise ». Colette est aussi verte que sa robe. Elle est malade, malade d'avoir reçu des lettres anonymes la prévenant des infidélités de Willy. Elle s'efforce de ne pas y croire, de repousser ce qu'elle considère encore comme de pures calomnies. Après tout, de quoi se plaindrait-elle ? N'est-elle pas l'une des débutantes les plus remarquées de 1893 ?

Pour un début à Paris, c'est un beau début, digne d'un personnage de Balzac que Colette continue à lire dans l'édition Houssiaux qu'elle a emportée et qui a constitué le plus clair de sa dot s'élevant, à peine, à huit mille francs. Une misère pour l'époque, et surtout pour les Gauthier-Villars qui reportent leurs espoirs sur Jacques qu'ils élèvent et que Colette chérit du mieux qu'elle peut. Cette Colette de Châtillon n'est pas aussi infréquentable qu'on aurait pu le craindre. Les Gauthier-Villars ne désespèrent pas d'assagir cette jeune femme qui, quand ils l'invitent à goûter, avale d'incroyables quantités de tartines de confiture faite à la maison, bien sûr. Ah, Mme Willy aurait bien tort de se plaindre. Elle n'y songe même pas. Elle a horreur de se plaindre. Elle se rend compte maintenant qu'elle a épousé un tourbillon qu'elle a, parfois, du mal à suivre, et qu'elle devrait sagement renoncer à suivre, ou à poursuivre de ses exigences de jeune épousée. Mais il est difficile d'être sage à vingt ans...

Chapitre 10

L'affaire Charlotte Kinceler (janvier-mai 1894)

Début 1894, Colette prend une décision qui ne sera pas sans conséquence. Elle décide de savoir enfin si oui ou non Willy la trompe. Elle a reçu un billet, anonyme évidemment, mais qui, plus précis que les autres, donne le nom de la personne, l'adresse de l'endroit où se consomme l'adultère, et même l'heure du rendez-vous. Selon ce billet, Willy irait, en fin d'après-midi, retrouver une certaine Charlotte Kinceler.

Colette est majeure depuis le 23 janvier, la majorité étant alors fixée à vingt et un ans, donc responsable de ses actes. Autant en profiter. Elle en profite. Elle revêt un manteau noir bordé de mongolie offert par Sido à qui il a coûté cent vingt-cinq francs, noue un ruban neuf à ses tresses et se rend en fiacre rue Brochart-de-Saron. Elle sonne à la porte d'un entresol. La porte s'ouvre. Et que voit Mme Willy? M. Willy et Charlotte Kinceler qui ne sont pas en train d'échanger des caresses osées, mais sont simplement, et presque conjugalement, penchés sur un livre de comptes. Colette ne dit rien, fascinée par sa rivale, « Une petite femme brune – un mètre quarante-neuf exactement – pas jolie, pleine de feu et de grâce ».

Les deux femmes se toisent en silence, et pour rompre ce pesant mutisme, Willy, qui essuie la sueur perlant de son front, parvient à articuler : « Tu viens me chercher ? » Sur un ton de mondanité exquise, comme si elle était venue retrouver son mari dans le salon de Mme Arman de Caillavet ou de Mme de Saint-Marceaux, Colette répond : « Mais oui, figure-toi... »

Willy se lève immédiatement et sort en entraînant son épouse qui continue à montrer une imposante modération. Là s'arrête la version de cette scène que Colette donne dans *Mes apprentissages*. On peut raisonnablement imaginer que revenus au 28 rue Jacob, les Willy auront eu une explication plus ou moins orageuse pendant laquelle Colette aura appris qui est cette Charlotte Kinceler. C'est la jeune prêtresse d'un mythe naissant, Montmartre, le Montmartre des peintres, des poètes et des prostituées. Pour satisfaire « son orgueil de naine et son esprit d'enfant bossu », elle veut faire du théâtre. Et comme elle n'y parvient pas, elle se donne en spectacle. Née à Montmartre, c'est la Montmartroise type. Elle a du bagout, de l'insolence et juste assez de vulgarité pour séduire des hommes aussi raffinés que Lucien Guitry, Jules Lemaître ou Henry Gauthier-Villars.

Quand, malgré sa promesse de ne plus jamais revoir Mlle Kinceler, M. Willy retourne chez sa maîtresse, il y entendra l'éloge de sa femme. En connaisseuse, la Montmartroise a beaucoup apprécié le sang-froid de la Bourguignonne, « Elle a l'air un peu anglais, ton épouse, et elle met son chapeau trop en arrière. Et puis ses petites frisettes sur le front, ça fait noce à Passy. Mais n'empêche que chez moi, elle était comme chez elle ! »

Colette ne cache pas qu'elle doit beaucoup à Charlotte Kinceler qu'elle se met à fréquenter prudemment, mais assidûment. En compagnie de Charlotte, elle apprend la tolérance, la dissimulation, le pacte avec la rivale, l'admission d'une seconde, et d'une troisième, et d'une quatrième favorite. Si Colette est farouchement monogame, Henry Gauthier-Villars est aimablement polygame, comme le sera plus tard Henry de Jouvenel. Comme dirait Charlotte, du haut de sa sagesse populaire, « C'est le destin qui veut ça ».

Dès lors, les deux femmes se fréquentent, se rendent visite et font semblant d'être amies. Pour arriver à un tel résultat, Colette a épuisé ses forces intérieures. Elle s'écroule. En plus, elle doit accepter l'inévitable, Willy ne sera jamais fidèle comme le Capitaine l'est à Sido. Il y a de quoi en tomber malade. Et Colette tombe malade. Pis : elle n'a plus envie de vivre, elle veut mourir, elle est désespérée. Elle fait ce que l'on appellerait, de nos jours, une dépression nerveuse.

Les Willy sont un couple trop en vue pour que l'absence de Colette ne soit pas remarquée, commentée, dans les salons, les salles de rédaction, les cafés qu'ils fréquentent. Colette reste couchée pendant soixante jours. Pendant soixante jours, elle est entre la vie et la mort. Willy appelle le docteur Jullien, « grand médecin de Saint-Lazare », et, en désespoir de cause, fait appel à Sido qui accourt. D'après Colette, c'est à Sido qu'elle doit sa complète guérison, « Elle peinait à toute heure, me halait loin d'un seuil qu'elle ne voulait pas me voir franchir. Aussi guéris-je ».

Mille bruits ont couru sur cette dépression qui a retenu Colette pendant deux mois au lit. On a même insinué qu'elle avait eu la syphilis. Cette maladie qui faisait des ravages à l'époque, et particulièrement dans les milieux littéraires – Guy de Maupassant et Alphonse Daudet en sont morts – n'a été guérie qu'en 1945, avec la pénicilline. Si Colette avait eu la syphilis en 1894, elle aurait passé le reste de sa vie, jusqu'à son dernier soupir en 1954, à en craindre les terribles séquelles. À ce sujet, j'ai consulté le professeur Jean-Paul Escande qui fait autorité en vénérologie. Le professeur Escande est formel : il a catégoriquement infirmé cette insinuation. Les bronchites, les maux de tête, les bartholinites dont souffrit plus tard Colette n'ont rien à voir avec les suites de cette supposée syphilis.

Pendant ces deux mois, relayant Sido, Willy et le docteur Jullien au chevet de Colette, il y a les amis qui défilent au 28 rue Jacob. Le dévouement, les attentions de trois d'entre eux ont particulièrement frappé la malade. D'abord, bardée de zibeline et parfumée à outrance, Mme Arman de Caillavet, Léontine, apporte un ananas, des pêches, un foulard, un sac de bonbons et les derniers commérages qui courent la Plaine Monceau. Puis Marcel Schwob qui, pour distraire Colette, lui traduit les œuvres de Twain ou de Dickens, Schwob « gaspillait pour moi son temps avec magnificence et je ne m'en étonnais pas. Je le traitais comme s'il m'eut appartenu. À vingt ans, on accepte royalement les présents démesurés ».

Le troisième visiteur assidu, c'est Paul Masson qui a été magistrat à Chandernagor et qui ne vit plus que pour faire des calembours qu'il signe « Lemice-Térieux ». Le « mystérieux » Masson organise des mystifications d'une drôlerie telle que Colette en oublie son mal et rit, enfin.

Peu à peu, l'efficace présence de Sido, les redoublements de tendresse de Willy qui se sent responsable d'un tel désastre, les cadeaux de Mme Arman, les traductions de Schwob, les plaisanteries de Masson qui sera le Masseau de *La Vagabonde* et de *L'Entrave* guérissent Colette au contentement du docteur Jullien qui désespérait de guérir une patiente aussi peu impatiente de quitter les abîmes où elle était tombée.

Pour compléter cette guérison, et atténuer les effets du départ de Sido « qui se replia en hâte vers celui qui languissait », c'est-à-dire le Capitaine, Willy décide d'emmener sa jeune épouse à Belle-Île-en-Mer afin qu'elle s'y rétablisse complètement et s'y refasse une santé.

Chapitre 11

Lune de miel à Belle-Île
(juin-août 1894)

En mari moins repentant que désireux de faire oublier son incartade, en maître qui entend ménager son esclave, Willy emmène Colette en cette Bretagne qui n'a pas tellement changé depuis les Chouans, à Belle-Île-en-Mer. Cette île, considérée comme un bout du monde, est encore ignorée des Parisiens et l'on pourrait considérer les Willy comme des promoteurs, ou des précurseurs de cette mode de Belle-Île qui atteindra son zénith avec Sarah Bernhardt. L'actrice y aura un fortin et y jouera au naturel les impératrices qu'elle interprète à la scène, hissant son étendard pour signaler sa présence et tenant sa cour.

On n'en est pas encore là. L'île est tranquille, repliée sur ses beautés naturelles. Pas de Parisiens, ni de parisianismes, pas de tentations pour Willy qui se contente d'entretenir une abondante correspondance avec ses maîtresses, mais Colette nous apprend que, au bout d'un an de mariage, elle sait déjà détourner les yeux. Elle apprend vite.

La maladie a prêté à la jeune femme de nouveaux charmes, elle a maigri, elle a rajeuni, si faire se peut.

On ne croirait pas qu'elle a vingt et un ans, on lui en prêterait à peine quatorze. On dirait l'ancêtre de notre moderne Lolita. Elle a vraiment l'air d'une mineure, et n'ignorant plus rien des secrets désirs de son époux, elle accentue son aspect de fausse mineure. Ce qui provoque l'effet souhaité.

C'est une deuxième lune de miel que Colette et Willy connaissent à Belle-Île où ils vivent le voyage de noces qu'ils n'ont pas eu. Une lettre à Marcel Schwob se fait l'écho de ses retrouvailles sensuelles pendant lesquelles Mme Willy prodigue à son époux les doux noms de Doucette et de Kiki, « Willy a dû me câliner beaucoup dans mon lit et m'endormir contre lui pour me calmer, et il t'a envoyé aux diables pour t'apprendre à m'énerver comme ça ». Cette excitation est due à la lecture du *Livre de Monelle* qui vient de paraître et dont Colette se dit enthousiaste.

Tous les sens de Colette sont comblés, les splendeurs de la Côte sauvage l'enchantent, elle se croit en Italie où elle n'a jamais mis les pieds, « L'abondance méridionale de l'île nous émerveillait. Des terrasses et des treilles, des figuiers comme en Italie... »

Les Willy se sont même offert le luxe d'entraîner avec eux un témoin de leur bonheur, un confident, Paul Masson qui, vêtu de son complet noir coquettement orné d'un galon de mohair, suscite les convoitises des filles de pêcheurs offrant, avec une impudeur de sirène, leur service. L'odeur de poisson pourri qui se dégage de leurs jupes suffit à provoquer le refus de Masson, et le rire de Colette.

Pendant que M. Willy se livre aux joies de la correspondance galante et négrière, Mme Willy et son ami Masson, « Mon premier ami, le premier ami de mon âge de femme » parcourent l'île en tous sens, du petit port des Sauzon à la pointe des Poulains, de Kervilaouen à cette Côte sauvage dont ils ne se lassent pas. Colette veut tout voir, tout admirer, elle n'est jamais fatiguée, entraînant un Paul Masson conquis, « Il suivait ma jeune allégresse que chaque journée d'eau salée et de soleil fortifiait ».

Peu soucieuse de protéger son teint, et ne s'armant pas d'ombrelle et de voiles comme le faisaient ses contemporaines, Colette est l'une des premières femmes de son temps à oser brunir, sans gémir. La blancheur de la peau était l'indispensable complément de la beauté. En cette fin de siècle, il n'y a pas de beauté noire, et la reine de Saba aurait pu répéter inlassablement « Je suis noire, mais je suis belle, ô filles de Jérusalem », sans remporter le moindre succès.

Ce hâle, cette vigueur retrouvée, donnent à Colette des allures de jeune garçon qu'elle se plaît à souligner en se déguisant en mousse. Elle revêt vareuse et pantalon. Une fausse mineure en mousse, Willy en perd la tête, et cela sur une plage qu'il croit déserte alors que leurs ébats sont observés par quelques autochtones attentifs, qui, après avoir profité de ce spectacle improvisé, blâmeront les drôles de façons, ou les drôles de mœurs, de ces Parisiens dépravés.

Colette découvre, et s'en souviendra, que le paradis peut être breton, et pas seulement bourguignon. Aux plaisirs prodigués par Willy, s'ajoute la joie de voir la mer pour la première fois et d'en tomber amoureuse. Cette amoureuse de la mer regarde les vagues et l'écume comme autant de nouvelles amies, ou de possibles patries.

Décidément, la vie a du bon. Colette se demande comment elle a pu avoir envie de mourir. Cela aurait tellement fait plaisir à Charlotte Kinceler, et aux autres, qui veulent la supplanter. Elle est Mme Willy, et entend le rester !

Après le départ de Masson, de fin juin à fin août, M. et Mme Willy savourent les joies du tête-à-tête à Belle-Île, et madame ne boude pas, au contraire, ce qu'elle stigmatisera plus tard comme un laborieux, un épuisant divertissement sensuel. Bienheureuse fatigue qui laisse le corps et l'esprit légers.

En septembre, Colette termine sa convalescence à Châtillon, chez ses parents. Satisfaite, Sido peut constater les bons effets de la cure à Belle-Île. Achille estime aussi que sa sœur est guérie. N'était la présence de Willy à ses côtés, Colette pourrait se croire revenue à l'ancien temps, quand elle accompagnait son frère dans ses tournées. Mais elle ne pourrait plus vivre à Châtillon, pas plus qu'à Saint-Sauveur-en-Puisaye. Elle a pris goût à Paris où tout se passe et où elle a pour ami l'auteur de ce *Livre de Monelle* qui sera longtemps la bible secrète des cœurs tendres et qu'elle fait lire à sa famille qui partage son enthousiasme.

En l'absence des lettres à Sido qui ont été détruites, perte irréparable, il faut voir en Marcel Schwob celui grâce à qui Colette découvre sa vocation d'épistolière. Comme sa mère, elle aime écrire, et recevoir, des lettres. Et les siennes ont le ton du journal intime qu'elle se refuse à tenir et relatent l'intimité régnant dans la petite maison de Châtillon : « Maman tourbillonne, accroche son lorgnon, renverse de l'eau et se dispute avec Willy toute la journée. Ça me fait rire de joie » rapporte-t-elle à son ami Marcel avec qui elle va bientôt avoir une déesse en commun : Marguerite Moreno.

Chapitre 12

L'apprentie de la rue Jacob (1894-1899)

Marguerite Moreno, quand Colette entre dans sa vie, est encore la maîtresse (insatisfaite) de Catulle Mendès. Elle se plaint aux Willy de l'insuffisance de Mendès qui était surtout ardent dans ses poèmes. Dès leur première rencontre, Colette est fascinée par sa franchise, son allure, une majesté de pharaonne parisienne devant laquelle chacun doit se prosterner, « Notre première rencontre date – 1894 ou 95 ? – d'un déjeuner chez Catulle Mendès. [...] Je n'eus d'yeux et d'oreilles que pour la longue jeune femme. [...] J'admirai, j'aimai Marguerite Moreno. L'étonnant est qu'elle me rendît mon affection. Nous étions toutes deux assez jeunes – majeures depuis peu – pour que notre amitié s'empreignît de la fougue dont se grisent les amies de pensionnat ».

Cette « fougue dont se grisent les amies de pensionnat » est-il un charmant euphémisme pour nous laisser entendre que, entre ces deux jeunes femmes, l'amitié et l'amour ont provoqué ces inventions de caresses que laissait entrevoir Belle de Zuylen quand elle écrivait que « l'amitié et l'amour pourraient bien se confondre en des caresses qui plairaient à tout ce qui compose la sensibilité » ? Moreno qui, d'après Paul Léautaud, peu suspect d'indulgence, disait les vers de Baudelaire comme personne, a-t-elle invité Colette à un voyage à Lesbos, « Lesbos, où les Phrynés l'une l'autre s'attirent » ? Rien ne le prouve, rien ne l'infirme.

Marguerite Moreno qui est alors très belle et très mince a tout pour plaire à Colette qui célèbre aussi son esprit, la perfection de sa diction, la blancheur de son teint, et sa « grande chevelure châtaine, çà et là dorée ». On ne peut nier que Colette a examiné Marguerite de très près. Pour couronner ces attraits, Marguerite Moreno, de son vrai nom, Marguerite Monceau, est actrice. Ce métier attire Colette qui, on s'en souvient, à Saint-Sauveur rêvait sur leurs portraits qui ornaient les boîtes d'allumettes.

Née à Paris, le 15 septembre 1871, ancienne élève du Conservatoire, elle a débuté à la Comédie-Française où elle vient d'obtenir son premier succès, en mai 1894, en créant le rôle de sœur Gudule dans *Le Voile* de Rodenbach. Levy-Dhurmer a fait son portrait dans ce rôle. Début 1895, elle rencontre Marcel Schwob qui a alors vingt-sept ans, et qui en tombe amoureux fou. Il l'épousera en septembre 1900.

L'idolâtrie que Schwob manifeste à Moreno ne peut que la rendre encore plus chère à Colette. L'actrice reçoit du poète des lettres comme peu de femmes peuvent se vanter d'avoir reçu, « Marguerite, je suis fou de toi. [...] Tu te rends compte de ce que tu as fait ? Tu m'as tué ; je n'existe plus qu'en toi [...] Je ne peux pas te dire que je t'aime. Ce n'est pas assez fort ; je meurs de toi, et tu me fais mourir de toi ». Évidemment, Willy n'a jamais écrit de telles lettres à Colette qui confond maintenant Schwob et Moreno en une même amitié.

Six mois de fidélité forcée, à Belle-Île comme à Châtillon, c'est beaucoup pour M. Willy qui, dès son retour à Paris, se livre à ce que son épouse nomme pudiquement « de mystérieuses disparitions », sur lesquelles elle ne se fait plus aucune illusion. Les photos de Colette prises à cette époque sont révélatrices. À la tristesse native de son regard, s'ajoute la peine d'avoir été « une enfant sitôt trompée qu'épousée ».

Pénélope de la rue Jacob, elle se résigne à attendre le retour de son volage Ulysse parisien qui chaque soir, ponctuellement, revient au logis, pour s'y livrer à l'un de ses plaisirs favoris, la vérification des comptes du ménage. Il aime plus compter qu'écrire. Il tient un livre de comptes avec une rigueur face à laquelle elle se sent immanquablement coupable. Elle écrit mieux qu'elle ne compte. Le prouvent les lettres qu'elle envoie à Marcel Schwob, à Catulle Mendès, à Jean Lorrain, et à Marcel Proust qu'elle rencontre chez Mme Arman de Caillavet et à qui elle ose avouer : « Il me semble que nous avons pas mal de goûts communs, celui de Willy, entre autres ».

Chaque jour – elle n'a rien d'autre à faire –, Colette écrit à Sido et à ses amis. Contemplant sa femme en train de se consacrer à son courrier quotidien, voyant les mots jaillir rapidement de la plume qu'elle tient, M. Willy se demande si l'on ne pourrait pas tirer quelque chose de cette facilité à écrire. De cette Colette qui, en ce 23 janvier 1895, vient d'avoir vingt-deux ans, Willy pourrait dire ce que dira plus tard tante Alicia de sa nièce Gigi, « Gigi, c'est un lot de matières premières. Ça peut s'agencer très bien comme ça peut tourner très mal ».

Le négrier Willy ne peut qu'agencer très bien ce lot de matières premières que représente Colette. Et c'est vraisemblablement au début de 1895 qu'il lui suggère, « Vous devriez jeter sur le papier des souvenirs d'école primaire. N'ayez pas peur des détails piquants, je pourrais peut-être en tirer quelque chose ». Il ajoute cet argument péremptoire : « Les fonds sont bas ».

Docile, Mme Willy obéit à M. Willy, et noircit des cahiers pareils à ses cahiers d'école. Elle peut ainsi se croire encore à Saint-Sauveur écrivant sous la dictée de Mlle Olympe Terrain. Elle écrit « avec application et indifférence » prétend-elle. Application, oui, indifférence, non ! Elle écrit avec application et passion parce qu'elle sent que, à chaque mot qu'elle trace, c'est sa prison qu'elle change en paradis, retrouvant à travers son personnage de Claudine l'insolent « soleil d'or » qu'elle a été, se plaisant à errer dans ce Montigny qui ressemble comme un village-jumeau à Saint-Sauveur.

Ne négligeant rien pour raviver « des souvenirs d'école primaire », Willy conduit son épouse à Saint-Sauveur, en juillet 1895. À l'école règne toujours Mlle Terrain qui, ne se doutant pas que Colette médite déjà de la changer en Mlle Sergent, accueille le couple à bras ouverts, à table ouverte, à lit ouvert. Les Willy logent chez Mlle Terrain qui, bonne fille, permet une visite au dortoir et une distribution de bonbons aux pensionnaires en chemise. Excitation de Willy, émoi de Colette devant celles qu'elle appellera dans *Claudine à l'école*, des « gobettes ». Chacun se repaît des fraîcheurs devinées à travers les chemises de grosse toile.

Après ces Folies-Saint-Sauveur, ce sont les Folies-Bayreuth dont Willy est un habitué et que Colette voit, et entend, pour la première fois. « Prenez des notes, ce n'est jamais inutile » commande M. Willy à madame qui a les notes en horreur et qui, pour une fois, n'obéit pas à son seigneur et maître. Elle suit les interminables représentations de la Tétralogie et accompagne ensuite son époux dans les brasseries où elle aperçoit « Mendès volubile, ballonné de bière, blond et roux comme Siegfried, le docteur Pozzi, vêtu de blanc, sultan par la barbe, houri par l'œil ». On notera, au passage, combien Colette est habile à déceler la féminité chez un homme, fût-il aussi amateur de femmes, que l'est Pozzi...

Après les « fêtes du culte wagnerolâtre », Colette est heureuse de retrouver son 28 rue Jacob, sa salamandre et son encrier. Elle continue à écrire ce qui sera *Claudine à l'école* qu'elle semble avoir terminé au printemps 1896. Elle remet sa copie, « un texte serré qui respectait les marges », à Willy. Elle attend le verdict conjugal qui tombe, sans appel possible, en deux phrases : « Je m'étais trompé, cela ne peut servir à rien » et « Je ne savais pas que j'avais épousé la dernière lyrique ». Condamnation qui semble mettre fin à la carrière littéraire de Colette qui n'oubliera pas la leçon et fuira le lyrisme comme la peste !

N'ayant pas été jugée digne d'entrer dans les ateliers de M. Willy, Mme Willy reprend, en compagnie de son époux, la vie, harassante, des couples à la mode, entrecoupée, l'année suivante, en 1896, par une cure à Uriage et une autre à Bayreuth, « cette Mecque du wagnérisme, la Mecque plus ultra » selon l'Ouvreuse... Les festivals, les fêtes, les expositions, les premières, les dîners, se succèdent à un train d'enfer mondain. Il faut avoir une santé de fer pour résister à ce que l'on appelle la vie parisienne. Et les mois passent, et les saisons aussi, « Mois d'hiver trempés de pluie et de musique dominicale, pendant lesquels je repâlissais. Mois d'été qui me rendaient la vie avec l'espoir qu'ils ne finiraient pas ». Car la vie parisienne s'arrête net en juillet.

Les Guermantes et les Verdurin fuient la capitale. Les nobles du Faubourg Saint-Germain retrouvent le château de leurs ancêtres en province où ils ont l'illusion que la nuit du 4 août 1789 n'a pas eu lieu et qu'ils ont encore gardé leurs privilèges. Les grands bourgeois de la Plaine Monceau retrouvent aussi en province leurs châteaux récemment acquis et où ils ont l'illusion d'être les seigneurs du village. Les artistes comme les Willy partent aussi en villégiature, et vont se mettre au vert dans le Jura d'où les Gauthier-Villars sont issus.

Après les paradis bourguignon et breton, Colette découvre, pendant l'été 1897, le paradis jurassien. D'abord dans une auberge à Champagnole où, pour cinq francs par jour, les Willy se délectent d'écrevisses, de cailles, de lièvres et de perdreaux, « le tout braconné ». On retrouvera, à peine retouché, cet épisode de la vie de Colette dans *Le Képi*...

Ensuite, les Willy quittent Champagnole pour les environs de Lons-le-Saulnier, où les Gauthier-Villars possèdent leur propriété familiale, le chalet des Pins.

Le mythe d'Antée qui reprend des forces dès qu'il touche terre semble avoir été inventé pour Colette qui, elle aussi, retrouve sa vigueur et ses couleurs dès qu'elle foule les sols bourguignon, breton ou jurassien. Au chalet des Pins, Mme Willy redevient une enfant capable de jouer des heures avec les herbes, le lézard, le soleil avec qui elle se sent en parfait accord. Pareille oisiveté, un panthéisme aussi hautement proclamé, choquent la famille Gauthier-Villars qui garde à la campagne la même retenue qu'elle observe à la ville. Seuls se déclarent conquis les enfants d'Albert et de Valentine Gauthier-Villars, qui réclament la compagnie de « tante Colette » habile à conduire Mignon, le petit cheval, ou à réciter la formule magique qui engage l'escargot à montrer ses cornes.

Le fils de Willy, Jacques, partage le goût de ses cousins et cousines pour cette jeune femme qui a l'audace de monter à bicyclette et d'entraîner son mari dans des courses très matinales d'où ils reviennent, bleus de froid et roses de plaisir.

Là, Colette sait qu'elle n'a pas de rivale à craindre et elle goûte une sérénité dont elle avait perdu le goût, « protégée sur la colline aux chalets, en proie aux enfants bienveillants, [...], dans une paix d'ouvroir [...] j'écoutais ma belle-mère, mes belles-sœurs, des tantes et cousines par alliance qui échangeaient des propos catholiques ».

Les dames Gauthier-Villars blâment l'évêque qui autorise le chocolat en plein carême, tant de tolérance finira par perdre l'Église, n'est-ce pas ? Qu'en pense Gabri ? Pendant ces propos très lénifiants, Gabri s'est endormie. Habituée à être appelée par son époux et leurs amis Colette, elle sursaute, hagarde, et bafouille une réponse. Ce sont les joies de la famille.

L'automne ramène les Willy à Paris, rue Jacob. « Rue Jacob, je ne me souviens pas d'avoir fait autre chose qu'attendre. À qui attend, toute autre occupation est superflue. Vingt ans est un âge où l'on se passe de tout, sauf d'attendre ce qui viendra. Tout vient toujours, et j'étais portée à tenir pour prodiges et présages les plus médiocres incidents ».

Ces années, qui vont de 1894 à 1899, sont des années d'attente et d'apprentissage, des traversées du désert mondain, des années où rien ne se passe, et qui semblent réduites aux seuls événements familiaux comme la mort de son beau-père, en avril 1898, ou en mai de cette même année, le mariage de son frère Achille qui épouse Jeanne de la Fare dont il aura deux filles, Geneviève et Colette.

L'année précédente, Colette a été atteinte par l'annonce de deux suicides qui l'ont davantage touchée que la mort de son beau-père ou le mariage de son frère, le suicide de Charlotte Kinceler, « Elle avait vingt-six ans et des économies » et celui de Paul Masson, « Il appliqua contre ses narines un tampon imbibé d'éther [...] et se noya dans un pied d'eau ». Mais personne ne s'est douté que Colette en était affectée. Elle a appris à cacher sa peine. Elle se demande parfois si elle finira, un jour, d'apprendre et si elle ne sera pas une éternelle apprentie de la rue Jacob...

Dans ses moments de lucidité dévastatrice, Colette a tendance à trouver qu'elle n'est rien et qu'elle ne sert à rien. Pour oublier ce qu'elle croit être son néant très obscur, elle se lie avec les astres qui brillent déjà au ciel de la célébrité. D'abord avec Polaire qu'elle rencontre à Bayreuth, pendant l'été 1899. Ensuite, et en ce même été, avec Francis Jammes avec qui elle entame une amitié purement épistolaire. On admirera, au passage, l'éclectisme de Colette qui la conduit de l'étoile montante de la chanson, Polaire, à l'une des valeurs reconnues des lettres françaises, Francis Jammes, qui vient de publier l'un de ses chefs-d'œuvre, *Clara d'Ellebeuse*. C'est après avoir lu et aimé *Clara* que Colette a décidé d'écrire à son auteur.

À Bayreuth, comme à Paris, Colette ne cesse pas d'être le Narcisse qui cherchait son image dans la glace de sa chambre, à Saint-Sauveur, et qui continue à poursuivre partout son « étroite ressemblance ». En Polaire, Colette entrevoit ce que peut être une femme libérée, et libre de choisir de très jeunes amants. En Polaire, elle pressent peut-être confusément cet idéal de liberté qu'elle incarnera, plus tard, à son tour.

En Francis Jammes, c'est le passé et la province qu'elle contemple. Le poète refuse de quitter son Pays Basque et vient rarement à Paris. Mme Willy se demande si M. Jammes n'a pas fait le bon choix, et si elle n'aurait pas dû rester en Bourgogne pour en chanter les charmes...

Mais qu'ont en commun Colette, Polaire et Francis Jammes ? Comme beaucoup de leurs contemporains, le goût des animaux. Chats et chiens ont la faveur du public. Colette ne quitte guère Kiki-la-Doucette avec qui elle a d'interminables conversations qu'elle ne songe pas encore à transposer dans ce qui seront ses *Dialogues de bêtes*. Francis Jammes a mis en alexandrins et en octosyllabes les vertus de l'âne et de la chouette.

Colette et Francis Jammes pourraient fredonner la chanson à succès que chante Polaire et dont le refrain reflète ce goût qui tourne à la passion :

Je raffole de tous les animaux
Le singe, le chat, la grenouille et le vieux chameau
Je raffole aussi de mon ouistiti.

Cette passion se propage dans toutes les classes de la société, depuis les duchesses qui exigent d'être photographiées avec leur lévrier favori à leurs pieds jusqu'aux ouvrières qui partagent leur bol de lait avec un chaton abandonné. La baronne Deslandes et la marquise Casati font incruster de pierres semi-précieuses la carapace de leur tortue familière. Et Sido ne tarit pas d'éloges sur l'araignée qui, chaque nuit, descend du plafond pour accompagner son insomnie.

Dans la compagnie des bêtes, Colette trouve, entre autres, ce qu'elle ne parvient pas à trouver chez les humains : la fidélité. Le temps qui passe n'amende pas M. Willy qui continue à courir la gueuse, il est incorrigible et Mme Willy, si elle consent à fermer les yeux, n'est pas aveugle pour autant.

Un jour, à l'automne 1899, Willy en panne de rendez-vous galant, s'attarde au foyer conjugal, et retrouve dans un tiroir les cahiers qui composent le manuscrit de *Claudine à l'école.* « Tiens, je croyais que je les avais mis au panier » constate-t-il en les feuilletant. Les relisant plus attentivement, il remarque : « C'est gentil ». Quand il parvient à la dernière page du dernier cahier, il stigmatise, en termes assez crus, sa bêtise ou son aveuglement, met son chapeau et s'en va proposer *Claudine à l'école* aux éditeurs Delagrave, Vanier et Simonis-Empis qui, à sa stupéfaction, refusent de publier ce roman. Ils jugent ce livre « trop libertin » et craignent le scandale. On n'attaque pas ainsi une aussi sainte institution que l'école laïque, l'un des piliers de la IIIe République ! Et ces deux institutrices qui s'aiment, ces deux fleurs du mal de Montigny, c'est trop, c'est inacceptable. Non, c'est non !

Tout autre que Willy se serait découragé. Mais une fois de plus, et selon sa formule habituelle, « Les fonds sont bas ». Il faut trouver de l'argent et échanger ce manuscrit contre quelques louis sonnants et trébuchants. Ollendorf accepte le marché et en assume les risques. Il publiera *Claudine à l'école* au printemps prochain, en la première année de ce siècle qui ne peut être que favorable à Lesbos puisque ses éminentes représentantes comme Liane de Pougy ou Émilienne d'Alençon ne craignent plus de s'afficher. Les journaux se font l'écho de leurs liaisons avec une verdeur qui étonnerait plus d'un lecteur d'aujourd'hui. Par exemple, le *Gil Blas* se demande si ces deux dames ne finiront pas par avoir un enfant ! Quand Natalie Clifford Barney succède à Émilienne d'Alençon, et à tant d'autres, dans les bras de Liane de Pougy, ce même *Gil Blas* dont Colette et Sido étaient des lectrices assidues, énumère leurs mutuelles infidélités.

1899 restera comme une année faste dans les annales de Lesbos. Les idylles saphiques se multiplient comme celle de Liane et de Natalie, et dont Liane tirera un roman appelé tout simplement *Idylle saphique* qu'elle publiera à l'automne 1901. Oui, en cette année 1899, les amours de dames prolifèrent, sans que les maris s'en inquiètent, partageant l'opinion du voluptueux duc de Morny qui estimait qu'une femme n'était pas complètement femme si elle n'avait pas goûté aux fruits de Gomorrhe.

C'est l'éclatant triomphe de Lesbos et c'est à se demander si les liaisons féminines que l'on attribue, parfois trop généreusement, à Colette ne datent pas de 1899. Comme on ne lui connaît alors pas d'amant, on murmure volontiers que Mme Willy est « pour femmes ». Ce qui fait sourire son époux qui, pour le moment ne l'encourage pas à aborder les rivages de Lesbos, mais, au contraire, veille au grain, « Il prenait soin de brider l'élan de ma jeunesse vers des amis et amies de mon âge, élans d'ailleurs rares, qu'il assagissait péremptoirement, avec une extrême adresse ».

Il est certain que ce triomphe de Lesbos n'était concevable qu'à Paris qui passait pour la nouvelle Gomorrhe, et aussi pour la nouvelle Sodome. Plus prudente, plus discrète, la province feignait d'ignorer ces débordements et opposait un irréfutable « Cela ne se voit qu'à Paris » quand on laissait entendre qu'un notable marseillais rivalisait avec Jean Lorrain dans la conquête des matelots, ou qu'une comtesse auvergnate changeait trop souvent de soubrette vite conquise, vite délaissée. La province persistait à nier l'évidence. Ni Sodome, ni Gomorrhe ne pouvaient avoir de ramifications en ces terres où fleurissaient des vertus ancestrales.

Bref, si la découverte d'une succursale de Lesbos en Bourgogne, et de fleurs du mal de Montigny risquent de choquer le bourgeois, Ollendorf estime qu'un tel scandale fera augmenter les ventes de *Claudine à l'école*, ce roman que signe Willy qui s'en dit l'auteur...

Chapitre 13

L'année Claudine (1900)

Printemps 1900. À Paris, Sarah Bernhardt triomphe dans *L'Aiglon*, la Belle Otero danse la valse-tourbillon, Jean Lorrain et Liane de Pougy annoncent leurs fiançailles auxquelles personne ne croit, mais dont tout le monde parle, tout en se rendant à l'inauguration de la première ligne du métro, puis à celle de l'Exposition universelle qui, selon la presse unanime, est « la plus considérable et la plus brillante faite jusqu'à ce jour dans le monde entier ».

Le XXe siècle naissant plonge dans une complète euphorie les rentiers qui vivent de mieux en mieux, et promet aux autres, aux moins favorisés, prospérité, santé, bonheur et lumière puisque les ténèbres de l'obscurantisme ont été enfin vaincues. « Il n'y a plus de mystère » déclarent solennellement les scientifiques.

Un mystère subsiste quand même. Qui est vraiment l'auteur de *Claudine à l'école* qui vient de paraître chez Ollendorf? Est-ce vraiment Willy? Rachilde, la première, dans le numéro de mai du Mercure de France, émet des doutes, « Que par un tour de force de son seul esprit (il en a beaucoup), Willy [...] ait créé ce personnage de Claudine, ou qu'il ait réellement *cueilli* ces pages des mains aimées d'une femme comme on prendrait des fleurs pour les disposer avec art dans un vase précieux, je m'en moque. Il y a une œuvre étonnante de conçue, voilà tout ce qu'il m'importe de déclarer ici ». Ah, qu'en termes galants, ces choses-là sont dites !

C'est Charles Maurras qui a consacré un premier article à *Claudine à l'école*. Dans *La Revue encyclopédique*, il s'est dit sensible à la « maturité de la langue et du style », prévenant que certains chapitres de ce roman étaient « d'une fantaisie un peu vive ». On ne saurait mieux attiser ainsi la curiosité des lecteurs. Les articles de Maurras, de Rachilde et d'autres encore déclenchent la faveur du public. 40 000 exemplaires, chiffre considérable pour l'époque, sont vendus en quelques mois.

1900, c'est le succès de *L'Aiglon*, de la valse-tourbillon, de l'Exposition universelle et de *Claudine à l'école*. Colette sait qu'elle est l'auteur de cette Claudine dont Willy qui, selon sa méthode de chef d'atelier, a apporté ses suggestions et retouches habituelles, finit par croire qu'il en est le père. Il savoure ce concert de louanges qu'il consent à partager parfois avec son épouse dont il tapote la tête en disant :

– Mais vous savez que cette enfant m'a été précieuse ? Si, si, précieuse ! Elle m'a conté sur sa « laïque » des choses ravissantes !

Madame de Saint-Marceaux, Madeleine Lemaire, Jeanne Muhlfeld s'extasient et félicitent l'auteur et sa muse. Dès que ces dames ont le dos tourné, les Willy rient comme deux bons complices unis dans une farce qui réussit au-delà de leurs espérances. Colette rit plus fort, et plus longtemps, à cause de la couverture de *Claudine*, un dessin d'Emilio della Sudda représentant un chaperon rouge d'opérette qui n'a pas grand-chose à voir avec l'héroïne. « Pourquoi riez-vous ? » interroge M. Willy. Et Mme Willy de répondre : « C'est ce dessin... Comment veux-tu qu'on croie que c'est arrivé ? » Car, bizarrement, Willy vouvoie Colette qui le tutoie. C'est l'une des inexplicables singularités de ce couple, et ce n'est pas la seule...

Les Willy appartenaient jusqu'alors au folklore parisien et jouissaient d'une notoriété certaine dans les VIe, VIIe, VIIIe et XVIIe arrondissements. À partir de la parution de *Claudine à l'école*, en mars 1900, la renommée des Willy et de leur fille Claudine est nationale. La calvitie de Willy, les longues tresses de Colette sont reproduites, amplifiées, par les caricaturistes. Le succès s'amplifiant de mois en mois, Claudine prête son prénom au fameux col, le col Claudine, à une lotion, à un parfum, à un chapeau, à des cravates, et jusqu'à un cure-dent.

La France entière se délecte des audaces de Claudine et s'amuse de ses insolences. Il n'y a que le Tout-Saint-Sauveur que cela n'amuse pas, qui se dit offensé et sera long à pardonner à l'enfant du pays son crime de lèse-Saint-Sauveur. Le personnage de Mlle Sergent fait grincer les dents de Mlle Terrain et celui du docteur Dutertre agace le docteur Merlou. Celle qui a inspiré la Grande Anaïs gardera, jusqu'à sa mort, rancune à Colette.

L'été 1900 ramène les Willy chez les Gauthier-Villars. C'est le dernier été qu'ils passent au chalet des Pins. Colette ne veut plus entendre parler de denier du culte, de pénitence, d'indulgence et de carême. Enrôlée dans l'atelier de son époux, elle laisse entendre qu'elle a besoin de calme pour remplir sa fonction de « nègre ». Elle doit écrire la suite de *Claudine à l'école*, comme le suggère Willy avide d'exploiter, de prolonger, ce succès.

Le 2 septembre 1900, les Willy achètent pour 40 000 francs le domaine des Monts-Boucons, à quelques kilomètres de Besançon. Les Monts-Boucons datent du Directoire et, depuis cette époque, offrent un parc que Colette redessine, un point de vue qu'elle supprime, une grotte dont elle fait un refuge. Satisfaite de ces changements, elle espère avoir trouvé là une halte définitive. Elle est renforcée dans son illusion par la présence de Sido et du Capitaine qui sont venus séjourner aux Monts-Boucons. Ils ne cachent pas leur satisfaction devant la réussite de leur fille et de leur gendre. Enfin inspiré, le Capitaine écrit un poème à la gloire des Monts-Boucons. En voici la première strophe :

> Au pays franc-comtois, il est une demeure
> Que je voudrais nommer l'estivale maison.
> J'y voudrais savourer ma paix intérieure ;
> Ce serait, de ma vie, une part : la meilleure !
> Et mes derniers beaux jours de l'arrière-saison.

Pendant que le Capitaine rédige son poème, Colette entreprend la suite de *Claudine à l'école*, *Claudine à Paris*. Comme son père, elle croit avoir trouvé la paix en limitant son univers à une table, une lampe à cloche verte, du papier, de l'encre et des plumes Flament n° 2. Ce qu'elle baptise « un confort de scribe ».

Contrairement à la légende qui veut que Willy l'ait enfermée pour la contraindre à écrire, Colette n'a pas besoin de cette contrainte, elle s'enferme elle-même dans ce qu'elle baptise « un confort de scribe ». Elle aime cet isolement. Elle a vingt-huit ans et croit que sa vie sentimentale est terminée. Elle croit que son cœur a cessé de battre puisqu'il ne bat plus autant pour Willy avec qui elle forme alors, selon le témoignage de Jean de Tinan, « un ménage de camarades ». Mais qui peut être sûr que son cœur ne battra plus pour quelqu'un ? Surtout quand on a vingt-huit ans, et qu'on s'appelle Colette qui, comme Olivia [1], aurait pu dire : « L'amour a toujours été la grande affaire de ma vie » ?

1. *Olivia* par Olivia, Stock, 1950.

Chapitre 14

La proie de Lesbos (1901)

L'apothéose du Lesbos parisien ne se termine pas quand le XIXe siècle finit, mais se poursuit de plus belle quand le XXe siècle commence. 1901 reste, dans les annales de Lesbos, aussi faste que 1899 puisque cette année-là verra la parution de deux romans qui figureront parmi ses classiques : *Claudine à Paris* de Colette en mars, et, en septembre, *Idylle saphique* de Liane de Pougy.

Ces deux publications font franchir à Gomorrhe les frontières du délire. On exulte, on se congratule. Leur reine est, sans conteste, Liane de Pougy [1]qui proclame ouvertement sa royauté dans ce roman tendu comme un miroir à Lesbos. Par son éducation, elle avait été élevée par les Filles de Jésus, par sa beauté, elle était classée parmi les plus belles femmes du monde, par son intelligence, Jean Lorrain se chargeait de répandre ses mots d'esprit, Liane avait su asservir les hommes, et pas n'importe lesquels, des

1. Cf. *Liane de Pougy, courtisane, princesse et sainte* de Jean Chalon, Flammarion, 1994.

rois et des princes en tel nombre qu'on l'avait surnommée, comme Hortense Schneider, « le Passage des Princes ». Mais la courtisane qui n'avait jamais caché à ses amants qu'elle préférait les femmes, ce qui ajoutait certainement un piment supplémentaire à ses charmes, affiche maintenant ses goûts profonds dans cette *Idylle saphique* qui met en scène ses amours avec Natalie Clifford Barney. Liane, sous le prénom d'Annhine, et Natalie, sous celui de Flossie qui sera aussi le sien dans les *Claudine*, sont les héroïnes de ce roman qu'elles viennent de vivre.

Née à Dayton (Ohio) en 1876, Natalie Barney arrive d'Amérique précédée d'une flatteuse réputation : ses compatriotes l'ont surnommée « la Sapho de Washington » parce qu'elle est poète et célèbre les dames qu'elle aime dans des poèmes qu'illustre sa mère, l'indulgente Alice Pike Barney. Moins indulgent, le père de Natalie, Albert Clifford Barney, ne désespère pas de trouver un mari à sa fille. La beauté, la blondeur, le rayonnement et la solide fortune des Barney attirent les prétendants les plus huppés de Washington. Pour mettre fin à ces projets matrimoniaux, Natalie a décidé de vivre à Paris, « sans masque [1]. » Et du printemps 1899 au printemps 1900, Liane-Annhine et Natalie-Flossie ont vécu leur idylle.

On remarquera, au passage, la rapidité dans la création dont les auteurs de la Belle Époque sont assez coutumiers. On s'aime, on ne s'aime plus, on rejette les draps encore tièdes pour se jeter dans de brûlantes confessions. Dans *Claudine à Paris*, comme dans *Idylle saphique*, Colette Willy et Liane de Pougy ont immédiatement écrit ce qu'elles venaient de ressentir. Curieuse coïncidence : c'est en 1901 que Colette connaît sa première idylle saphique, mais est-elle vraiment la première ?, qui deviendra en mai 1902, *Claudine en ménage*. C'est à se demander si ces dames n'écrivent pas d'une main et caressent de l'autre, tant leur célérité est grande à

1. Cf. *Chère Natalie Barney* de Jean Chalon, Flammarion, 1992.

mettre noir sur blanc leurs aventures sensuelles et sentimentales.

Claudine à Paris connaît le même succès que *Claudine à l'école*. Willy se frotte les mains, il a enfin trouvé le bon filon. Même succès de presse, même succès de public. Claudine a maintenant ses fanatiques. Mme Willy n'en a cure. Elle est prête à jeter son bonnet, et son encrier, par-dessus les moulins. Elle est amoureuse de Georgie Raoul-Duval qu'elle a rencontrée chez Jeanne Muhlfeld qui, en compagnie de son époux, Lucien, se plaît à recevoir les belles représentantes de Lesbos, comme Georgie Raoul-Duval ou Natalie Barney.

Georgie, comme Natalie, est américaine. Et comme Natalie, belle, blonde, et riche. Colette est amoureuse de Georgie, amoureuse à en perdre la tête. Est-ce la première femme qu'elle aime ? Si Willy est, sans contestation possible, son premier homme, celui qui l'a « déniaisée », on ne sait pas, en fin de compte, avec certitude et preuves à l'appui, quelle est la première femme qui a entraîné cette même Colette, proie consentante et bienheureuse, à Lesbos où elle est tout de suite en pays connu, et parfaitement à son aise. Là, elle n'a pas besoin d'être « déniaisée », elle sait d'emblée ce qu'il faut faire, elle sait d'instinct combler et être comblée.

Depuis quelque temps, le Tout-Paris prêtait des maîtresses à Mme Willy puisqu'on ne lui connaissait pas d'amants. On ne prête qu'aux riches. En février 1901, il ne s'agit plus de prêt, ni d'une supposition. Mme Willy éprouve une passion pour Mme Raoul-Duval, ne s'en cache pas, imitant, en ce manque de discrétion, Liane et Natalie qui, elles aussi, s'amusent à défier l'opinion publique. Colette est amoureuse et entend qu'on le sache. C'est sa première tentative de revanche sur les innombrables trahisons de Willy, qui, depuis la parution des deux *Claudine*, est assiégé par celles qui se prennent pour des Claudine, « Ces funestes adolescentes refluaient jusqu'à un domicile que je ne m'obstinerai pas à nommer conjugal ».

Pour être aussi volage et aussi chargé de femmes, Willy ne devait pas être aussi syphilitique et aussi impuissant qu'on l'a prétendu. La syphilis et l'impuissance éloignent plus qu'elles n'attirent. Mme Willy ne constate que trop l'attirance que M. Willy exerce sur le genre féminin tout entier. Sultane en titre, elle supporte de moins en moins les favorites. Elle cherche des consolations, non du côté des hommes, le sien lui suffit, merci, mais du côté des femmes. Puisqu'elle est traitée comme une sultane recluse en la rue Jacob, pourquoi n'aurait-elle pas des favorites ?

Sa première favorite *déclarée*, c'est donc, en 1901, Georgie Raoul-Duval. C'est une « cosmopolite », comme on dit alors, et avec tout ce que cela suppose de sous-entendus. Par son mariage avec un milliardaire américain d'origine française, dont la complaisance ressemble à de l'aveuglement, Georgie est libre de poursuivre son plaisir, de capitale en capitale. Elle est, en ce printemps 1901, de passage à Paris pour s'habiller chez Doucet ou chez les sœurs Callot, et surtout pour s'amuser. Comme Winaretta de Polignac, née Singer, et quelques autres, elle possède une fortune qui la place au-dessus du commun des mortels. Assurée d'une totale impunité, Georgie passe à Lesbos pour une don juane. Séduire Colette n'est qu'un jeu pour Georgie, un jeu que Colette prend au sérieux. C'est que Mme Raoul-Duval a tout pour plaire à Mme Willy. Son élégance, sa minceur, sa richesse attirent la fille de Sido et de Sapho qui ne sait toujours pas comment s'habiller, lutte déjà contre un embonpoint naissant et continue à compter ses sous. En plus, Georgie a des « yeux à cils longs, d'un gris ambré et variable », « une peau de volubilis blanc », ses gestes sont parfaits et elle se parfume à l'iris. Comment résister à tant de séductions ? Colette ne résiste pas et cède, heureuse de penser que, au même moment, quelque part dans Paris, Willy s'applique à satisfaire du mieux qu'il peut ces mineures à col blanc et chaussettes glissantes, ces fausses Claudine.

Georgie appartient à la race des Insatiables. Mme Willy ne suffisant pas à apaiser sa soif de volupté, Mme Raoul-Duval fait appel aux bons offices de M. Willy. Cela ne sort pas de la famille. Mais Colette ne supporte pas le partage. Elle refuse de partager Georgie, et surtout pas avec Willy. Être trompée par Georgie et par Willy à la fois, c'est un comble qui va rendre Colette défiante pour le reste de sa vie ! Elle s'estime plus que trompée, trahie.

Pendant l'été 1901, le trio se retrouve à Bayreuth où la musique de Wagner rythme leurs querelles et exacerbe leurs dissensions. Au retour à Paris, quand M. et Mme Willy découvrent qu'il arrive à Mme Raoul-Duval de les recevoir chacun à une heure d'intervalle, ils décident de rompre et de se venger. Ils rompent et se vengent en élaborant, à partir de Georgie, le personnage de Rézi qui, dans *Claudine en ménage*, promène Claudine en terre de Gomorrhe.

Avertie de ce qui se prépare, et de l'imminente publication d'une *Claudine amoureuse* chez Ollendorf, Georgie Raoul-Duval achète le premier tirage qu'elle fait pilonner. Quatre exemplaires en réchappent. Devant une telle détermination, les Willy s'inclinent, changent *Claudine amoureuse* en *Claudine en ménage*, apportant à Rézi quelques retouches destinées à rendre moins reconnaissable Georgie. Ils font quand même dire à Rézi-Georgie : « Nous vivons là, à nous trois, un petit chapitre pas ordinaire ! »

Pour Colette, le chapitre Georgie Raoul-Duval est définitivement clos. Elle n'évoquera plus jamais la belle infidèle, ni dans sa conversation, ni dans ses livres de souvenirs.

La blessure infligée par Mme Raoul-Duval a dû être profonde, et pour l'aider à guérir, Mme Willy a recours à l'un de ses remèdes préférés : elle déménage. Elle quitte le bohème Saint-Germain-des-

Prés pour la bourgeoise Plaine Monceau, le VIe arrondissement pour le XVIIe, le 28 rue Jacob pour le 93 rue de Courcelles, « Tels furent le passage de la rive gauche à la rive droite, et la conquête d'un atelier de peintre au sixième étage, où j'emménageai éblouie ».

Chapitre 15

La prisonnière des Monts-Boucons (été 1902-été 1903)

L'éblouissement que manifeste Colette face à son atelier de peintre dure peu. Le pittoresque de cet atelier n'empêche pas que ses habitants y gèlent en hiver et y grillent en été. Colette l'apprend à ses dépens. Pour fuir l'aveuglante lumière, nécessaire au peintre, mais pas forcément au commun des mortels, il arrive à Mme Willy de chercher refuge... sur le palier, en compagnie de son chat, Kiki-la-Doucette.

C'est grâce au succès des *Claudine à l'école* et de *Claudine à Paris* que les Willy se sont installés rue de Courcelles où ils ont pour voisins Nissim de Camondo et Valtesse de la Bigne. Il n'est pas question de rivaliser avec l'opulence des Camondo, et la luxuriance d'une Valtesse dont la chambre à coucher, et surtout le lit, une débauche de bronze et de velours, ont inspiré Émile Zola pour le décor de certaines scènes de *Nana*.

Colette ne veut pas non plus céder au « style auberge » qu'affectionnent les peintres impécunieux qui meublent leur repaire avec une table de réfectoire, quelques bancs et des peaux de chèvre façon ours. Un piano, de faux tournesols, des fauteuils en bois de chez Bing, le portrait de la maîtresse de maison « en robe préraphaélite, par un jeune peintre turc », tout témoigne d'une affectation de simplicité et de dépouillement méritoire à cette époque où la décoration n'obéit qu'à deux règles : tout garder et tout montrer. Mais tel qu'il est, cet appartement ne plaît pas à Colette, elle ne s'y sent pas chez elle, « J'étais trop provinciale pour oser rassembler tout ce qui m'eût, autour de moi, chaudement rappelé ma province bien-aimée ».

Les Willy désertent le 93 rue de Courcelles où ils se sont installés fin 1901 pour se fixer, début 1902, à quelque cinq cents mètres de là, au 177 bis de cette même rue de Courcelles, dans un hôtel particulier où ils occupent un étage et où ils croisent, dans l'escalier, un autre locataire, le prince Alexandre Bibesco. On ne pourra plus dire que les Willy sont des bohèmes !

Dans cet appartement cossu, Colette ne trouve rien de mieux que d'installer une balustrade au milieu du salon. Blanche, massive, la balustrade étonne les visiteurs qui se perdent en supputations sur sa présence. Colette reconnaît que c'est raté, promet d'enlever la balustrade et ne l'enlève pas. Elle pense affirmer ainsi un peu de sa personnalité. Elle impose aussi l'aménagement d'une pièce en gymnase dont elle a, seule, la clef, et où elle peut s'exercer aux agrès, à son aise, sous les applaudissements de l'un des « nègres » de son mari, Marcel Boulestin, et de ses petits amis. Mme Willy a un maître de gymnastique et fait du cheval au Bois en compagnie de son époux. Les Willy ne se refusent plus rien. Et pour cause. Après avoir triomphé en librairie, Claudine triomphe au théâtre.

Le 22 janvier 1902, première représentation de *Claudine à Paris*, aux Bouffes-Parisiens. Dans le rôle de Claudine, Polaire remporte un succès dont l'ampleur surprend les Willy. « Ce que fit Polaire de Claudine est inoubliable », rapporte Colette.

Polaire apparaît au premier acte en sarrau noir pour jaillir au deuxième, en une « robe blanche écumante » qui déchaîne l'enthousiasme du public, son public qui l'a suivie du café-concert au théâtre. Car, sans l'aide de professeur ou de conseiller, la chanteuse Polaire s'est métamorphosée en l'actrice Polaire. Elle a su d'instinct qu'elle était Claudine et a imposé son choix aux auteurs et au metteur en scène. C'est que, née en Algérie et ayant débuté à quatorze ans, à l'Européen, pour sept francs par semaine, Polaire, de son vrai nom, Émilie Zouze-Bouchaud, a tout appris à l'école de la vie. Aussi s'étonne-t-elle que les auteurs ne lui demandent aucune complaisance en échange de leur consentement. Elle n'est pas la maîtresse de Willy, et encore moins celle de Colette. Polaire, comme Otero, ne supporte pas les femmes dans son lit. Cela n'empêche pas la rumeur publique d'aller bon train et de clamer que Polaire et les Willy ne se quittent plus, formant un ménage à trois.

Le succès de *Claudine à Paris* s'accompagne du succès de *Claudine en ménage* qui paraît enfin en librairie, en mai 1902. Cette fois, les critiques sont plus réservés et tiquent sur certains passages qui tournent un peu à l'hymne à Lesbos comme par exemple, cet aveu de Rézi-Georgie, « Pensez-vous [...] que pour faire jaillir de moi l'amour, je n'ai pas cherché ce qu'il y a de plus beau et de plus doux au monde, une femme amoureuse ? » C'est exactement ce que disent les héroïnes d'*Idylle saphique* qui mettent au-dessus de tout, deux femmes amoureuses l'une de l'autre... Désormais, Mme Willy est perdue de réputation et les commères parisiennes peuvent se féliciter de leur clairvoyance : « Ah, on avait bien raison de dire que Mme Willy était pour femmes ».

Rien ne fatigue autant que le succès, et Colette retrouve, avec une joie non dissimulée, son paradis jurassien, ses Monts-Boucons où elle passe l'été 1902 à rêvasser, à se promener et à écrire. De temps en temps, Willy vient vérifier si sa femme travaille bien à ce qui sera la quatrième, et dernière, Claudine, *Claudine s'en va*. Colette ne supporte plus d'être confondue avec son héroïne, et d'avoir déclenché une mode qui a envahi la France entière. Elle a créé un type, sans mesurer les conséquences de son acte, ce qui fait dire à Catulle Mendès : « Vous verrez ce que c'est d'avoir, en littérature, créé un type. Vous ne vous rendez pas compte. Une force, certainement, oh ! certainement ! Mais aussi une sorte de châtiment, une faute qui vous suit, qui vous colle à la peau, une récompense insupportable, qu'on vomit- ...Vous n'y échapperez pas, vous avez créé un type ». Colette est d'accord, Catulle Mendès a raison !

C'est donc mollement qu'elle travaille à *Claudine s'en va* qu'elle n'a pas terminé quand elle quitte les Monts-Boucons pour revenir, à l'automne, à Paris. C'est alors que, à la demande de M. Willy, et sans se faire beaucoup prier, Mme Willy coupe ses longues tresses. Elle en éprouve un incroyable bien-être, elle est libérée de sa prison de cheveux et n'écoute que d'une oreille distraite les lamentations de Sido qui flétrit un tel acte, accusant sa fille d'avoir disposé d'un bien qui ne lui appartenait pas. Sido s'estimait la propriétaire d'une chevelure que pendant dix ans, chaque matin, elle avait brossée pendant une demi-heure...

Ainsi coiffée, Colette ressemble à Polaire. Toujours soucieux d'assurer sa publicité et d'attirer, par n'importe quel moyen, l'attention du public, M. Willy décide d'exhiber Mme Willy et Mlle Polaire comme si elles étaient des sœurs jumelles, ou mieux encore, comme si elles étaient ses filles. L'effet souhaité est atteint au-delà de toute espérance. Un soir de générale, dans un music-hall, l'apparition du trio fait sensation et attire les regards, « L'attention du public se fixa sur nous d'une manière si pesante, si muette et si unanime que les sensibles antennes de Polaire frémirent, et elle recula d'un pas ».

Polaire recule, puis avance, obéissant à un ordre

de Willy qui s'impatiente. « Ce que je souffre » murmure-t-elle à l'oreille de Colette qui, elle, se contente de subir passivement ce genre d'exhibition. La paix du ménage est à ce prix. Elle réussit à cacher sa honte, et sa tristesse d'épouse trop soumise aux caprices publicitaires, et autres, de son mari qui, le 1er avril 1903, ce n'est pas une plaisanterie, est poursuivi pour publication licencieuse par la neuvième chambre du Tribunal de Paris et condamné à mille francs d'amende, et à expurger l'ouvrage incriminé, *La Maîtresse du prince Jean*, des pages jugées trop licencieuses.

Ces exhibitions, cette condamnation, tout cela perturbe Colette qui aspire plus que jamais à sa retraite annuelle des Monts-Boucons où elle passe un autre été, l'été 1903, à écrire *Minne*, et à esquisser ses premiers *Dialogues de bêtes*. Là, Mme Willy vit dans une solitude qui sera celle qu'elle dépeindra dans *La Retraite sentimentale*, changeant alors les Monts-Boucons en Casamène. Là, elle vit comme dans un couvent dont le soleil est le père supérieur qui règle son emploi du temps. Elle se lève à six heures en été, à sept en automne, pour assister fidèlement, dévotement, à la naissance du jour qu'elle finit par considérer comme lui appartenant. Ensuite, elle visite les rosiers, inspecte les cerisiers, suivie dans sa promenade du matin par son chat angora, Kiki-la-Doucette, et par son bouledogue, Toby-chien. Ainsi se passe la matinée en compagnie des bêtes et des arbres. L'après-midi, quand elle a fini un chapitre de *Minne*, elle « exsude » ses *Dialogues de bêtes* dans lesquels elle se donne « le plaisir, non point vif mais honorable, de ne pas parler d'amour ». Le soir, elle regarde tomber le soir, et dès que le soleil a disparu, elle se couche.

M. Willy continue à venir pour des visites-surprises, des visites-éclairs qui troublent la retraite de madame et éveillent en elle, « La vieille et normale chimère de vivre en couple, à la campagne ». Mais le désarroi causé par cette visite dure peu. Colette ne cache pas son soulagement d'être délivrée de son seigneur et maître, « Je me sentais redevenir meilleure, c'est-à-dire capable de vivre sur moi-même, et ponctuelle comme si j'eusse déjà su que la règle guérit de tout ».

Sitôt son geôlier parti, la prisonnière des Monts-Boucons aspire à la liberté, une liberté interne, la meilleure de toutes, « En somme, j'apprenais à vivre. On apprend donc à vivre ? Oui, si c'est sans bonheur. La béatitude n'enseigne rien. Vivre sans bonheur, et n'en point dépérir, voilà une occupation, presque une profession ». L'apprentissage commencé rue Jacob se poursuit aux Monts-Boucons. Elle est de plus en plus persuadée qu'elle sera une éternelle apprentie. Profession ? Apprentie en tout !

À trente ans, Colette apprend l'art de vivre dans une solitude peuplée de ses animaux familiers, le bouledogue et la chatte, auxquels viennent se joindre un vieux cheval, des hirondelles, quelques couleuvres et cinq petits rapaces qui la guettent du haut d'un arbre. En parfaite union avec ce que la nature a produit de mieux, Colette se sent effectivement devenir « meilleure », ou simplement redevenir l'enfant qu'elle était à Saint-Sauveur quand elle jouait avec les chats, les chiens, les couleuvres et qu'elle s'en allait, seule, à la rencontre de l'aurore et du soleil, « le soleil-en-or »...

Chapitre 16

Flossie 1904-Natalie 1905

En sa prison champêtre des Monts-Boucons, Colette se sent libre d'aller et de venir, sans avoir de compte à rendre à personne, et surtout pas à son mari. Dès qu'elle retourne à Paris, elle retombe dans les chaînes conjugales qu'elle supporte de moins en moins et qu'elle a essayé de rompre, ou d'adoucir, par sa liaison avec Georgie Raoul-Duval. Un désastre. Les femmes ne valent-elles pas mieux que les hommes? Sont-elles aussi infidèles, aussi perverses? Colette n'aime pas les généralités. Une femme, fût-elle Georgie, ne représente quand même pas toutes les femmes...

Après ces mois de chaste retraite jurassienne, Colette ne demande qu'à être aimée. Est-ce à cette époque, vers la fin de 1904, qu'il faut situer sa liaison avec Natalie Barney, ou sa « demi-liaison » comme précisait Natalie? Pour justifier cette restriction, l'Amazone m'assurait que Willy les surveillait trop et prétendait, en plus, comme on le verra, à la fin de ce chapitre, se mêler à leurs ébats.

La Sapho de la Plaine Monceau et la Sapho de

Washington ont pu se rencontrer dès 1900 chez leur amie commune, une Sapho du Faubourg Saint-Germain, Armande de Chabannes, laquelle figurait aussi dans la liste des « demi-liaisons » établie par Natalie.

Les premières lettres de Colette à Natalie datent de 1902, et prouvent que ces deux jeunes femmes – Colette a alors vingt-neuf ans et Natalie en a vingt-six – se voient, se plaisent, se tutoient, se font des coquetteries de Narcisse féminin cherchant son double comme en témoigne ce billet, « Flossie, j'ai oublié (mais ta vue m'occupait) si c'est jeudi ou vendredi que je dîne avec toi. [...] Réponds-moi, charmante bête civilisée. Willy te baise les mains et je t'invite à m'embrasser ».

En 1904, le ton change et devient plus passionné, plus révélateur comme on peut en juger par les lignes suivantes, *« Flossie charmante, [...] Mes yeux ont oublié ce que c'est qu'une créature jolie des pieds à la tête. [...] Flossie inattendue et charmante, [...] Les hasards de la vie ne m'ont point comblée depuis... depuis Flossie. Et j'ai préféré rien à ce qu'on m'offrait. [...] Flossie argentée, [...] Willy te baise les mains, et moi le reste »*.

Entre ce « Willy te baise les mains, et je t'invite à m'embrasser » et ce *« Willy te baise les mains, et moi le reste »*, il est certain qu'il s'est passé quelque chose. Certains billets, très brefs, de Colette à Natalie sont autant d'invitations à passer le temps agréablement en tête à tête. Abondent en ces billets, sans date, hélas, les *« Viens, je serai seule »* et autres détails qui ne laissent aucun doute sur l'agréable façon dont Natalie vient rompre la solitude de Colette. Visiblement, Natalie a su se faire apprécier de Colette, comme elle savait le faire avec ses autres amoureuses qui, selon le témoignage d'André Germain, quand elles avaient été abandonnées, « ne vivaient plus ensuite que dans une sorte de veuvage désolé ».

Quand Natalie cessera de prodiguer ses faveurs, Colette ne se comportera pas comme une veuve désolée. Chacune gardera pour l'autre une amitié toujours un peu amoureuse qui ignorera l'usure du temps.

En Natalie, Colette contemple ce qu'elle aurait pu être si elle avait choisi Lesbos comme patrie définitive. Mais grâce à Natalie, Colette saura toujours ce qui se passe à Lesbos, et qui y aime qui.

Plus qu'amies, Colette et Natalie sont complices et ne se perdront jamais de vue, mêlant leurs vies avec ses incidents heureux ou malheureux. Quand, en décembre 1904, la belle-mère de Colette meurt, Natalie écrit à son amie, « Mes félicitations, Colette, on ne perd pas une belle-mère tous les jours ».

Début 1905, Colette ne cache pas son envie de voir, et au plus vite, son incomparable Flossie : « Flossie incomparable (et que d'ailleurs je ne cherche pas à comparer !) je suis revenue tout à fait. Et j'ai rogné, chez ma sainte mère, de penser certain soir qu'on se vautrait chez toi, chez qui j'étais invitée, et à 149 kilomètres de Paris. Où te voir et quand. Réponds-moi. Je t'embrasse sans aucun respect ».

Parmi les jeunes femmes qui se « vautrent » chez Flossie, une ancienne conquête de Natalie, Eva Palmer, qui voisine et sympathise avec une autre conquête plus récente, Lucie Delarue-Mardrus. Lucie est tellement belle que son époux, Joseph-Charles Mardrus, le traducteur des *Mille et une nuits*, a décidé de laisser intacte cette beauté qu'il se contente d'admirer, sans y toucher et qu'il a surnommée « la princesse Amande ». Eva, Natalie et Colette n'ont pas les scrupules de Mardrus et ont goûté à cette Amande. Poète incandescent, auteur d'une *Sapho désespérée* dont elle a elle-même interprété le rôle-titre au théâtre Femina, Lucie Delarue-Mardrus a laissé dans *Mes mémoires* [1] deux précieux portraits de Colette et de Natalie à cette époque.

Voilà Colette : « Elle était musclée et mince, et ses yeux [...] allumaient déjà ces deux petites lampes d'un bleu sombre dans le triangle de sa figure, sous les cheveux courts, alors inconnus, qui étaient sa

1. Gallimard, 1938.

marque particulière ». Mais ce qui frappe le plus Lucie, c'est l'attitude de Mme Willy, « celle d'une jeune femme perpétuellement en train de jouer la centième de *Claudine* ». Et d'ajouter « Elle a l'air de vivre sur une carte postale ». C'est cruel mais assez juste. Colette posant en Mme Willy ou en Claudine, on ne sait plus qui est qui, a fini, en ces années d'apprentissage, par prendre parfois la pose. Ce qui n'empêche pas son naturel de revenir au galop quand les photographes ou les curieux tournent les talons.

Et voilà Natalie, « Le teint de pastel, les formes très féminines, l'élégance parisienne de cette Américaine ne laissaient qu'au bout d'un moment se révéler le regard d'acier de ses yeux qui voient tout et comprennent tout en une seconde ».

Avec ces deux portraits, on comprend mieux la séduction qu'exerce l'une sur l'autre la fille de la Bourgogne et la fille de l'Ohio. En 1905, la demi-liaison continue, Mme Willy et Miss Barney vont au théâtre ensemble, prennent le thé ensemble, et se voient beaucoup, ne serait-ce que pour régler les détails de la mémorable représentation que donne Natalie en juin, à Neuilly, au 25 rue du Bois-de-Boulogne où elle habite alors : « Un bel après-midi, sur une pelouse de Neuilly, dans le jardin de Miss Natalie Clifford Barney, j'interprétai le *Dialogue au soleil couchant* de Pierre Louÿs. L'autre actrice improvisée s'appelait Eva Palmer, américaine, rousse à miracle, et les cheveux jusqu'aux pieds. [...] Nous étions meilleures à voir qu'à entendre. Mais nous croyions que Paris, sous ses ombrelles, sous ses chapeaux très grands cette année-là, ne pensait qu'à nous... »

Les pensées, et les regards, des spectateurs et surtout des spectatrices se détournent soudainement de Colette et d'Eva pour se concentrer sur l'apparition d'une femme nue sur un cheval blanc harnaché de grosses turquoises : Mata-Hari.

Une deuxième exhibition de Mata-Hari, uniquement pour dames seules et qui cessaient de l'être à la fin de la représentation, fut organisée par Natalie et enchanta Colette. Cette fête très privée et très particulière provoqua les foudres de Willy qui aurait voulu y participer, prêt à se déguiser en femme et à couper ses moustaches s'il le fallait. Natalie repoussa fermement cette tentative de subterfuge et M. Willy dut se contenter du récit de madame qui, certainement, avec prudence et sagesse, ne raconta pas tout...

Chapitre 17

Une femme qui a osé être naturelle (mai 1905)

La parution, en février 1904, dans le Mercure de France, de *Quatre Dialogues de bêtes* (Sentimentalités, Le voyage, Le dîner est en retard, Le premier feu) vaut à son auteur, Colette Willy, un concert de louanges auquel Anna de Noailles, que la publication de son premier recueil de poèmes, *Le Cœur innombrable*, avait rendu célèbre dès 1901, mêle sa voix : « Madame, je vous remercie très vivement de l'envoi si aimable de votre petit livre qui est beaucoup plus grand que soi-même et plein du plus délicieux talent ».

Recevant peu après *Le Visage émerveillé* de la comtesse de Noailles, Colette rend la politesse et répond : « Madame, j'ai lu *Le Visage émerveillé* et je suis encore en proie à la tristesse qu'inspirent les chefs-d'œuvre. Croyez que c'est une tristesse pure de toute envie ».

Anna et Colette vont ainsi s'admirer mutuellement, sincèrement, et s'écriront de semblables lettres à chaque fois que l'une d'entre elles publie un ouvrage. Cette amitié entre ces deux écrivains que tout semble séparer mais qui sont unis dans un même amour de l'amour que chacune célèbre à sa façon, mérite d'être signalée...

Louangée par la presse et par Mme de Noailles, Colette Willy qui a signé, seule, ses *Quatre Dialogues de bêtes* espère profiter d'une telle victoire et avoir acquis le droit de signer ce qu'elle écrit. Hélas, c'est sous l'unique signature de Willy que paraissent *Minne* et *Les Égarements de Minne* qui prendront plus tard leur forme définitive sous le titre, *L'Ingénue Libertine*. *Minne* n'était d'abord qu'une longue nouvelle que, sur ordre de Willy, Colette a dû délayer, tout en le déplorant, en roman pour maintenir une paix conjugale qui s'effrite inexorablement.

En 1905, cela fait douze ans que les Willy se sont unis pour le meilleur et pour le pire. Les infidélités de Willy, les incursions de Colette à Lesbos, ont ébranlé leur foyer qui ne présente qu'une façade ne trompant plus personne. Chacun sait que les Willy sont un « ménage de camarades » comme chacun sait qui est vraiment l'auteur des *Claudine*, Colette. Les uns admirent son silence qu'ils prennent pour de la patience ou de l'abnégation. Les autres blâment sa discrétion qu'ils prennent pour de la bêtise, ou de la lâcheté.

Il est certain que le ménage ne peut pas continuer ainsi. Mais on ne rompt pas du jour au lendemain douze ans de compagnonnage sensuel et intellectuel. Colette s'en rend compte et médite sur la suggestion d'une voyante qu'elle a consultée, Fraya, et qui lui a dit : « Vous avez beaucoup tardé, il faut vous en sortir. » Malheureusement, Fraya, à l'aurore de sa renommée, ne lui a pas dit comment s'en sortir.

Colette ne se fait aucune illusion sur la possibilité de vivre de sa plume. Si ce qu'elle écrit sous son nom est porté aux nues, ce n'est pas avec ses *Quatre Dialogues de bêtes* qu'elle gagnera de quoi subsister. C'est le nom de Willy qui fait vendre. Et puis comment quitter celui qui reste légalement son seigneur et maître ? Comment fuir ? « Fuir... Comment fait-on pour fuir ? Nous autres filles de province, nous avions de la désertion conjugale, vers 1900, une idée énorme et peu maniable, encombrée de gendarmes, de malle bombée et de voilette épaisse, [...] Fuir... Et ce sang monogame que je portais dans mes veines, quelle incommodité. »

Oui, comment fuir, et à qui demander conseil ? L'ami sûr et discret qu'elle avait, Marcel Schwob, meurt le 27 février 1905. « J'ai un tel regret de ne pas avoir revu Schwob encore vivant, encore méchant, lui dont l'affectueux mépris m'était si doux. Tu sais, toi, que j'aimais si particulièrement Marcel », écrit-elle à sa veuve, Marguerite Moreno qui reste, elle aussi, une amie sûre et discrète. Mais Colette ne veut pas ajouter ses problèmes à la peine de Marguerite qui n'ignore rien de la fragilité du ménage Willy, et qui, à l'exemple de Fraya, se demande comment tout cela va se terminer.

À la surprise du Tout-Paris, et du Tout-Lesbos, cela se termine le 1er mai 1905 par une séparation de biens. Cette séparation se double d'une séparation des amours. Willy a rencontré une jeune brune aux yeux bleus, Marguerite Maniez. Elle a juste vingt ans, elle montre des dispositions pour la danse et le journalisme. Élevée en Angleterre, elle a gardé le goût de l'éducation anglaise. « Elle demande elle-même la fessée et la cravache » confie Willy, à la fois attendri et excité, à Curnonsky. Il est tellement épris de ce tendron avec qui il peut jouer les pères incestueux et les professeurs sévères qu'il ose lui donner son nom de Villars comme pseudonyme. Et c'est ainsi que Marguerite Maniez devient Meg Villars. C'est presque une légitimation et c'est plus que ne peut en supporter la légitime Mme Willy qui se demande sérieusement si, en ce printemps 1905, elle n'a pas rencontré sa moitié d'orange en la personne de Mathilde de Morny, dite Missy, marquise de Belbeuf. Fille du duc de Morny et de la princesse Troubetskoy, Missy épouse, à dix-huit ans, le marquis de Belbeuf. Mariage de pure convenance organisé par les familles qui unissent la fortune des Morny à celle des Belbeuf. Après six ans de mésentente conjugale complète, Missy et son époux se séparent, chacun récupérant sa fortune qu'il entend dépenser au mieux de ses goûts.

Missy ne cache pas qu'elle préfère les dames aux messieurs. Elle en fait si peu mystère qu'elle passe pour une Notre-Dame de Lesbos. Si Jean Lorrain est la vivante affiche de Sodome, Missy est celle de Gomorrhe. On la tourne en dérision, on la traite de « tendre gourde » ou d'« ogresse impitoyable », on l'appelle « oncle Max ». C'est vrai qu'en complet veston, elle a l'air d'un homme. On dirait Willy sans les moustaches. Entre Missy et Willy, Colette serait en droit de se demander s'il y a véritablement une différence ! Même douceur de peau, même douceur de voix, mêmes rondeurs, enfin, tout n'est pas exactement pareil, mais l'apparente ressemblance physique entre l'époux et l'amante est assez troublante pour ajouter du piquant à cette liaison. Bref, passer des bras de Willy aux bras de Missy, n'est pas un changement aussi complet qu'on pourrait le croire...

La très féminine Natalie Barney trouve Missy de Morny trop masculine et demande à Liane de Pougy pourquoi Missy s'obstine « à singer les hommes, nos ennemis » ? « Au fond, c'est une charmante et puérile créature, un peu poire, de bonne éducation, mais affichante et déclassée » répond Liane qui compte Missy parmi ses relations.

Il serait temps, peut-être, de ne plus faire de Missy une caricature, ou plutôt, d'essayer de retrouver son vrai visage à travers les caricatures de son temps et les malveillances de ses copines. C'est une grande dame, un peu virile, certes, mais la distinction même. Elle se révèle vite une idéale protectrice pour Colette qui ne faisait, en cela, que suivre la mode du jour selon laquelle les faibles femmes devaient avoir un protecteur, ou à défaut, une protectrice. Missy a dix ans de plus que sa protégée et recherche « un calme climat sentimental ». Elle se déclare la chevalière servante de Colette qui, vraiment gâtée en cette année 1905, trouve un chevalier servant en Francis Jammes à qui elle a demandé, et obtenu, une préface pour ses *Sept Dialogues de bêtes* qui paraissent en mai, au Mercure de France. De quatre, les dialogues ont été portés à sept, chiffre bénéfique s'il en fut.

La préface de Francis Jammes est une consécration pour cette débutante de trente-deux ans, une consolation à la séparation de biens avec Willy, et à l'admission de sa durable rivale, Meg Villars.

Le père de Clara d'Ellebeuse et d'Almaide d'Êtremont adoubant la mère de Claudine et de Minne, quel beau sujet pour les peintres d'allégorie ! Après une telle prise de position, qui oserait encore attaquer Colette, et contredire Jammes qui déclare solennellement : « Car vous êtes un vrai poète [...] Mme Colette Willy est une femme vivante, une femme *pour tout de bon*, qui a osé être naturelle et qui ressemble beaucoup plus à une petite mariée villageoise qu'à une littératrice perverse ». Avec une ironie voilée, Jammes ne craint pas de démontrer que Colette est la *« femme bourgeoise par excellence »* et qu'elle a pour livre de chevet, *La Maison rustique des dames* de Mme Millet-Robinet. En mai 1905, et n'en déplaise à Francis Jammes, Colette a plutôt pour bible les poèmes de Renée Vivien ou *Idylle saphique* de Liane de Pougy.

Comme elle a remercié Anna de Noailles, Colette remercie le poète basque pour son royal cadeau, « Ah ! Monsieur, que je vous aime ! Il n'y eut jamais rien de pareil à votre préface, et j'ai envie de la publier toute seule, sans rien derrière, elle se passerait si bien de mon petit livre ! »

On ne saurait trop louer la clairvoyance de Francis Jammes qui le premier, décèle, et célèbre, ce « naturel » de Colette Willy, « une dame qui chante avec la voix d'un pur ruisseau français la triste tendresse qui fait battre si vite le cœur des bêtes ».

Oui, c'est vrai, Colette a osé être naturelle à une époque où le naturel était banni, honni, et où l'artifice triomphait en tous les domaines. Naturel qu'elle a su imposer, et mieux encore, faire aimer, et dans lequel il faut peut-être voir les raisons du succès des *Claudine*, des *Dialogues de bêtes*, et des œuvres à venir...

Chapitre 18

Un écrivain en sa nudité (1er octobre 1906)

Malgré la séparation de biens, malgré Meg, malgré Missy, les Willy continuent à vivre ensemble, et même à respecter la tradition familiale qui veut que les Gauthier-Villars passent l'été dans le Jura. Colette rejoint les Monts-Boucons, en sachant bien que c'est le dernier été qu'elle y passe. M. Willy a décidé de vendre cette propriété que madame considérait comme sienne, et rien ne peut le faire revenir sur sa décision.

Colette contemple, et mesure, le paradis qu'elle va perdre, « Que me fut-il resté des Monts-Boucons, si M. Willy ne me les eût enlevés ? » La perte peut apprendre autant, sinon plus, que la possession. Colette croyait ne pas pouvoir vivre sans les Monts-Boucons, sans cette rencontre annuelle avec les « féroces étés franc-comtois », eh bien, elle vivra sans eux, voilà tout !

À la perte de cette retraite sentimentale, s'en ajoute une autre. Le 17 septembre 1905, à Châtillon, le capitaine Jules Colette meurt d'un emphysème, à la veille de son soixante-seizième anniversaire.

Venus en automobile, les Willy arrivent en retard aux funérailles, et prétextent plusieurs pannes. Pannes providentielles si l'on se souvient que Colette a horreur des enterrements. Certes, il est vrai que l'automobile, considérée alors comme le plus moderne des moyens de locomotion, n'en est pas moins le plus hasardeux, voire le plus dangereux.

La douleur de Sido est un peu atténuée par l'affection de ses enfants, et par leur désintéressement. Ils renoncent en sa faveur à leur part d'héritage et s'engagent à lui verser cent francs par mois. Ce qui n'empêche pas Sido d'écrire à Juliette, en cachette d'Achille qui n'a pas pardonné à sa demi-sœur le mal qu'elle a fait à leur mère, « Je perds tout bien-être et indépendance ». Sido se demande parfois comment elle a pu mettre au monde deux filles aussi différentes, « Que n'ai-je mieux partagé entre vous deux la philosophie dont tu parais avoir de trop » avoue-t-elle à celle qui reste Minet-chéri.

Au retour de Châtillon, Mme Willy annonce à Miss Barney, « J'ai rapporté avec moi ma part d'héritage paternel : un ruban de Crimée, une médaille d'Italie, une rosette d'officier de la Légion d'honneur, et une photographie ». À ces reliques s'ajoute le regret de n'avoir pas aimé son père autant qu'il le méritait, ou qu'il en avait besoin. Mais en avait-il besoin, perdu qu'il était dans sa passion pour Sido ?

Si l'avenir financier de Sido est assuré, quoi qu'elle en dise, celui de Colette l'est moins. Elle n'a pas droit aux sommes rapportées par les *Claudine* et les *Minne* puisque Willy en est légalement l'auteur. Comment gagner sa vie ? Le succès mondain qu'elle a remporté chez Natalie Barney, en juin 1905, lors de la représentation de *Dialogue au soleil couchant* ne pourrait-il pas devenir un succès durable et rentable ? La pantomime est à la mode, des courtisanes comme Liane de Pougy s'y illustrent, et on peut gagner jusqu'à mille francs par représentation. Chiffre qui éblouit Sido. Pour gagner une telle somme, il faut être une professionnelle, ce que

Colette n'est pas. Elle en a conscience et prend des leçons avec un ami de Willy, Georges Wague, qui est un maître en pantomime.

Le 6 février 1906, Colette Willy qui a trente-trois ans, débute dans un mimodrame au titre révélateur, *Le Désir, l'Amour et la Chimère* de Francis de Croisset, sur une musique de Jean Nogués. Le désir, l'amour et la chimère sont des sujets que Colette connaît bien, et qu'elle interprète avec conviction, déguisée en faune, c'est-à-dire vêtue d'une très courte tunique qui ne laisse rien ignorer des charmes de son anatomie. Ce faune féminin ravit les messieurs et certaines dames dont Missy qui donne le signal des applaudissements.

Mme Willy est assez convaincante dans son interprétation pour être engagée à donner ce spectacle à Bruxelles. M. Willy qui a le génie de la publicité, veille à ce que la photo de sa femme en faune paraisse dans toutes les revues et fasse même la couverture de *La Vie heureuse*. Sido déplore cette « réclame » qu'elle trouve trop tapageuse à son goût et ne cache pas que, à sa fille en faune, elle préfère sa fille en écrivain!

En mars, les Willy séjournent à Nice, à la Villa Cessole, chez Renée Vivien. Avec Missy de Belbeuf et Natalie Barney qui a inspiré à Renée *Études et préludes* et *Une femme m'apparut*, Mlle Vivien, pseudonyme de Pauline Tarn, compte parmi les étoiles de Lesbos. Née le 11 juin 1877 à Londres, Pauline n'a plus que trois ans à vivre, et comme si elle avait une prémonition de sa fin précoce et prochaine, elle vit intensément chaque jour et chaque nuit. Colette reçoit ses confidences, et peut-être, davantage... Renée donne et se donne facilement, « Elle donnait tout, et sans cesse : les bracelets sur ses bras s'ouvraient, le collier glissait de son cou de victime ».

Villa Cessole, ces deux Bilitis peuvent roucouler à leur aise, pendant que Willy passe de longues heures au Casino de Nice. Coureur, Willy est aussi joueur. Il n'a quand même pas tous les défauts puisqu'il n'est pas buveur... Fermement décidé à se débarrasser de son encombrante moitié pour se consacrer à parfaire l'éducation (anglaise) de Meg Villars, M. Willy ne peut qu'encourager madame à fréquenter assidûment, et profitablement, Lesbos, et l'inciter à égaler, voire à surpasser, les Missy, les Natalie, les Renée. S'il réussissait à caser Colette à Mytilène, tout en la gardant sous la main pour écrire des romans ou participer à quelque fantaisie à trois ou à quatre, Willy aurait la conscience tranquille et le sentiment du devoir accompli. Il persiste à considérer Colette comme si elle était un peu sa fille. Certes, Sido lui a donné le jour à Saint-Sauveur, mais lui, le fils Gauthier-Villars, ne l'a-t-il pas mise au monde parisien ?

Rien n'unit autant que de brûler, ou d'avoir brûlé, sur les mêmes autels, Colette et Renée comptent parmi les dévotes de la déesse Natalie. Même si Renée a rompu avec cette inconstante, son souvenir persiste dans ses poèmes et dans sa conversation. Colette s'en rend bien compte et plaide en faveur de celle qui n'a jamais caché que, en amour, elle n'aimait que les commencements, et qui recommence sans cesse. Face à la rayonnante Natalie, la pâle Renée ne fait pas le poids. Et pourtant Colette ne cache pas combien elle est sensible à la beauté, et au charme, de Renée, « Il n'y a pas un trait de ce jeune visage qui ne me soit présent. Tout y disait l'enfance, la malice, la propension au rire ». Dieu qu'il est agréable de vivre Villa Cessole, en mars 1906 !

C'est à regret que les Willy quittent la Côte d'Azur pour regagner Paris où Colette doit débuter, comme actrice, cette fois, dans une pièce en un acte signée par son époux : *Aux innocents les mains pleines.*

Aux innocentes les mains pleines serait un titre plus juste puisque Colette, dans ce rôle taillé sur mesure, et en complet veston également sur mesure, y joue le rôle d'un séducteur qui échange un long baiser avec la dame qu'il vient de conquérir dans un bar. Ce baiser fait scandale et attire un public qui hésite entre les huées et les applaudissements. Ceux qui ne voient qu'impudeur dans cette étreinte sifflent, ceux qui admirent son audace, applaudissent. On pourrait voir dans le spectacle de ces deux femmes enlacées l'ancêtre de ces divertissements à prétention érotique qui se donnent encore de nos jours, à Pigalle, ou rue Saint-Denis.

L'auteur des *Sept Dialogues de bêtes* dégage une grâce animale, un magnétisme qui électrise la foule. Même divisé, le public vient, c'est le principal. Sa venue confirme Colette dans sa nouvelle vocation qu'encouragent vivement Willy, Missy et Georges Wague.

Après avoir interprété un faune et un séducteur, Colette semble vouée au travesti. Comme on assure qu'elle se travestit à la ville comme à la scène, et promène son complet veston dans des lieux de débauche, sa mauvaise réputation commence avec ce rôle d'innocente aux mains pleines, puis s'affirme et grandit jusqu'à inquiéter Sido. Colette en a un peu honte et se sent indigne de la confiance, et de l'admiration, du pudique Francis Jammes avec qui elle interrompt toute correspondance.

Les Monts-Boucons étant vendus, Colette passe en compagnie de Missy ses vacances de l'été 1906 au Crotoy. Willy et Meg viennent les y rejoindre. Le quatuor fait sensation et le Tout-Crotoy se perd en conjectures. Colette y donne quelques représentations de *Aux innocents les mains pleines* et s'y fait un ami, Léon Hamel, qui, dans la lignée des amis-confidents-conseillers, succède ainsi au défunt Paul Masson. C'est un parfait homme du monde, il a dix ans de plus que Colette, et profite de cette différence pour lui donner de très utiles conseils, tant financiers que sentimentaux. En signe de gratitude, Mme Willy en fera le Hammond de *La Vagabonde*.

Après ces deux galops d'essai que représentent *Le Désir, l'Amour et la Chimère* et *Aux innocents les mains pleines*, Colette Willy débute véritablement le

1er octobre 1906 à l'Olympia, dans un mimodrame de Paul Franck sur une musique d'Édouard Mathé, *La Romanichelle.* Sous des haillons de gitane, elle est nue, complètement nue, comme peuvent le constater les spectateurs et les spectatrices des premiers rangs qui ne s'en privent pas et n'en croient pas leurs yeux. Colette a renoncé au classique maillot, à l'habituel collant qui donnait l'illusion de la nudité. Elle a osé être nue à une époque encore régie par la pudeur victorienne, quand la seule vision d'une cheville ou d'un mollet mettait ces messieurs en émoi...

« Les débuts de Mme Colette Willy attireront sans doute tout Paris à l'Olympia. [...] Si tous les adorateurs de *Claudine* et de *Minne* vont applaudir l'admirable artiste dans son nouvel avatar, l'Olympia ne désemplira pas d'ici longtemps », prédit, dans un article, Curnonsky. Effectivement, l'Olympia ne désemplit pas. Comment pourrait-il en être autrement quand le spectacle est sur la scène où Mme Willy s'exhibe dans une tenue très légère, et dans la salle où le chapeau feutre très masculin de Missy de Morny voisine avec l'immense chapeau très féminin, velours noir et plumes blanches, de Liane de Pougy ?

Devant ce succès, Willy ne cache pas sa satisfaction. Il est l'un des rois de Paris et il vient de donner une nouvelle reine à la Ville-Lumière, Colette Willy, dont le nom scintille au fronton de l'Olympia. Monsieur estime que madame peut maintenant voler de ses propres ailes. Comme il pense tout haut et qu'il est incapable de garder pour lui une telle pensée, la presse à scandale s'en empare et annonce, dès le 28 octobre, la séparation de M. et Mme Willy.

C'est chose faite quelques jours après. Colette quitte le 177 bis rue de Courcelles pour le 44 rue Villejust (aujourd'hui rue Paul-Valéry). « Rien ne presse » a dit Willy, grand seigneur. À travers ce « rien ne presse », Colette a cru entendre « tout est fini ». Treize ans de vie commune s'achèvent. Mariée en mai 1893 à la sauvette, c'est également à la sauvette que Colette quitte, et pour toujours, son domicile conjugal. En novembre 1906, comme en mai 1893, la présence d'aucun photographe n'a été souhaitée...

Chapitre 19

Le scandale du Moulin-Rouge
(3 janvier 1907)

Début novembre, Colette s'installe dans son quatrième logis, un rez-de-chaussée qui est situé dans une vieille maison dont elle vante aussitôt « le charme batignollais », et l'agrément offert par la proximité du Bois...

De sa vie, Colette n'a vécu seule. La première nuit qu'elle passe dans son rez-de-chaussée composé de trois petites pièces, elle oublie la clef sur la serrure, à l'extérieur. Elle rit de son oubli. De toutes façons, il n'y a pas grand-chose à voler dans son nouveau gîte où ont atterri son portrait par Ferdinand Humbert, la reproduction photographique du portrait de Renée Vivien par Lévy-Dhurmer, les Balzac de l'édition Houssiaux, une lampe à fleur de cristal mauve, et un sac de ces billes en verre qu'elle collectionne et qui préludent à sa future collection de sulfures. Complètent ce paisible décor, Toby-chien, et une autre chatte, Prou. Kiki-la-Doucette n'est plus, elle n'a pas survécu aux dissensions du ménage.

Là, Colette a pour voisin, et ami, Robert d'Humières, traducteur de Kipling, et pour voisine, et amie, Renée Vivien qui est revenue de Nice. La romancière et le poète reprennent leurs rapports qui, précise la première, n'ont « rien de littéraire ». Renée habite, elle aussi, un rez-de-chaussée, avenue du Bois, où Colette est aussitôt invitée pour un dîner chinois qui sera suivi d'autres agapes se déroulant dans une pénombre aussi asiatique qu'inquiétante. Car la vraie maîtresse des lieux, la baronne Hélène van Zuylen, née Rothschild, dite « la Brioche », ne se montre guère, tout en étant omniprésente.

La plus proche voisine, et par l'espace, et par le cœur, c'est quand même Missy qui habite au 2 rue Georges-Ville, un hôtel particulier, « très particulier », comme dirait Willy. Il vient, en visiteur assidu, y rejoindre sa femme qui passe là le plus clair de son temps. Si elle est sensible au charme batignollais de son nouveau logis, Colette n'en apprécie pas moins le luxe imprégnant le temple de Missy qui y donne des dîners exclusivement féminins dégénérant en batailles de fleurs et tendres escarmouches, sur fonds de meubles anciens, tentures précieuses et bustes de Napoléon III. Ces bustes sont là pour rappeler que le père de Missy était le demi-frère adultérin de l'Empereur. Les journalistes qui surprennent l'intimité régnant entre Willy, Missy et Colette, ne se privent pas de dépeindre cette étrange trinité.

À peine installée rue de Villejust et rue Georges-Ville, Colette doit s'en arracher pour répéter un mimodrame, *Pan*, de Charles van Lerberghe. Ce dernier prône le retour de Pan, dieu de la nature et du plaisir, qui a dû, autrefois, céder la place à un autre dieu qui réprime la nature et les élans des sens. C'est choquant, c'est excitant, c'est l'événement parisien de ce mois de novembre 1906. Dans les salons comme dans les cafés, on ne parle plus que de la bacchanale que Colette Willy, en Paniska, danse en l'honneur du dieu Pan.

Le 28 novembre, pour la première, le théâtre Marigny est comble. Tout-Paris et Tout-Lesbos jouent des coudes pour voir la nudité de Colette à peine dissimulée par quelques peaux de bête. Quand elle lève la jambe, on aperçoit sa « nature », terme qui désignait, dans le langage populaire, le sexe. Ce qui fait dire à un critique pince-sans-rire : « Jamais je n'avais si bien compris le triomphe de la nature ».

Succès de scandale qui se répète à Bruxelles où Colette est forcée, par avis du bourgmestre, de porter le maillot réglementaire. Les spectateurs, déçus par la vue de ce maillot occultant la nature, crient « Remboursez ». La famille belge de Colette fait grise mine, et à Châtillon, Sido fait taire ses petites-filles quand, feuilletant des illustrés, elles aperçoivent leur tante en Paniska et disent : « On lui voit tout à tante Colette ». Laquelle fait face au scandale et envoie aux journaux une note expliquant comment et pourquoi Claudine s'est changée en Paniska : « Je serai Paniska, comme je fus le *Faune* des Mathurins, le petit *Coquebin* du Théâtre Royal, la *Romanichelle* de l'Olympia... Je veux bien demain, faire du trapèze et des anneaux, dire des vers, jouer la comédie... Changer, c'est vivre, et *je n'ai jamais pu concevoir que changer ce fût déchoir* ».

Plus tard, en écho à ces lignes et en souvenir de ce désagréable scandale, Colette écrira : « Qui donc a osé murmurer trop près de mon oreille irritable ces mots de déchéance et d'avilissement ? » Pour la fille de Sido, ce n'est pas une déchéance, ni un avilissement que de montrer ses beautés secrètes. Mais le mal est fait, et Colette sera longue à se débarrasser de son image de danseuse nue, et de cette mauvaise réputation déclenchée par ces exhibitions s'étalant dans les magazines et les cartes postales.

Le pire reste encore à venir. Le 3 janvier 1907, au Moulin-Rouge, est créé un mimodrame, *Rêve d'Égypte*, interprété par Colette Willy et Yssim. Sous ce pseudonyme qui se veut égyptien, tout le monde reconnaît Missy. Faut-il que Colette soit diablement séduisante pour avoir obtenu de sa compagne une telle complaisance ! Il est vrai que Missy a dix ans de plus que sa « protégée » et qu'elle peut combattre sa

« vieille mélancolie » en se prêtant à un tel divertissement. Avec Colette, Willy et Missy s'en portent garants, on ne s'ennuie jamais !

À Paris, ceux qui ne s'ennuient pas non plus, ce sont les journalistes qui s'en donnent à cœur joie. Leurs articles paraissent en première page, avec, en gros titre et en gros caractères, « L'ex-marquise de Belbeuf joue la pantomime ! »

Devant les affiches, les badauds s'attroupent et clabaudent cette représentante de la « corruption impériale ». La famille Morny est horrifiée. Déjà, elle avait été consternée quand, le 20 décembre 1906, Missy qui, à son tour, avait pris des leçons de Georges Wague, avait interprété, exceptionnellement, et pour une seule séance, le rôle masculin de *La Romanichelle* aux côtés de Colette en gitane. Dans ses plus sombres prévisions, la famille Morny ne pouvait imaginer qu'une telle atrocité se répéterait. Et voilà que cela recommence, et pour dix séances dans cet antre de Satan qu'est le Moulin-Rouge. On ne saurait pousser plus loin la provocation. Résultat ? Le soir du 3 janvier 1907, le Moulin-Rouge est aussi comble que l'était le théâtre Marigny, le 28 novembre 1906. Pas un strapontin n'est libre. On se presse, on ricane, on remarque quelques membres de la famille Morny, et des membres du Jockey-Club conduits par le prince Murat. Toute la noblesse d'Empire est là, prête à donner le signal de la curée.

Le rideau se lève sur Missy qui interprète un austère savant ayant trouvé un procédé pour rendre la vie à une momie. La momie, c'est Colette qui, reconnaissante d'être débarrassée de ses bandelettes, rendue à sa nudité et à la lumière du jour, étreint son sauveur. Cette étreinte déclenche un tumulte qui s'inscrira dans l'histoire du music-hall comme « le scandale du Moulin-Rouge ». La représentation est interrompue, on doit baisser le rideau. Willy qui trône dans une avant-scène en compagnie de Meg Villars est vivement pris à partie et ne doit son salut qu'à la fuite.

Dès le lendemain du scandale, la presse, unanime, condamne cette exhibition et le préfet de police, M. Lépine, interdit le spectacle. Le Moulin-Rouge croit contourner cette défense en changeant *Rêve d'Égypte* en *Rêve d'Orient*, et en demandant à Georges Wague de reprendre le rôle abandonné par Missy, ulcérée par les sifflets et les quolibets que sa prestation a suscités.

La représentation du 4 janvier, avec Colette et Georges Wague que le public prend pour Yssim, provoque de tels tumultes que l'ordre public est à nouveau troublé et que ce rêve, devenu un cauchemar, s'arrête et rejoint le royaume des songes.

Les journaux de province font chorus avec les journaux parisiens. Bref, le scandale est tel que Willy est chassé de *L'Écho de Paris* où l'on ne veut plus de sa signature. En cette affaire, le grand perdant, c'est Willy qui est montré du doigt et qui pour se racheter face à l'opinion publique déchaînée, demande le divorce. Le 13 février 1907, la séparation légale est prononcée entre M. et Mme Willy.

D'après Sylvain Bonmariage [1] qui ne cache pas sa sympathie pour Willy et son antipathie pour Colette, Colette aurait supplié Willy de la reprendre, et cela dans des lettres quotidiennes.

En fin de compte, ces époux terribles se séparent à contrecœur et en s'aimant toujours, à leur façon, comme Willy l'avoue à Curnonsky : « Tu aurais souhaité un divorce retentissant ? Ou bien tu me blâmes d'avoir si vite introduit une femme chez moi ? [...] Cette Colette est vraiment exquise. Mais ne répands pas le bruit que nous nous aimons elle et moi. C'est si ridicule, en 1907, d'aimer autre chose qu'un fafiot de 50 louis ». Et d'ajouter qu'il envisage de se montrer encore en public « avec cette folle charmante, qui me manque et à qui je manque. Naturellement, je ne supprimerai pas Meg ! Et pourquoi la suppri-

1. *Willy, Colette et moi* de Sylvain Bonmariage, éditions Charles Fremanger, 1954.

mer ? » Décidément, on ne répétera jamais assez que M. Willy est aussi polygame que son ex-madame se dit monogame !

Ce refus de divorce retentissant, cette discrétion subite sont, hélas, trop tardifs. Missy qui participe à la tourmente ne cache pas que si Willy avait été plus discret et Colette moins exhibitionniste, tout aurait pu se passer sans éclat, ni tempête. Le scandale du Moulin-Rouge a disloqué le trio Willy-Missy-Colette qui essaie lucidement d'y voir plus clair dans cet imbroglio où il se perd et où il a tout à perdre. Il est temps de revenir aux choses sérieuses, c'est-à-dire à la littérature, comme le conseille Sido, le 28 janvier 1907, « Vois-tu, mon trésor chéri, puisque tu as une corde à ton arc, *ne compte que là-dessus* ». Sage conseil que Colette va s'efforcer de suivre. Elle a maintenant trente-quatre ans et ne peut plus se permettre de jouer à la gamine, à la « fausse mineure », ce qui excitait tant son ex-époux.

Chapitre 20

Le quatuor du Crotoy
(été 1907)

Après la séparation légale du 13 février 1907, Colette ne perd pas son temps. Le 15, elle signe un contrat avec le Mercure de France qui publie le 23 *La Retraite sentimentale*, signée Colette Willy. Œuvre très autobiographique, Sido ne s'y trompe pas : « Dis-moi, c'est bien, à n'en pas douter, de toi et de Willy qu'il s'agit dans ce roman, et la fin que je trouve admirable, n'est point faite pour être agréable à Willy, car l'appeler un vieillard est bien ce qui peut le plus lui déplaire ».

C'est vrai que la fin de cette *Retraite sentimentale* est admirable, montrant une Claudine qui renie Paris et ses plaisirs pour vivre à Casamène, en compagnie d'une chatte, d'un chien, de livres, et d'un petit pot qui sert à bouillir les châtaignes du dîner pris au coin du feu. Oui, c'est vrai que les dernières pages de cette *Retraite*, malgré un abus de points de suspension que Colette reconnaîtra elle-même, atteignent à la perfection par leur beauté formelle, leur lyrisme contenu. Y reviennent les bois de Montigny, « Des bois où je suis née, des bois qui m'ont recueillie », ces mêmes bois qu'elle évoquait dès les premières pages de *Claudine à l'école*, « Chers bois ! je les connais tous ; je les ai battus si souvent », et qui avaient peut-être inspiré à Willy sa réflexion si blessante : « Je ne savais pas que j'avais épousé la dernière lyrique ». La leçon a porté ses fruits. Colette sait maintenant maîtriser le lyrisme et ne l'utilise qu'à bon escient.

Aimant les bois et les bêtes comme elle les aimait, aimant la nature comme une contemporaine de Pan ou de Sapho, on se demande comment Colette a pu, sans sombrer dans l'alcool ou la drogue, supporter la vie de Paris et sa comédie mondaine. Elle puise sa force de résistance dans son encrier où d'un trait de plume, elle ressuscite, dans les environs de Casamène, les bois de Saint-Sauveur qu'elle réunit, et confond avec ceux des Monts-Boucons. Privilège du créateur qui n'a pas à se soucier de la géographie !

Les censeurs qui ont blâmé la danseuse nue acclament l'écrivain. Mais l'écrivain n'oublie pas les injures prodiguées à la danseuse, et à Missy. Rancunière, ne pouvant comme c'est l'usage à l'époque et comme le font Willy, Jean Lorrain et les autres, provoquer en duel ceux qui les ont attaqués, Colette qui est l'offensée, a le choix des armes. Elle choisit la plume et comme terrain d'affrontement *La Vie parisienne* qui publie le 27 avril, *Toby-chien parle*, texte qui sera repris dans *Les Vrilles de la vigne*. C'est une attaque en règle contre ses détracteurs, une affirmation d'être ce qu'elle est contre vents, marées et cabale, « Je veux faire ce que je veux. [...] Je veux danser nue, si le maillot me gêne et humilie ma plastique ».

Colette persiste et signe. Elle veut montrer, ou prouver, que l'on peut danser nue et se mettre à nu dans un roman. Mon Dieu, après tout, elle ne demande pas l'impossible. Elle demande simplement qu'on la laisse vivre comme elle l'entend. Et avec une femme si tel est son bon plaisir. C'est pour cette femme qu'elle compose ce poème en prose qu'est *Nuit blanche* qui paraît en juin dans *La Vie parisienne*, « Tu me donneras la volupté, penchée sur moi, les yeux pleins d'une anxiété maternelle, toi qui cherches à travers ton amie passionnée, l'enfant que tu n'as pas eu ».

Il y a bien un *e* à « penchée ». En plus, ce texte qui est dédié « à M... » ne peut l'être qu'à une femme, qu'à Missy. Les lecteurs, et les lectrices, de *La Vie parisienne* ne s'y trompent pas. Sido non plus qui juge ce texte « plutôt scabreux », s'empressant d'ajouter, pour atténuer sa réticence, « écrit en très beau style ».

Avec un naturel incomparable, et une compréhension rare, Sido a admis Missy de Morny à qui elle a délégué la mission de veiller sur son Minet tant chéri, « Je suis contente, mon amour, que tu aies près de toi une amie qui te soigne tendrement. Tu es si habituée à être gâtée que je me demande ce que tu deviendrais si tu ne l'étais plus ». Colette ne court pas ce risque. Ah ce n'est pas Missy qui, comme Willy, serait capable de laisser la fille de Sido, sans manteau, en plein hiver ! Mme de Morny couvre son amie de cadeaux divers et incessants, bijoux, fourrures, fleurs. Sa générosité s'étend à la famille. Sido reçoit les chocolats de marque dont elle est friande, et les filles d'Achille, des jouets.

Un autre texte, toujours inspiré par Missy et toujours publié dans l'accueillante *Vie parisienne*, *Jour gris*, donne le ton de leur liaison qui, comme toutes les liaisons, a ses hauts et ses bas, ses matins noirs et ses soirs roses. Cela s'ouvre sur une injonction dont la brutalité ne devait pas déplaire à Missy habituée à commander, « Laisse-moi ». Puis, immédiatement, et comme pour excuser, ou expliquer, cet ordre : « Je suis malade et méchante comme la mer ». À la fin, la paix revient, « Reprends-moi ! Me voici revenue ». Entre ce « laisse-moi » et ce « reprends-moi » toute une journée, avec ses variations d'émotions et de sensations, est passée. La cohabitation quotidienne ne devait pas toujours être facile avec Colette à l'humeur aussi changeante que la mer !

D'autres textes, aussi empreints d'intimité, paraissent également dans *La Vie parisienne* et sont dédiés, l'un à Willy, l'autre à Meg Villars. Sido avoue s'y perdre un peu dans ces dédicaces, et constate : « Tu aimes Willy, et beaucoup dis-tu, et il part en compagnie d'une jeune et jolie femme ? [...] tu as une mentalité en ce qui concerne les relations conjugales qui est loin d'être la mienne ».

On sent Sido un peu dépassée par ces comportements. Elle ne cache pas son étonnement, « Que veux-tu que je te dise ? Rien n'est banal dans ton existence », quand elle apprend que, pendant l'été 1907, comme pendant l'été 1906, Willy et Meg Villars rejoignent Missy et Colette au Crotoy qui ne parvient pas à s'accoutumer aux apparitions de cet étrange quatuor semblant incarner ces trois vers d'Émile Verhaeren que Liane de Pougy a mis en exergue à son *Idylle saphique* :

> On s'exténue, on se ranime, on se dévore
> Et l'on se tue, et l'on se plaint
> Et l'on se hait – mais l'on s'attire encore !

Colette et Willy se plaignent, se plaisent et s'attirent encore, c'est ainsi. Colette aime Missy mais s'ennuie un peu avec cette descendante des Morny et des Troubetskoy qui, à tous les arbres, préfère son arbre généalogique. Willy aime Meg Villars qui joue les écolières espiègles attendant docilement le châtiment de ses incartades, mais s'ennuie de Colette que ses sautes d'humeur rendent si distrayante. Quoi qu'il en soit, les deux couples ne se quittent plus et la rumeur publique accuse Willy de vivre aux dépens de Missy à qui il aurait « vendu » sa femme.

Willy et Colette envisagent, pendant cet été 1907, de reprendre leur vie commune, mais Colette y met une condition inacceptable pour Willy : Meg doit décamper. Colette ne supporte pas de seconde à domicile. En visite, d'accord, mais pas à demeure. Sa tolérance a des limites.

À cette impossibilité de renvoyer Meg, s'ajoute une autre réalité encore plus désagréable, Willy n'a plus les moyens de faire vivre Colette comme elle vit avec Missy. Il est sans le sou, et pour pallier cette pénurie, cède, en septembre, au Mercure de France, la totalité des droits de *Claudine en ménage*, et, en octobre, à Ollendorf, la totalité des droits de *Claudine à l'école*, *Claudine à Paris* et *Claudine s'en va*. Il en a légalement le droit et empoche les sommes que rapportent ces cessions, en cachette de Colette qui, pour le moment, a d'autres soucis en tête. Elle doit créer *La Chair*, un mimodrame sur une musique de Chantrier, avec ces deux professionnels réputés que sont Georges Wague et Christine Kerf. Elle doit se montrer aussi professionnelle que ses deux partenaires et ne peut plus se contenter de lever la jambe, ou d'exhiber sa nudité...

Chapitre 21

Les quatre Colette
(1908)

Colette, et c'est l'un de ses credos, croit en « la danse, la lumière, la liberté, la musique ». Dans le mimodrame, elle voit le moyen de vivre cette croyance et d'incarner la danse, la lumière, la liberté, la musique. Vision idéale qui l'emporte sur des cimes d'où elle peut contempler, de haut, Willy, Missy et les autres. Agréable sensation qui se double d'une autre encore plus agréable, elle gagne sa vie, et bien. Une centaine de francs par soirée, ce qui n'est pas mal si l'on songe qu'il fallait un mois de travail à une cuisinière pour obtenir le même salaire. Ce ne sont pas les mille francs que Colette avait fait entrevoir à Sido éblouie, mais elle sait s'en contenter.

Qu'il s'agisse d'écriture ou de danse, Colette montre des scrupules, des exigences qui la mènent souvent à la perfection. Elle n'aime pas l'amateurisme, l'à-peu-près, et se conduit, quoi qu'elle fasse, comme une professionnelle, un artisan consciencieux.

Après de minutieuses répétitions, Colette, dans *La Chair*, se montre à la hauteur de son professeur,

Georges Wague, et de sa partenaire, Christine Kerf. Elle interprète une romanichelle, encore une, Yulka [1], qui, volage comme Carmen, trompe son amant contrebandier avec un policier. Le contrebandier surprend le couple, chasse le policier et s'apprête à assassiner Yulka qui résiste. C'est la version mimée du fameux « elle me résistait, je l'ai assassinée » qui fit les délices des romantiques. En se débattant, Yulka réussit à n'être pas assassinée puisque sa robe se déchire et laisse apparaître un sein, un sein irrésistible qui transforme le farouche contrebandier en avide nourrisson. Yulka refuse de jouer les nourrices. Le contrebandier se poignarde. Yulka devient folle.

Le talent des interprètes, et surtout la vue de ce sein nu, assurent le succès de *La Chair*, à Paris, à l'Apollo, le 2 novembre 1907, puis en février 1908, à Monte-Carlo et à Nice. Le sein de Colette devient populaire et inspire les chansonniers :

> J'ai vu La Chair. Ma foi j'ignore
> Si c'est de l'Art ou... Mais crénom !
> Colette a de bien beaux nichons !

Des critiques plus sérieux sont en extase devant « ce déchirement violent de la tunique qui fait jaillir le fruit savoureux de la chair de la poitrine ».

À chaque représentation, Missy donne le signal des applaudissements. Elle ne se lasse pas de regarder la scène d'amour entre Colette-Yulka et le policier interprété par Christine Kerf. La Belle Époque raffole des travestis qui suscitent bien des fantasmes. Sarah Bernhardt l'a compris qui continue à triompher dans *L'Aiglon* et dans *Hamlet*.

Le scandale du Moulin-Rouge a guéri Missy de son envie de monter en scène. Cette envie tourne à l'obsession chez Caroline Otero qui désirait incarner le personnage de Yulka et n'en veut pas trop à Colette de lui avoir ravi ce rôle. La belle Otero invite la belle Colette, dans son hôtel particulier, à manger

1. Ce sera l'un des surnoms de Julie de Carneilhan.

un puchero, un pot-au-feu ibérique, et à jouer au bésigue. Chastes amusements qui se déroulent devant une cour composée de vieux débris galants du second Empire dont Colette se souviendra pour composer l'entourage de Mme Peloux, la mère de Chéri.

Otero juge que Colette n'a pas « l'air très dégourdi » et, bonne fille, lui enseigne quand même que la meilleure façon de tirer de l'argent d'un homme, c'est de lui tordre son poignet. Colette rit de ce conseil et entrevoit, à travers Otero, la possibilité d'une carrière galante comme tante Irma, la sœur de Sido. Mais elle a goûté à la liberté et ne veut plus dépendre d'un homme, comme elle a dépendu de Willy. Elle est capable de gagner sa vie maintenant, même si elle garde l'angoisse du lendemain, d'un avenir que peuvent compromettre la mévente d'un livre ou l'insuccès d'un mimodrame. Sa crainte de manquer d'argent qu'elle gardera jusqu'à la fin de ses jours, et son désir d'en gagner toujours davantage, commencent en 1908 et provoquent une boulimie de multiples, et rentables, activités.

Déjà écrivain et mime, Colette, poussée par Robert d'Humières et présentée par Laurent Tailhade, se fait conférencière. Elle donne sa première conférence le 10 mars 1908, au centre Femina, au théâtre des Arts. Là, elle invente le « one-woman-show » et transforme sa conférence en spectacle. Elle égare ses feuillets, cherche ses lunettes, improvise ou fait semblant, et captive son auditoire amusé par son accent bourguignon, et par tant de désinvolture étudiée.

Écrivain, mime, conférencière, Colette a de quoi payer son loyer et régler son unique servante sans tordre le poignet de personne ! Elle a aussi de quoi se vêtir, se nourrir, et même faire des cadeaux à Sido qui s'estime comblée. Elle envisage l'avenir avec optimisme et se voit, prospérant dans son rez-de-chaussée de la rue de Villejust, « Oui, je voulus vivre et mourir là, battre le Bois par tous les temps, ouvrir ma fenêtre pour regarder passer les cavaliers quotidiens ».

Deux mauvaises nouvelles tombent en cet éden de la rue de Villejust. La demi-sœur de Colette, Juliette, s'est suicidée. Le chagrin de Sido qui pare la morte de vertus qu'elle n'avait pas et accuse son gendre d'affreuses manigances, bouleverse celle qui fut, et qui reste encore, « Minet-chéri ». Peu après l'annonce de ce décès, elle apprend qu'elle doit quitter, dans les plus brefs délais, son rez-de-chaussée qui, comme le reste de la vieille maison, est voué à une prompte démolition pour laisser la place à un immeuble neuf et luxueux. Spéculation immobilière oblige...

Se soumettant bravement à l'inexorable, Colette quitte son rez-de-chaussée pour un autre, situé rue Torricelli, dans le quartier des Ternes. Elle y orne sa « pièce d'entrée » d'un flot de plantes vertes qui s'obstinent à jaunir et à dépérir lentement sous les regards du chien, de la chatte et des Balzac. Elle a, vainement, essayé de recréer aux Ternes ce qui serait pour elle la demeure idéale, une grotte marine où brilleraient tous les verts et tous les bleus. Le papier vert olive dont elle tapisse son nouveau rez-de-chaussée ne donne qu'une faible idée de cet antre dont Colette rêve d'être la sirène.

Une sirène qui ignore l'oisiveté. Car elle a décidé d'ajouter une quatrième corde à son arc. Écrivain, mime, conférencière, elle veut être aussi actrice et décide de reprendre le rôle de Claudine créé par Polaire en 1902.

Face à cette nouvelle interprétation, Willy avoue à Sido son émotion de voir Colette incarner leur Claudine qui a fait couler tant d'encre et provoqué tant de modes. Willy regrette la présence de Colette, « ses sourires ambigus, la rapidité folle de sa compréhension [...], ses joies absurdes, ses chagrins violents et brefs, la puérilité bavarde dont elle masque, comme une tare, sa sensibilité aiguë ». À ces accès de bavardage, succèdent des « accès de taciturnité pensive ».

« Nous avons eu des parties de silence, inégalables » conclut mélancoliquement Willy dont on peut regretter qu'il n'ait pas écrit davantage de lignes comme celles qui viennent d'être citées et qui constituent une remarquable silhouette de son « ex ». Son « ex » qui l'est si peu. Car savoir se taire ensemble est l'une des meilleures preuves d'amour que puisse se donner un couple.

Willy a aimé Colette, Colette a aimé Willy, et ils s'aiment encore quand, en novembre 1908, paraît aux éditions de La Vie parisienne, un recueil de textes, *Les Vrilles de la vigne*, qui s'ouvre par un conte très symbolique. Une nuit de printemps, le rossignol s'endort et se laisse emprisonner par les naissantes, les tenaces vrilles de la vigne. Il s'échappe « au prix de mille efforts » et jure de ne plus dormir, de chanter toute la nuit, tant que les vrilles pousseront. Colette avoue avoir suivi l'exemple du rossignol et s'être libérée des vrilles de l'amour, « J'ai rompu, d'un sursaut effrayé, tous ces fils tors qui déjà tenaient à ma chair ».

Entre *La Chair* où elle triomphe avec Georges Wague, et cette chair qu'elle évoque dans *Les Vrilles de la vigne*, Colette, ou plutôt les quatre personnages qui la composent, écrivain, mime, conférencière, actrice, semblent vivre cette année 1908 à fleur de peau. Willy, Missy et Sido éprouvent parfois quelque difficulté à reconnaître ces quatre visages en un seul...

Chapitre 22

Une voluptueuse trinité
(été 1909)

Ayant, avec *Les Vrilles de la vigne*, confirmé l'écrivain que présageait *Sept Dialogues de bêtes*, et ainsi prouvé qu'elle peut écrire autre chose que les *Claudine*, ou faire, à la commande, « du Willy », Colette, à la veille de son trente-sixième anniversaire, crée, au théâtre des Arts, *En camarades* dont elle est l'auteur et interprète. C'est, à peine transposé, le ménage de camarades qu'elle formait avec Willy. La seconde n'est pas une femme comme Charlotte Kinceler ou Meg Villars, mais un homme, un second, le Gosse, que Fanchette-Colette décide de prendre pour amant puisqu'elle vient d'apprendre que son mari, Max, la trahit avec sa meilleure amie, Marthe, comme Willy l'avait trahie avec Georgie Raoul-Duval.

Max, prévenu par Marthe, surprend Fanchette avec le Gosse. Les deux époux décident de ne plus se tromper et de mettre leurs plaisirs en commun. Cette apologie de l'amour à trois divise la critique un peu choquée par tant d'audace et qui reconnaît quand même que « Mme Colette est un écrivain de tout premier ordre ». Voilà qui la console d'une critique de Sacha Guitry qui se terminait par cette pointe empoisonnée, « On ne peut se défendre d'admirer et de plaindre la paysanne ». Le mot, à l'époque, passait pour une insulte, désignant des êtres incultes, basanés et parlant patois. Sido s'en indigne, « Tu n'es pas une paysanne, tu es autre chose, tu es toi et tu n'imites personne ».

Willy rejoint Sido dans son indignation et prend la défense de Colette, assurant maintenant qu'elle est une vraie Parisienne. Touchée, Colette promet d'écrire une suite aux *Claudine*. Promesse jamais tenue, et pour cause. C'est en février 1909 que Colette découvre que Willy a cédé les droits des *Claudine* à leurs éditeurs respectifs, Ollendorf et Le Mercure de France. Fureur de Colette. Elle a supporté toutes les trahisons de Willy, mais celle-là est la pire, c'est la goutte d'eau qui fait déborder une coupe pleine à ras bord. Le 28 février 1909, elle tempête : « Il a vendu à mon insu, les *Claudine*, pour presque rien ». En quoi, elle se trompe. Willy, on l'a vu, en a tiré le maximum.

Colette ne pardonnera jamais, et jusqu'à la fin de ses jours, gardera intacte sa rancune envers cette inqualifiable cession. Elle se sent dépossédée, humiliée, bernée. En revanche, c'est le front haut qu'elle entre à la Société des auteurs, le 22 mars, parrainée par Henri de Régnier et Paul Margueritte.

À la mi-novembre, Willy renonce à ses droits sur *Minne* et reconnaît que Colette en est le seul auteur. Faible compensation pour la perte des *Claudine*. Pour éviter un procès, Ollendorf et le Mercure de France consentent à mettre le nom de Colette avec celui de Willy sur les couvertures des prochaines éditions. C'est la rupture définitive avec Willy. Ce que n'avait pas pu la trahison amoureuse, la trahison financière l'accomplit. Colette ne veut plus entendre parler de celui qui fut sa « Doucette »...

Pendant cette nouvelle épreuve, l'appui de Missy a été total. Pour distraire sa compagne, elle l'a emmenée dîner place Blanche, chez Palmyre qui tient là une succursale de Lesbos. Palmyre sera Olympe dans *La Vagabonde* et Sémiramis dans *Paysages et Portraits*. On voit que Colette qui n'est pas encore cette « grosse abeille », comme la définira plus tard François Mauriac, sait déjà faire son miel de ce qui se présente.

Missy accompagne cette invitation chez Palmyre d'un nouveau don, un collier d'opales qui fait s'exclamer Sido : « Comme Missy te gâte ! Un collier d'opales ! Je trouve cela bien plus beau qu'un collier de perles ; c'est plus vivant, ce n'est jamais la même chose ». Hélas, Colette doit s'arracher aux délices de Palmyre, et aux bras de Missy, pour courir les provinces avec une tournée Baret, en avril 1909, pour y interpréter tantôt *La Chair*, tantôt *Claudine à Paris*.

Les tournées Baret ont la réputation de ne pas ménager leurs comédiens, imposant, chaque jour, des changements de programme, et de ville. Hôtel miteux et théâtre minable sont souvent le lot de ces artistes errants. Rude expérience que Colette n'oubliera pas et dont elle se servira pour écrire ses meilleures pages sur le monde du théâtre. Mais en attendant de les écrire, il faut les vivre, connaître les repas hâtifs et bourratifs dans de sinistres buffets de gare, les toilettes au fond du couloir et toujours occupées, les répétitions interminables. Parmi ce troupeau misérable, elle trouve qu'elle a l'air « d'un hanneton découragé ». Mais elle ne montre pas son découragement ou sa fatigue, elle sourit même, elle est tellement ponctuelle que Georges Wague tourne en dérision sa manie de l'exactitude. Elle finit par aimer les surprises, bonnes ou mauvaises, que réserve une tournée en province et le compagnonnage facile qu'elle engendre.

En tournée, Colette est sûre d'être délivrée de sa suprême ennemie : la solitude. À trente-six ans, elle se sent suffisamment jeune pour aimer le changement, le mouvement. Elle aurait fait une parfaite nomade et c'est pour cela qu'elle apprécie autant les récits de voyage.

La tournée Baret se termine en juin. En août, Colette prend un repos bien mérité au Crotoy, chez Missy, bien sûr. Pendant cet été 1909, sans Willy et sans Meg Villars, – et le Tout-Crotoy se demande où sont passés ces deux-là – Colette commence à rédiger *La Vagabonde* et à esquisser son personnage principal, Renée Nérée, qui se présente comme « une femme de lettres qui a mal tourné » et qui joue la pantomime avec Brague, sous lequel on identifie sans peine Wague. C'est certainement au Crotoy, pendant cet été, que Colette écrit son hymne à l'écriture qui dément à l'avance le mal qu'elle en dira ensuite, se plaignant sans cesse de devoir assembler des mots : « Écrire... C'est le regard accroché, hypnotisé par le reflet de la fenêtre dans l'encrier d'argent, la fièvre divine qui monte aux joues, au front, tandis qu'une bienheureuse mort glace sur le papier la main qui écrit. Cela veut dire aussi l'oubli de l'heure... »

Après cet hymne, le triste constat : « Il faut trop de temps pour écrire ! Et puis, je ne suis pas Balzac, moi... » Elle n'est pas Balzac, elle est Colette et ce n'est pas mal, elle est déjà l'auteur de deux chefs-d'œuvre, *Sept Dialogues de bêtes* et *Les Vrilles de la vigne*, et ce n'est pas mal non plus, et si elle n'avait écrit que ces deux livres-là, cela aurait suffi à assurer son immortalité, et le droit à sa singularité. Comme dit Sido, « Ce que j'aime dans tes œuvres, c'est ton style qui n'appartient qu'à toi ».

Apparaît alors au Crotoy un personnage que Balzac aurait aimé et dont il se serait servi pour sa *Comédie humaine*, Auguste Hériot. Colette l'aimera, et s'en servira pour sa *Vagabonde*, transformant Auguste en Maxime, Maxime Dufferein-Chautel, « le grand serin ». Hériot prêtera aussi à Chéri sa beauté, ses humeurs sombres, et sa fortune. Hériot est riche. C'est, comme on dit alors, « le fils des magasins du Louvre », un raccourci pour signifier qu'il appartient à cette famille qui possède, entre autres, cette institution parisienne que sont les magasins du Louvre. Sido compte parmi leurs fidèles clientes. Il est l'un des « pages » de Missy qui, de la cour impériale où a brillé son défunt père, a gardé l'habitude de s'entourer de quelques beaux jeunes gens qui donnent le change, ou, à la rigueur, peuvent passer pour les « neveux » de cet étrange « oncle Max ».

Auguste Hériot est un page un peu attardé puisqu'il a la trentaine, et un lot impressionnant de conquêtes féminines à son compte, de Liane de Pougy qui s'apprête à épouser le prince George Ghika à Charlotte Lysés qui vient d'épouser Sacha Guitry, nombreuses sont celles qui ont voulu goûter à ce fruit défendu, ou plutôt, qui sait très bien se défendre. Il estime que sa beauté, ses muscles soigneusement entretenus par la boxe que pratiquera également Chéri, le dispense des habituels cadeaux que les mâles donnent aux femelles pour prix de leurs faveurs. Pas question de dilapider ses « louis » pour obtenir les complaisances de ces dames. Ce sont ces dames qui se ruinent en épingles de cravate ou en couvertures d'hermine pour caresser la peau très douce du bel Auguste. Comme Willy et comme Missy, Auguste Hériot a une peau très douce et très blanche.

Le fils des magasins du Louvre tombe immédiatement amoureux de la fille de Sido et de Sapho. Il met sa fortune à ses pieds, avec la bénédiction de Missy qui semble imiter Willy dans son goût pour les ménages à trois. Colette qui se dit farouchement monogame n'a pas de chance avec ses partenaires qui veulent toujours la partager avec un troisième larron, ou une troisième larronne. Même Sido, qui s'imagine volontiers en reine-mère des magasins du Louvre, ne cache pas qu'elle est favorable à cette union, libre ou non. Auguste Hériot déclare qu'il est prêt à assurer, ou à assumer, financièrement le destin de Colette qui demande à réfléchir. On retrouvera exactement la même situation dans *Gigi*, quand Gaston Lachaille veut « faire un sort » à Gigi qui, elle aussi, demande à réfléchir.

Colette ne se hâte pas de donner une réponse, se laissant pendant cet été 1909, adorer par Missy de Morny et par Auguste Hériot. Ils forment la plus voluptueuse trinité jamais vue sous le ciel du Crotoy. Ce qui fait dire à Sido : « Tu es aimée par les personnes qui t'entourent, chère... Mais est-ce possible de ne pas t'aimer quand on te connaît ? »

Succéder à Liane de Pougy et à Charlotte Lysés, pour ne citer que ces deux-là, dans le lit, et dans le cœur, d'Auguste Hériot, telle est la prouesse accomplie par Colette qui devait avoir « quelque chose », comme on dit, pour provoquer de telles passions. Elle a été à bonne école avec Willy, puis avec Natalie Barney à qui Liane de Pougy, elle-même, rendait hommage. La courtisane qui croyait tout connaître, affirmait que, grâce à Natalie, elle avait découvert des « horizons » qu'elle ignorait, mais sans préciser lesquels, hélas.

Experte dans les choses de l'amour et dans l'usage des plaisirs, Colette met ses connaissances à la portée du public dans *L'Ingénue libertine* qui paraît, à la mi-novembre 1909, chez Ollendorf. Si la fin de *La Retraite sentimentale* montrait une Claudine précocement libérée du plaisir, ou de sa recherche, la fin de *Minne* démontre que, en y mettant un peu de bonne volonté, une femme peut accéder à ce plaisir dans les bras même de son époux. La réputation d'immoralité attachée à l'œuvre de Colette doit beaucoup à ces pages incandescentes, et à certains brûlants passages comme « Tantôt elle haletait, bouche ouverte, enfonçant aux bras d'Antoine ses ongles véhéments... L'un de ses pieds, pendant hors du lit, se leva, brusque, et se posa une seconde sur la cuisse brune d'Antoine qui tressaillit de délice ».

Colette met à profit cette parution pour réclamer, dans une lettre ouverte, l'entière paternité, ou l'entière maternité, des *Claudine* et des *Minne*, précisant que la collaboration de Willy « ne dépassa guère celle d'un secrétaire, d'un secrétaire pas très soigneux, soucieux surtout d'ajouter à mon texte quelques calembours, des gravelures, des rosseries destinées à satisfaire ses rancunes personnelles ». Colette commence à se venger de Willy, avec une férocité qui surprend, une obstination implacable, semblable à celle que le comte de Monte-Cristo met à poursuivre ceux qui l'ont persécuté...

La parution de *L'Ingénue libertine* en librairie coïncide avec la disparition de Renée Vivien qui meurt le 18 novembre 1909. Elle est enterrée au cimetière de Passy. Sur sa tombe sont gravés des vers qu'elle avait composés pour cette circonstance :

> Voici donc mon âme ravie
> Car elle s'apaise et s'endort.
> Ayant pour l'amour de la Mort
> Pardonné ce crime : la vie.

Pour Colette, comme pour Natalie Barney qui, chacune, à leur façon, ont aimé Renée, ces vers sont incompréhensibles. Comment peut-on préférer la mort à la vie ? Toutes deux ont une telle vénération de la vie que la mort leur semble une démission, une trahison. Pour oublier le chagrin causé par la disparition de celle qu'elle avait surnommée « muse de Levy-Dhurmer », Colette termine l'année 1909 en jouant à Paris, à la Gaité-Rochechouart, *La Chair*, cette chair que Renée méprisait tant. Ce qui était aussi incompréhensible à Colette et à Natalie...

Chapitre 23

La comète Colette
(1910)

1910, c'est l'année de la création de *Chantecler* d'Edmond Rostand, de la deuxième saison des Ballets russes avec *L'Oiseau de feu* de Stravinsky, de la parution de *La Vagabonde* de Colette, et de l'apparition de la comète de Halley dont la présence, dans le ciel, fait naître sur terre les pires prédictions, voire les pires événements. On accuse la comète de provoquer les inondations qui transforment Paris en Venise. La Seine quitte son lit et remonte la rue Jacob où Colette a vécu et où Natalie Barney, fuyant Neuilly et le fantôme de Renée Vivien, s'installe au numéro 20.

Dans l'histoire des vies de Colette, Natalie Barney et Liane de Pougy, ce fabuleux trio d'une Belle Époque qui ne sait pas encore qu'elle va bientôt se terminer dans les larmes et dans le sang, 1910 reste une année mémorable. Si, fin 1909, Colette, Natalie et Liane avaient consulté la voyante Fraya, celle-ci n'aurait pas manqué de prédire à chacune d'entre elles : « Votre vie changera complètement l'année prochaine ».

En 1910, Natalie Barney s'installe donc au 20 rue Jacob, dans un pavillon qui date du XVIIIe siècle et jouxte un temple de l'Amitié dont elle s'intronise la grande prêtresse. Elle publie chez Sansot, son premier recueil de pensées, *Éparpillements*, qui attire sur leur auteur l'attention de son voisin de la rue des Saints-Pères, Remy de Gourmont. La beauté de ces pensées, et celles de leur auteur, inspirent à Gourmont ses *Lettres à l'Amazone* qui, du jour au lendemain, rendent Natalie célèbre dans l'Europe des lettres. Colette se réjouit, la première, de voir sa Flossie promue Amazone par l'éminent Gourmont, l'un des fondateurs du Mercure de France.

Liane de Pougy qui a quarante et un ans épouse le prince Georges Ghika qui en a vingt-six et qui appartient à l'une des plus anciennes, des plus illustres familles de Roumanie. En ce mariage, *Fantasio* voit « la fin du demi-monde » et ne manque pas d'y voir les néfastes effets de la comète de Halley. Colette n'est pas invitée à la noce dont elle est, la première aussi, à se moquer, expliquant à qui veut l'entendre que ce n'est que justice si celle que l'on surnommait « le Passage des Princes » a fini par en attraper un !

Si Colette n'a pas été invitée, c'est que Liane ne lui pardonne pas un texte paru dans *La Vie parisienne* et repris, comme si cela ne suffisait pas, dans *Les Vrilles de la vigne*, qui montre, ou plutôt démontre, que la courtisane pourrait être la mère de ses jeunes amants, « Frêle, délicieuse, presque portée par le jeune H... et le non moins jeune G..., passe Mme L... de P... y. Elle a le beau sourire d'une jeune mère heureuse qui s'appuie sur ses deux grands fils ». Il est facile de reconnaître, sous leur initiale, les deux « grands fils » que Colette attribue généreusement à Liane : Hériot et Ghika.

En 1910, Colette a trente-sept ans. Elle a, avec Missy, tout ce qu'une femme peut attendre d'une autre femme. Elle a, avec Auguste Hériot, tout ce qu'une femme peut attendre d'un homme. Elle voyage, tantôt avec Missy, tantôt avec Auguste. À ses voyages d'agrément, elle en ajoute d'autres, imposés par une tournée Baret qui la conduit, au printemps, en province. Cette fois, elle y est accompagnée de Missy qui adoucit les rudesses de la tournée et assiste aux ovations saluant les prestations de son amie.

Sensible à ces applaudissements, et sachant que le public vient pour elle, Colette demande, et obtient, une augmentation. Si elle aime jouer le mimodrame, une pièce de théâtre ou donner des conférences, c'est que, au plaisir d'être sur scène, s'ajoute le contentement de l'immédiate rentabilité. Il faut avoir de quoi payer « quand le fournisseur sonne, quand le bottier présente sa facture, quand l'avoué téléphone ». Bref, mimodrame, théâtre et conférence rapportent plus que le roman et exigent moins de temps. Colette rature beaucoup, elle est capable de recommencer inlassablement une page jusqu'à ce qu'elle n'en soit pas trop mécontente. Elle demande à Charles Saglio qui veut publier *La Vagabonde* dans *La Vie parisienne* qu'il dirige, un délai. Elle juge que son texte n'est pas au point et veut corriger encore et encore. « [...] je viens de revoir ce que j'ai déjà fait de *La Vagabonde*, et de me rendre compte de tout ce qui manque, de tout ce qu'il faut y changer que je vous demande instamment d'en reculer l'apparition (sic) dans la *Vie* au 15 mai » écrit-elle à Saglio en février.

Le 21 mai, *La Vagabonde* paraît enfin, en feuilleton, dans *La Vie parisienne*, et fin novembre, chez Ollendorf. Dans ce roman, Colette continue à régler ses comptes avec Willy dont elle fait Taillandy, le volage époux de son héroïne, Renée Névé. Elle y montre Willy-Taillandy comme « ce balzacien génie du mensonge » et comme « un paternel amant qui mêle à une toquade brève un joli ragoût d'inceste ». Après Willy, voilà le tour de Meg Villars, « Digère-t-elle encore, béate, éprise, ce qu'elle nomme sa victoire sur moi ? Non à cette heure, elle commence à découvrir, terrifiée, impuissante, celui qu'elle a épousé ».

Ses comptes momentanément réglés avec Willy et

Meg, Colette prend le ton de la confession et, à travers Renée, avoue qu'elle ne veut plus succomber à l'amour, ayant acquis, à ses dépens, « la défiance sauvage, le dégoût du milieu où j'ai vécu et souffert, une stupide peur de l'homme, des hommes et des femmes aussi ». Elle envoie gentiment « promener » son prétendant, Maxime Dufferein-Chautel, riche et désœuvré comme Auguste Hériot. Congé prémonitoire puisque Colette poursuit sa liaison avec Auguste qui l'emmène en Angleterre.

Bien accueillie par la critique, *La Vagabonde* obtient trois voix au prix Goncourt qui est finalement attribué à Louis Pergaud pour *De Goupil à Margot*. À cette satisfaction de voir son talent reconnu, s'ajoute le contentement de n'être plus Mme Henry Gauthier-Villars. Le 21 juin, le divorce a été prononcé « aux torts réciproques ». Colette et Willy peuvent convoler à nouveau, à leur guise, ils sont libres, mais non libérés des souvenirs de leur vie commune. Ils garderont longtemps l'un pour l'autre une mutuelle obsession. Ce que constate Sido, « Je suis bien persuadée que cet homme ne peut pas se résoudre, ou plutôt se persuader, qu'il n'a plus aucune autorité sur toi. Il s'aperçoit du trésor qu'il a perdu et il rage ».

Pour faire oublier l'invisible prison où Willy maintenait son épouse, Missy offre à Colette un paradis qu'elle avait entrevu jadis à Belle-Île, la Bretagne. Après les paradis bourguignon et jurassien, voilà l'éden breton de Rozven. Missy, la fidèle Missy, est un puissant antidote à l'infidèle Willy. Elle ne sait que faire pour plaire à Colette et invite à Rozven Sido et Léo qui sont bientôt rejoints par Léon Hamel. En compagnie de son amie, de sa mère, de son frère et de son confident, Colette trouve qu'il fait bon vivre à Rozven, « son anse de mer verte, les rochers compliqués, le petit bois, les arbres neufs et les anciens, la terrasse chaude, les rosiers, ma chambre jaune et la plage où la marée apporte des trésors ».

Trésors de corail, de coquillages, qu'elle doit abandonner pour suivre, à l'automne, Auguste Hériot qui l'emmène en Italie. Elle voit Naples, Herculanum et reste « de glace devant tant de marbre ». Pendant ce voyage, elle s'aperçoit qu'Auguste Hériot, trop confiant en sa beauté et en sa richesse, est ennuyeux. Elle pourrait reprendre à son compte ce que Mme de Staël disait de son dernier amant, « La parole n'est pas son langage ». Les ébats amoureux ne suffisent pas à Colette, elle veut aussi parler, discuter, lancer ces comparaisons dont l'originalité enchantait Willy et qu'Auguste ne comprend que laborieusement. Elle ne désespère pas de donner un peu d'esprit à ce gosse de riche, à ce fils des grands magasins du Louvre.

Quand Natalie Barney m'assurait que Colette avait deux faiblesses, « Elle aimait être flattée et elle ne supportait pas d'être seule », elle avait raison. Auguste Hériot est la preuve même de ces deux faiblesses. Hériot aime sa Vagabonde, l'admire, l'accable de compliments et l'empêche de se sentir (trop) seule. Ce qui fait que Colette croit aimer Auguste qui a obtenu l'agrément, pour ne pas dire la bénédiction, de Missy.

Au retour d'Italie, début décembre, et pour montrer à Missy et à Auguste qu'elle peut exiger davantage, être appréciée d'une autre façon, elle entre au *Matin* qui est l'un des plus puissants journaux de son temps. Elle est engagée par le patron en personne, M. Buneau-Varilla, qui ne cache pas sa satisfaction d'avoir personnellement attiré cette recrue de choix pour collaborer à la rubrique « Contes des mille et un matins », dans la série, « Music-hall ». Colette y donnera, deux fois par mois, des textes dont certains seront repris dans *L'Envers du music-hall*. Elle y ajoutera des notes de tournées, et des portraits de bêtes. Grâce à Maurice Buneau-Varilla, Colette fait son entrée dans le journalisme par la grande porte, et elle en est heureuse, même si plus tard, elle avouera que « le journalisme est une carrière à perdre le souffle ».

Buneau-Varilla qui est « barbu, petit, despotique », présente et impose Colette à ses deux rédacteurs en chef qui pratiquent « l'alternance quinzainière ». L'un des deux, Stéphane Lauzanne, ne cache pas son hostilité à l'arrivée de l'ex-Mme Willy. Il affirme qu'il quittera *Le Matin* si cette « saltimbanque » y entre. Celle qui a interprété *La Romanichelle* et autres rôles de bohémienne, ce qui lui vaut cette réputation de « saltimbanque » entre au *Matin*. Lauzanne ne met pas sa menace à exécution. Il reste et assure, pour quinze jours, son rôle de rédacteur en chef. L'autre rédacteur en chef pour les quinze autres jours, c'est Henry de Jouvenel qui se montre plus accueillant à la « saltimbanque ».

À la fin décembre, Colette peut établir de cette année 1910 un bilan aussi positif que celui offert par Natalie Barney que Gourmont est en train d'installer sur un piédestal, ou par Liane de Pougy, devenue princesse Georges Ghika. Délivrée de Willy, épaulée par Missy, aimée d'Auguste Hériot, reconnue comme l'auteur d'un roman, *La Vagabonde*, qui « renouvelle l'art du roman », et étant entrée dans cette supportable prison de luxe qu'est *Le Matin* où elle sent qu'elle a été remarquée par le baron Henry de Jouvenel des Ursins, Colette, la comète Colette pense qu'elle peut rivaliser en éclat avec la comète de Halley !

Chapitre 24

Idylle à Passy
(octobre 1911)

Colette commence l'année 1911 en reprenant à Paris, à l'Étoile-Palace, *La Chair*, avec son fidèle Georges Wague et sa fidèle Christine Kerf. C'est un inusable succès dû, on l'a vu, à ce sein que Colette montre généreusement et qui hante ensuite les rêves des spectateurs. Cinquante ans plus tard, les descendants de ces voyeurs se presseront dans les salles de cinéma pour y apercevoir les fesses de Brigitte Bardot.

Il est grand temps de préciser que le trio formé par Colette, Wague et Kerf n'est pas un ménage à trois. Il n'est pas question de continuer à la ville les enlacements qu'ils se prodiguent à la scène. Chacun a sa vie privée qu'il conduit comme il veut. Le calme règne sur ce trio strictement professionnel. En scène, et dans les coulisses, Colette goûte « une paix animale ». Elle en a bien besoin, troublée qu'elle est par sa rencontre avec Henry de Jouvenel. Elle se rend compte qu'elle a besoin de stabilité et qu'elle ne pourra pas continuer à partager sa vie entre Missy de Morny et Auguste Hériot.

En cadeau pour son trente-huitième anniversaire, Colette se voit offrir par la très généreuse Missy la maison de Rozven. Elle devient ainsi la propriétaire de ce Rozven dont elle n'avait été, l'été dernier, que la locataire émerveillée.

Auguste Hériot, moins généreux que Missy, se contente d'inviter Colette sur la Côte d'Azur en février. Ils sont rejoints par Lily de Rême (ou de Rène), jeune demi-mondaine qui sera May dans *L'Entrave*. « La petite de R... est venue depuis deux jours nous rejoindre, et le trio que nous faisons vous intéresserait. Ces deux enfants amoureux de moi sont singuliers par le seul fait qu'ils m'aiment. Je les gave et je les fais dormir. Mon amour-propre se satisfait maternellement de leur appétit et de leur mine fraîche ». On ne peut pas dire que ce soit là le langage de la passion. Colette est en train de se déprendre d'Auguste, « l'aventure me paraît grave surtout pour lui, je ne suis pas moralement en danger ». Pauvre Auguste qui se voyait déjà finissant ses jours avec Colette et qui pour parvenir à ses fins, assiège Missy, « ce petit serin fait des mamours à Missy ».

Pour prendre ses distances avec Auguste Hériot, Colette part en mars, en Tunisie, avec Lily qui se révèle vite une insupportable compagne de voyage, faisant ce qu'il ne faut pas faire, disant ce qu'il ne faut pas dire. Lily qui ne doute de rien, voudrait ensuite aller en Inde. « J'aimerais mieux crever » réplique sobrement Colette qui n'est pas venue en Tunisie, comme Lily, pour y jouer les touristes abusives mais pour y interpréter *Claudine à Paris*.

Dès que les représentations sont terminées, Colette n'a plus qu'une envie, rentrer à Paris, et surtout, ne plus revoir Lily, ni Auguste. « Je les regarde de loin avec sévérité, comme si je ne les avais pas connus » confie-t-elle à l'un de ses amis, Louis de Robert. Elle attribue ces deux erreurs, ces deux égarements à « une crise de vulgarité ». Voilà qui n'est pas très gentil pour Auguste, ni pour Lily. En fait, Colette n'aime pas les oisifs, les gens qui ne font rien de leurs dix doigts et perdent leur temps à des bagatelles.

Jamais, jamais, elle ne sera une mondaine, ou même, une demi-mondaine. Elle n'aspire plus qu'à retrouver sa robe de chambre et son encrier. Elle écrit, à son retour à Paris, une chronique sur les juives tunisiennes qu'elle apporte au *Matin* et qu'elle remet en mains propres à Henry de Jouvenel. Elle serait tentée de chanter à Henry le grand air de *La Grande Duchesse de Gerolstein* qu'Achille et Léo jouaient au piano, à Saint-Sauveur, « Dites-lui qu'on l'a remarqué, distingué »... Henry pourrait reprendre à son compte ces paroles. Lui aussi a remarqué Colette. Mais les bureaux du *Matin* où vont et viennent huissiers et rédacteurs, ne sont pas un lieu propice aux déclarations d'amour. Rien ne s'est encore passé, tous les espoirs sont possibles. Jouvenel ne doit rien ignorer de Colette puisqu'elle est, et elle le déplore en ce cas, un personnage connu du grand public. S'il est moins connu à l'époque, Jouvenel n'en est pas moins un homme en vue. Colette sait à qui elle a affaire. En plus, Henry est un bel homme, assez corpulent, doté d'un regard troublant et de non moins troublantes moustaches.

Le baron Henry de Jouvenel des Ursins est né le 5 avril 1876, à Paris. Son titre de baron ne résiste pas à un examen sérieux, il ne figure pas dans les almanachs de la noblesse. C'est ce que l'on appelle un titre de courtoisie, auquel le « des Ursins » a été rajouté, et cela, sans aucune attache avec l'antique maison des Ursins. Henry descend d'une lignée de hobereaux corréziens qui ont pris leur essor sous le second Empire, à partir du château familial de Castel-Novel, près de Brive.

Passionné de politique, journaliste dans l'âme, redoutable bretteur, il possède la meilleure des noblesses, celle du cœur. C'est un anticonformiste, et il le prouve, en épousant une juive, Claire Boas, dont il a un fils, Bertrand, en 1903. Henry de Jouvenel est la brebis noire de sa famille, comme Henry

Gauthier-Villars l'était de la sienne. Décidément, Colette est vouée aux Henry et aux brebis noires.

Assez inconstant, Henry de Jouvenel ne tarde pas à se séparer de Claire Boas pour s'attacher à Isabelle de Comminges, dite la Panthère, dont il a un fils en 1907, Renaud. C'est le fils du Tigre et de la Panthère puisque Isabelle avait surnommé Henry, « le Tigre ».

La liaison entre le rédacteur en chef du *Matin* et sa nouvelle collaboratrice doit avoir débuté en juin 1911. Colette vient, pour la première fois, au 57 rue Cortambert, dans un chalet qui sert de garçonnière à ce séducteur de Jouvenel, « La première fois que je passai la lourde porte, il faisait nuit lumineuse, mois de juin, acacias en grappes [...] Je m'arrêtai au bord de ce leurre, de cet excès de charme, de ce guet-apens. Peut-être était-il encore temps de rebrousser chemin ? Mais déjà l'hôte venait vers moi ». En un dernier éclair de lucidité, Colette entrevoit que ce chalet fonctionne « comme un piège » où elle se laisse prendre et surprendre. Même la lune est là pour contribuer à la réussite de ce premier rendez-vous galant, « Une vaste pleine lune, posée sur la corne du toit, semblait prête à chanter ».

Quand Colette entre dans la vie du Tigre, la Panthère est, déjà, en défaveur, le sait, et en rugit désespérément, maladroitement. Henry est l'un des mâles les plus convoités de Paris. Il ne déplaît certainement pas à Colette de montrer à Willy, qui épouse Meg Villars le 15 juin 1911, qu'elle est encore désirable, capable de susciter un attachement. Elle est aussi sensible à « la difficulté, la partie à jouer, la fureur de toutes ces dames, la victoire à emporter sur un homme en vue ». Elle en oublie sa promesse de ne plus se laisser emprisonner par un homme comme le rossignol le fut par les vrilles de la vigne.

Ayant eu Willy comme père incestueux et Missy comme mère incestueuse, Colette en a plus qu'assez de jouer, à trente-huit ans, les petites filles attardées. Henry a trente-six ans. Ils sont, comme on dit, d'âge en rapport. Idéalement, elle aurait pu épouser

Auguste Hériot, tout en gardant Missy comme maîtresse et Jouvenel comme amant. Mais elle est monogame, on ne se refait pas. Pour appartenir complètement à Henry, et s'abandonner sans arrière-pensée aucune, elle doit rompre avec Missy et avec Auguste. De son côté, le Tigre doit rompre avec la Panthère qui refuse la rupture, se débat furieusement et menace de tuer Colette qui en est réduite à se cacher à l'hôtel Meurice.

Que de ruptures pour en arriver à cette union ! Fin juillet 1911, tout est consommé. Missy « glaciale et dégoûtée » refuse de recevoir Henry de Jouvenel et de revoir Colette. Auguste Hériot se console dans les bras d'Isabelle de Comminges qui pense ainsi se venger en prenant son amant à celle qui lui a enlevé le sien. Colette s'en réjouit. La voilà débarrassée d'une rivale qui persistait dans ses desseins d'assassinat, et la voilà quitte avec Hériot, à la grande contrariété de Sido qui ne comprend pas que l'on puisse préférer un rédacteur en chef du *Matin* à un fils des magasins du Louvre !

Début août, Colette est intronisée au château de Castel-Novel qu'elle aime autant que son propriétaire. Situé sur le haut d'une colline, ce château « Moyen Âge-second-Empire » offre un mélange de vrais mâchicoulis, de fausses échauguettes, de tourelles qui pourraient servir d'observatoire à quelque Mélusine.

À chaque nouvel amour, Colette découvre un nouveau pays. Après le Jura de Willy, la Bretagne de Missy, elle espère découvrir un paradis à sa mesure avec le Limousin de Jouvenel. Comme Paris, Missy, Lily, Auguste sont loin, ont-ils seulement existé ? Colette et Henry vivent là une lune de miel qu'ils doivent interrompre en septembre pour reprendre le chemin du *Matin*.

Le Matin, « journal puissant, fastueux par ses immeubles », impressionne Colette qui voit passer dans ses couloirs des présidents du Conseil, des sénateurs, des députés venus solliciter un article en leur faveur. Jamais la presse n'a été aussi influente qu'à cette époque, faisant et défaisant les ministres, et déclenchant des campagnes pour ou contre qui bon lui semble. Face à ce monde qu'elle ignore – elle connaît mieux l'envers du music-hall que l'envers du journalisme – les beaux yeux pers de Colette s'ouvrent grands, et montrent un étonnement qui amuse Henry et ses collaborateurs, « L'éloignement que m'inspira toujours la politique se lisait-il sur mon visage, qu'en ma présence la chaleur vindicative des discussions s'apaisât ou même s'éteignît ? On me montrait une indulgence, une gentillesse telles, que l'on n'eût pas mieux fait pour l'idiote du village ».

On a très vite compris, au *Matin*, que Colette, quoiqu'elle n'ait pas la tête politique comme Jouvenel, n'est pas une idiote. En octobre, sa collaboration régulière se confirme et s'amplifie. C'est un conte par semaine qu'elle doit donner. Au début, ses textes n'étaient signés que d'un masque, il fallait ménager l'ombrageuse pudeur des lecteurs du *Matin* qui avaient pour Colette les yeux de Stéphane Lauzanne et qui ne voyaient en elle qu'une « romanichelle ». À la fin de l'année, ses textes portent sa signature. La place que Colette a prise dans le lit de Jouvenel conforte la place qu'elle occupe au *Matin*. Quand l'un de ses contes n'a pas la longueur réglementaire, personne n'ose demander à la petite amie du rédacteur en chef de rallonger son texte qui paraît tel quel.

Qu'elle soit éprise d'Henry, cela ne fait aucun doute. Mais elle n'est pas insensible non plus à la position que son amant détient au journal. Pour Colette, ce *Matin* représente un rempart contre les possibles attaques de Willy qui, rendu furieux par son portrait en Taillandy dans *La Vagabonde*, réplique dans *Lélie, fumeuse d'opium*, par un portrait de la future baronne de Jouvenel en baronne de la Bize dont il stigmatise la quarantaine agressive, et « sa croupe excessive, dont ses amis de tous les sexes vantaient jadis l'arrogante cambrure, s'alourdissait fâcheusement ». Cela n'atteint pas Colette, engourdie dans sa nouvelle félicité, et qui sait que les romans de Willy n'ont plus le retentissement qu'ils avaient. Il est évident que *Lélie, fumeuse d'opium* ne bénéficiera d'aucun écho, ni d'aucun compte-rendu dans *Le Matin*...

En octobre 1911, tout semble sourire à Colette, y compris le chalet du 57 rue de Cortambert où elle s'installe. Datant de la première moitié du XIXe siècle qui ensemença le village de Passy de ces chalets qui se voulaient suisses à peu de frais, avec auvents et balcons ajourés, ce logis est aussi vétuste que charmant, avec son jardin et ses arbres qui donnent une illusion de campagne. La vigne vierge y remplace les rideaux, la salle de bains se trouve dans le hangar, le tout constitue la garçonnière d'un séducteur peu soucieux de confort, l'équivalent du « Venusberg » de Willy. Colette y apporte quelques améliorations pratiques, installe une salle de bains digne de ce nom, à l'intérieur de la maison. On ne dira jamais assez que des problèmes de salles de bains, ou de toilettes, ont apporté la brouille dans bien des ménages. Colette est fermement décidée à éviter ce genre d'écueils. Fervente d'hydrothérapie, elle prend un bain par jour, ce qui est rarissime à l'époque, ce qui faisait dire à son ex-belle-sœur, Valentine Gauthier-Villars : « Gabri, vous finirez tuberculeuse ». Après son bain, Colette s'inonde de jasmin, parfum auquel elle sera fidèle sa vie durant. Toilette de jour, toilette de nuit, elle a horreur de la crasse et considère la propreté comme la plus efficace des vertus, et aussi, la plus sûre alliée du plaisir.

Les nuits d'octobre au chalet de Passy, comme les nuits d'août au château de Castel-Novel, ne sont guère consacrées au sommeil, mais à ce que Colette appelle pudiquement « des leçons particulières » et « bougrement particulières » précise-t-elle selon « la méthode Sidi ».

Sidi, le Tigre, Pacha comptent parmi les surnoms dont ses maîtresses, ou ses amis comme Anatole de Monzie, ont affublé Henry. Il sera « la Sultane » pour

Colette sensible à la douceur de sa peau, et qui garde son habitude de féminiser l'homme qu'elle aime.

Après l'amour, les comptes. Colette et Henry savent que, même s'ils en ont l'intention, ils ne peuvent pas vivre d'amour et d'eau fraîche. Jouvenel n'a aucune fortune personnelle et n'a pour vivre que les quarante mille francs qu'il gagne au *Matin*. Pas un sou de plus à espérer, c'est un incorruptible, il est d'une honnêteté « irrémédiable » constate Colette qui, elle, avec ses romans, ses articles, ses conférences, a juste de quoi se suffire. Tous deux sont fermement décidés à mettre leurs ressources en commun pour vivre ensemble. Car si Henry est un amant ardent, Colette est une maîtresse incomparable dont il ne peut plus se passer, et avec qui il découvre des voluptés qu'il ignorait. Ah, on ne répétera jamais assez que le père de Missy, le duc de Morny, avait bien raison de choisir ses maîtresses parmi les femmes qui avaient déjà des maîtresses...

Chapitre 25

La mort de Sido
(25 septembre 1912)

En décembre 1911, et toujours en compagnie de ses inséparables Georges Wague et Christine Kerf, Colette crée *L'Oiseau de nuit*, mimodrame rustique. Colette Willy, car elle est toujours Colette Willy sur les affiches, est maintenant une valeur sûre du music-hall. Elle est engagée ensuite, et seule cette fois, par Mme Rasimi qui dirige le Ba-ta-clan, dans la revue *Ça grise*. Elle y interprète *La Chatte amoureuse* avec « la souple, lascive et troublante originalité de son talent si divers » comme se plaît à le souligner *Comœdia*. *La Chair*, *L'Oiseau de nuit*, *La Chatte amoureuse*, autant de succès immortalisés par des cartes postales qui s'en vont porter, en France et à l'étranger, l'image d'une Colette très dévêtue, aux poses suggestives, qui continue à provoquer la colère des censeurs, « Comment cette petite bourgeoise, charmante lettrée, a-t-elle pu tomber jusqu'au caf'conc' » et à entretenir sa mauvaise réputation.

Ces succès successifs auraient pu inciter Colette, qui se moque des censeurs, à faire carrière exclusivement au music-hall. Quoi qu'elle en dise, elle a l'encre dans le sang ! Jouvenel l'a compris. Comme Henry Gauthier-Villars avait engagé son épouse dans ses ateliers de « nègres », Henry de Jouvenel engage sa maîtresse dans ses services de reportage. Il envoie la débutante, l'éternelle apprentie, sur d'importantes affaires comme la prise de la bande à Bonnot, en avril 1912.

Colette se passionne pour le reportage qu'elle découvre, et passionne ses lecteurs par l'originalité de ses vues, sa façon de montrer les événements, et d'y participer. En ce domaine aussi, elle invente, elle innove, elle ouvre la voie au reportage intimiste, en s'y mettant en scène, rapportant, par exemple, comment elle se faufile dans la foule, avec « la brutalité d'une acheteuse de grands magasins aux jours de solde et la gentillesse flagorneuse des créatures faibles ». Un agent prétend l'empêcher de rejoindre ces messieurs de la presse, sous prétexte que « tout ce qui porte jupe doit rester ici tranquille ». Alors s'élève une voix faubourienne qui propose à Colette : « Voulez-vous mon pantalon, madame ? ».

Ce reportage[1] lui vaut les félicitations de Sidi, et les critiques de Sido qui trouve que sa fille perd son temps à écrire des articles et ferait mieux d'écrire des romans, « Le journalisme est la mort du romancier et c'est dommage en ce qui te concerne ». En quoi Sido se trompe. C'est pendant qu'elle sera journaliste à plein temps au *Matin* que Colette réussira à écrire quelques-uns de ses chefs-d'œuvre comme *Chéri*, *La Fin de Chéri* ou *La Maison de Claudine*.

Colette ne tient pas compte de cet avis maternel, pas plus qu'elle ne tient compte des avertissements d'Achille : la vie de Sido touche à sa fin. Souffrant de palpitations et de crises d'étouffement, Sido ne voudrait pas mourir sans avoir revu son « soleil en or ». Colette juge que la situation n'est pas aussi grave qu'on le prétend à Châtillon et traduit cela par « ma

---

1. Reportage repris dans *Dans la foule*, sous le titre « Après l'affaire de la rue Ordener ».

sainte mère » fait une crise de « je veux voir ma fille ». Prise par ses reportages et sa passion pour Sidi, Colette n'a guère de temps à consacrer à Sido.

Henry de Jouvenel pense trouver la solution à ce conflit en invitant Sido à Paris pour y voir enfin sa fille. Sido accepte, contrairement à ce que Colette prétendra dans la fameuse lettre qui ouvre *La Naissance du jour*, et dans laquelle Sido refuse cette invitation, prétextant que son cactus rose va fleurir et qu'elle n'est pas certaine de le voir refleurir. Mais Sido est vraiment trop faible pour faire le voyage et Colette promet de venir à Châtillon, dès que possible. Car elle ne peut pas quitter Paris maintenant.

Une crise, la première, vient d'éclater et divise le couple qu'elle forme avec Henry. Ils décident de renoncer à leur vie commune, et de se séparer. Colette espère qu'elle pourra traiter Henry de Jouvenel de la même façon, et avec autant de désinvolture, qu'elle a traité Auguste Hériot. C'est compter sans la force de la chair, sans la puissance de « ces plaisirs que l'on nomme, à la légère, physiques ». Colette et Henry doivent se rendre à l'évidence : ils ne peuvent plus, physiquement, se passer l'un de l'autre, et fêtent la fin de la crise et leur complète réconciliation, au lit, comme il se doit.

Après quoi, Colette court au chevet de sa mère auprès de qui elle reste du 27 au 29 août 1912. « Maman n'est pas épatante, mais elle peut durer encore, et c'est tout ce qu'on lui demande » constate-t-elle à son retour de Châtillon.

Un mois après, le 25 septembre 1912, Sido meurt. Colette ne va pas à l'enterrement et ne porte pas le deuil. Ce que ne lui pardonnera jamais son frère Achille qui, dans un mouvement de colère, brûle les lettres de Colette à Sido, aidé certainement par son épouse Jeanne qui savait que sa belle-sœur et sa belle-mère ne la ménageaient guère dans leur correspondance...

Le 27 septembre, Colette explique son attitude à son confident, Léon Hamel : « Maman est morte avant-hier. Je ne le dis presque à personne, et je ne porte aucun deuil extérieur. En ce moment, ça va assez bien. Mais je suis tourmentée par cette idée stupide, que je ne pourrai plus écrire à maman comme je le faisais si souvent. [...] Je continue [...] à vivre comme d'habitude, ça va sans dire. Mais j'ai comme chaque fois qu'un chagrin en vaut la peine, une crise d'inflammation... interne qui est bien douloureuse ».

Ainsi, contrairement à ce que pensent Achille et Jeanne, la mort de Sido atteint profondément Colette. Elle gardera, longtemps, le réflexe d'écrire à sa mère, ou de lui envoyer, quand elle voyage, des cartes postales représentant des vues générales. Et si elle ne porte pas son deuil, c'est à la demande expresse de Sido : « Que je ne te voie jamais porter mon deuil ! Tu sais très bien que je n'aime pour toi que le rose, et certains bleus ».

Colette se résigne mal à ne plus entendre la voix de celle qui lançait aux quatre vents son cri de détresse alarmée, « Où sont les enfants ? », et qui avait su faire son éducation avec un seul mot, « Regarde ».

De sa persistante peine naîtra en 1930, l'un des plus beaux monuments en prose qu'ait inspiré l'amour filial : *Sido*. Colette en dédicacera ainsi un exemplaire à sa fille : « C'est la première fois, chérie, que je te trouve trop jeune. Si tu étais née plus tôt, j'aurais pu te porter de mes bras jusqu'à ceux de Sido ».

Chapitre 26

La naissance de Bel-Gazou (3 juillet 1913)

Peu après la mort de Sido, Colette se retrouve à Castel-Novel pour une deuxième intronisation : elle est présentée à la famille. Cela devient sérieux. Elle aurait voulu loger, discrètement, dans le voisinage, chez des amis, mais Henry insiste pour la présenter à sa mère, Mamita, « qui est la jeunesse même, et la gaieté », à son frère Robert qui est « blond, brillant, irritable » et journaliste, lui aussi, et à sa demi-sœur, Édith. Ce trio fait bon accueil à celle par qui tant de scandales sont arrivés et l'entraîne, en excursion au château (en ruines) de Curemonte que possède Robert, « Il y faut cent mille francs de réparations avant de songer à le meubler ».

Colette n'est peut-être pas exactement la fiancée idéale et virginale que Mamita espérait encore pour son Henry, mais comme ils ont l'air de bien s'entendre, ces deux-là, et d'être heureux ensemble, que souhaiter de plus ? Et si, en plus, Colette est enceinte, Henry, gentilhomme avant tout, doit réparer sa faute. Car, à sa stupéfaction, la Vagabonde qui croyait que cela n'arrivait qu'aux autres femmes, se retrouve enceinte !

Le 19 décembre 1912, à la mairie du XVIe arrondissement, le baron Henry de Jouvenel des Ursins épouse Gabrielle Sidonie Colette qui a pour témoin son cher Léon Hamel. Ce deuxième mariage dans lequel les méchants esprits voient « le mariage de la mouise et de la dèche » est aussi modeste que le premier. Mais, dans les huit jours qui suivent, le baron et la baronne « font la noce ».

Après la fête, le travail. En janvier, pour son quarantième anniversaire, Colette assume, en renâclant, le reportage sur la formation du nouveau gouvernement par Raymond Poincaré qui devient président du Conseil. La politique continue à ennuyer Colette autant qu'elle passionne Henry. « Voilà comment je comprends la politique, de l'opéra ! » dira-t-elle, plus tard, en montrant une photo dédicacée de Gabriele d'Annunzio qui, dans la politique italienne, joue le rôle d'un héros de Verdi prenant la pose pour chanter son grand air.

À la mi-mars, son roman, *L'Entrave*, qui est une suite de *La Vagabonde* et qui n'est pas encore terminé, commence à paraître en feuilleton dans *La Vie parisienne*. Colette se demande si elle parviendra à achever ce roman avant son accouchement. Elle sent remuer « le fruit de ses entrailles » et s'en préoccupe. Elle s'inquiète d'être mère à quarante ans et se demande si elle saura l'être. Elle en doute et s'en attriste. L'un de ses confrères du *Matin*, Charles Sauerwein, qui est un père de famille avisé, le remarque et lui dit : « Tu sais ce que tu fais ? Tu fais une grossesse d'homme. Une grossesse, il faut que ce soit plus gai que ça ». Une « grossesse d'homme », Sido n'aurait pas mieux dit, Sido qui, voyant sa fille manier une aiguille et du fil, s'exclamait : « Tu n'auras jamais l'air que d'un garçon qui coud ». Ah, si Sido était là pour l'assister, la soutenir, la conseiller...

Pour montrer qu'elle assume quand même cette

grossesse tardive, Colette continue à se montrer en public, contrairement à l'usage en vigueur dans les milieux bourgeois qui voulait qu'une femme enceinte reste à la maison dans l'attente de sa « délivrance ». La fille de Sido qui n'en est plus à un scandale près, non seulement exhibe sa rondeur au *Matin* et en d'autres lieux, mais encore joue, fin mars, à Genève, *L'Oiseau de nuit*. Elle en est à son sixième mois de grossesse et sait que c'est son adieu au mimodrame, « Chaque soir, je disais un peu adieu à l'un des bons temps de ma vie ». On ne peut pas être baronne de Jouvenel des Ursins, journaliste au *Matin*, et bientôt mère, tout en continuant à s'exhiber sur une scène.

Georges Wague et Christine Kerf entourent leur partenaire, et amie, d'incessantes prévenances, allant même jusqu'à préparer pour elle un café matinal, supérieur à celui que l'on sert généralement dans les hôtels.

De son côté, Henry redouble d'attentions et, pour éviter toute imprudence, dépose son impétueuse moitié, en avril, à Castel-Novel où elle se dit portée « sur un pavois de privilèges et de soins ».

En juin, retour à Paris, au chalet de Passy. Colette contemple son ventre d'un œil moqueur et trouve qu'elle a l'air d'un rat qui a volé un œuf. Munie de livres et de journaux, elle attend « l'heureux événement », en arrosant le jardin et en travaillant à la dernière partie de *L'Entrave*, « L'enfant et le roman me couraient sus, et *La Vie parisienne* qui publiait en feuilleton mon roman inachevé, me gagnait de vitesse. L'enfant manifesta qu'il arrivait le premier, et je vissai le capuchon du stylo ».

Le 3 juillet 1913, naît la fille de Colette et de Sidi. Elle reçoit deux prénoms, Colette et Renée. La baronne annonce triomphalement la nouvelle à Georges Wague, « J'ai une petite Rate, j'y ai mis le prix, trente heures sans aucun répit, le chloroforme et les forceps ». Pour mettre au monde sa fille, Colette a – presque – autant souffert que Sido mettant au monde Gabrielle-Sidonie.

Vite remise de ce difficile accouchement, « J'en bouche un coin au docteur en me réparant comme par magie », Colette contemple son œuvre et s'émerveille de cet « assemblage de prodiges qu'est le nouveau-né ». Elle admire, sans réserve aucune, la transparence des ongles, le plumage des cils, l'amande du sexe. Toujours lucide, elle constate : « La minutieuse admiration que je dédiais à ma fille, je ne la nommais pas, je ne la sentais pas amour ».

Colette ne se sent pas mère, et ne le sera que quand sa fille cessera d'être une « petite larve emmaillotée » et parlera un « langage intelligible ». Sido aurait compris cet amour à retardement et lui aurait certainement dit : « Tu ne seras jamais qu'un écrivain qui a fait un enfant, à quarante ans ».

La fille de Sido et de Narcisse ne se reconnaît pas en cette nouveau-née vagissante, et d'autant moins qu'elle semble l'exacte réplique de son père. S'il avait eu le moindre doute sur sa paternité, la ressemblance est là, éclatante, irréfutable. Mlle de Jouvenel est plus Jouvenel que nature. Henry s'avoue comblé. D'un commun accord, le baron et la baronne confient leur descendante à une nourrice, comme c'est l'usage alors dans les bonnes familles.

Chapitre 27

La réussite de la baronne (1913)

Un bel enfant, un mari amoureux, un titre de baronne, un poste important au *Matin* où sa rubrique a pris pour titre « Journal de Colette », la quarantième année de la Vagabonde, qui cesse de l'être, est celle de la réussite. À l'âge où les femmes se retrouvaient grand-mères et en prenaient l'uniforme, robe noire et jabot blanc, la baronne Henry de Jouvenel des Ursins entame une nouvelle carrière, celle d'hôtesse parisienne et provinciale. À Paris comme à Castel-Novel, elle reçoit, et pas n'importe qui comme Madeleine Lemaire, mais, et entre autres, le président de la République en personne, Raymond Poincaré.

Peu après son élection à la présidence, le 17 janvier 1913, Poincaré invite Henry à dîner, à l'Élysée, seul, sans madame. Face à cet oubli involontaire ou non, le baron décline cette invitation en prétextant qu'il dîne, chaque soir, en tête à tête, avec la baronne. Poincaré se le tient pour dit, on ne se fâche pas avec l'un des rédacteurs en chef du tout-puissant *Matin*, et invite, bien entendu, Colette.

Le baron et la baronne dînent à l'Élysée avec les honneurs dus à leur rang et à leur prestige, et rendent l'invitation quand M. et Mme Poincaré viennent visiter le Limousin. « J'ai eu la joie d'entendre acclamer Sidi autant que Poincaré. [...] déjeuner avec le président et sa dame à Brive (Mme Poincaré est charmante, elle veut un chat bleu), [...] dîner, que j'offrais, de 87 couverts » rapporte Colette qui, pendant ces épuisantes festivités, pense au texte qu'elle est en train de composer et pour lequel elle cherche, vainement, un synonyme d'avide. L'écriture ne perd jamais ses droits, et l'écrivain, en Colette, ne s'endort jamais. Elle a ainsi l'impression de moins perdre son temps. Secrètement, elle préfère les petites gens aux grands de ce monde, et aime mieux la compagnie d'une masseuse ou d'une enfileuse de perles à celle des épouses de notables corréziens. Mais pour l'amour d'Henry, Colette se soumet aux exigences de la comédie politique. Pendant que le baron et le président s'entretiennent de ce danger permanent que sont pour l'Europe ces États des Balkans toujours en éruption, la baronne et la présidente parlent des chats, des fleurs, et de cuisine locale.

L'Entrave paraît en octobre à la Librairie des Lettres. Colette, par son mariage avec un bretteur que l'on sait irritable et par les fonctions qu'elle occupe au *Matin*, est-elle devenue l'une de ces intouchables dont on est condamné à ne dire que du bien ? En tout cas, Rachilde transforme sa critique en véritable dithyrambe : « Quoi qu'elle fasse, quoi qu'elle dise [...] Mme Colette est un demi-dieu ». Et cela pour le moins réussi de ses romans, de l'aveu même de son auteur, « Voyez, lecteurs hypothétiques, voyez cette fin étriquée ».

Passer de l'état de faune ou d'oiseau de nuit à celui de demi-dieu, telle est la réussite de Mme la baronne Henry de Jouvenel des Ursins. Marcel Proust, en personne, en est ébloui et se demande s'il peut lui envoyer *Du côté de chez Swann* qui va paraître, « Je ne peux lui envoyer maintenant qu'elle est célèbre, brillamment mariée, etc., mon livre. Et je ne voudrais pas qu'elle pût imputer à sa situation littéraire actuelle mon premier signe de vie depuis quinze ans ». Proust et Colette ne fréquentent pas les mêmes mondes, et depuis qu'ils ont cessé de se rencontrer chez Mme Arman de Caillavet qui s'est brouillée avec Willy, ils ne se sont pratiquement plus vus.

Proust fait part de ses scrupules à Louis de Robert, auteur de ce *Roman du malade* dans lequel il voit « un sommet ». Colette partage son admiration pour ce roman et a donné ce conseil à son auteur : « On ne devrait écrire qu'après avoir été très malade ou très malheureux ou très amoureux (c'est la même chose) ».

L'auteur du *Roman du malade* rassure l'auteur de *Du côté de chez Swann* qui envoie son roman à l'auteur de *L'Entrave*. Colette reçoit ces hommages avec un plaisir non dissimulé, et compréhensible. Après avoir subi les humiliations dues à une femme divorcée, déclassée, la voilà qui occupe une position de premier plan ! Celle que l'on payait pour exécuter des danses lascives dans les salons revient, triomphalement et gratuitement, dans ces mêmes salons.

À ce demi-dieu, ou à cette demi-déesse, comme on voudra, ne sont pas épargnés les soucis triviaux. Elle doit impérativement trouver une nurse pour sa fille qui commence à gazouiller, et gazouille tellement que ses parents la surnomment Bel-Gazou, « Mon existence s'est écoulée dans les bureaux de placement pour nurses sèches, anglaises ou non. Je vous assure que tout cela a été odieux. J'ai connu l'angoisse, l'anxiété, l'ennui... » Mais elle a trouvé la perle rare en la personne de Miss Draper, anglaise et apte à tout faire...

Dans cette recherche d'une nurse parfaite, Colette a été aidée par une nouvelle amie, Annie de Pène. Née Désirée Poutrel, auteur d'une anthologie, *Nos plus belles lettres d'amour* et d'un roman, *Sœur Véronique*, Annie est la compagne du directeur du journal *L'Œuvre*, Gustave Tery. En 1890, Annie a mis au monde une fille, Germaine, qui, comme sa mère, sera journaliste et romancière, sous le nom de Germaine Beaumont.

Colette partage avec Annie une passion pour les sulfures qui ne sont pas encore à la mode, et dans lesquels elle voit des « incestueux produits du bonbon anglais et de la lentille grossissante ». Ensemble, elles hantent le marché aux puces à la recherche de ces sphères de cristal, tout en se demandant pourquoi elles les aiment autant. Réponse d'Annie : « Une boule de verre, ça mouille la bouche. C'est probablement un péché ».

Annie s'exprime comme Claudine et ce n'est pas l'un de ses moindres charmes. C'est une blonde aux yeux noirs qui aime rire, et à qui l'on peut tout dire, tout confier, en toute sécurité. Normande comme Lucie Delarue-Mardrus, Annie aime les produits de son terroir comme la crème et le beurre que la bourguignonne Colette apprécie également. D'ailleurs, la baronne ne partage pas seulement les plaisirs du lit avec le baron, mais aussi ceux de la table. Tous deux aiment la bonne chère, « la bonne chair » comme dirait Willy que la réussite de son ex-épouse exaspère et qui continue à l'exécuter dans des romans à clés que l'on lit de moins en moins, et que l'on oublie aussitôt lus.

Le 31 décembre 1913, Achille Robineau-Duclos meurt d'un cancer. Colette savait que son frère était un original, mais tout même, mourir le jour du réveillon de la Saint-Sylvestre ! Fidèle à son horreur des enterrements, elle n'assiste pas aux funérailles. De toutes façons, depuis la mort de Sido, les liens avec son frère, et surtout sa belle-sœur, se sont considérablement relâchés... Achille n'en reste pas moins lié aux beaux jours de Saint-

Sauveur, « à un lit d'enfant où il dormait demi-nu, chaste et voluptueusement seul ».

Si 1913 se termine par un deuil, Colette espère fermement que 1914 commencera mieux et ne sera pas l'année des deuils...

Chapitre 28

La fin d'un paradis
(2 août 1914)

En ce début 1914, la baronne Henry de Jouvenel des Ursins peut envisager sereinement l'avenir, comme la plupart des Français : la loi rétablissant le service militaire de trois ans a été votée en août 1913, et chacun se sent protégé. L'impression de stabilité est telle que l'on est persuadé que rien ne changera, sinon les chapeaux qui, d'immenses, sont devenus minuscules et dépouillés d'ornements.

Élisabeth de Gramont affirme à Colette et à Natalie Barney qu'elle croit en la pérennité du franc, en la fortune des Rothschild et en la monarchie espagnole, comme elle croit en un Dieu éternel. Comme elles ne croient pas en Dieu, Colette et Natalie sourient en entendant cette déclaration, et reconnaissent volontiers que « la chère Lily » a raison. Tout est calme. Les folies « fin de siècle » s'éloignent. L'ordre mondain est rétabli. On se range. La princesse Georges Ghika, ex-Liane de Pougy, tient salon à Saint-Germain-en-Laye. Natalie tient le sien, au 20 rue Jacob, chaque vendredi après-midi. Colette, quand elle peut échapper à ses multiples obligations, y fait une apparition et assiste en compagnie de Sidi, à l'une de ces soirées dont l'Amazone a le secret et qui met la rue Jacob en émoi. « Soirée chez Natalie, elle a deux nouvelles Anglaises, couplées ce me semble, qui valent le déplacement. Que tu nous manquais à tous, nous Sidi, Barthou, d'Humières et Colette ! » rapporte Colette à Marguerite Moreno enfin revenue d'Argentine où elle a joué, et séjourné longuement, de 1907 à 1914, y fondant un conservatoire d'art dramatique. Et pour Marguerite retrouvée, Colette résume la conférence qu'elle vient de faire sur Molière, le 7 février 1914, juste avant d'assister à la fête de Natalie, « Écoute, M... pour Molière. Voilà tout ce que j'ai envie de te dire aujourd'hui. J'ai horreur de parler de ce que je ne sais pas. On m'a fait un excellent accueil, j'avais l'air d'une dame et d'un pied. Sidi était dans la salle, ce qui suffisait amplement à me démoraliser ».

Sidi à la conférence sur Molière, Sidi chez Natalie, Sidi semble suivre Colette comme son ombre. Couple heureux, ils sont aussi des parents heureux qui trouvent, comme tous les parents, que leur fille est la plus belle. Ce printemps 1914 est celui de tous les bonheurs, puisque, en mars, les Jouvenel s'en vont à Castel-Novel pour y retrouver Bel-Gazou. Pour rendre la beauté de sa fille, Colette s'amuse à parodier *Le Cantique des cantiques*, « Ma fille est un verger, vermeil de fruits. Ma fille est un lis, teint aux couleurs de l'aube. Ma fille, enfin, est une rayonnante petite génisse, qui a trait pour trait la figure de Sidi ».

La ressemblance avec Sidi, constatée dès la naissance de Bel-Gazou, s'affirme et s'accentue de jour en jour. Cette ressemblance augmente encore la félicité de Colette qui, en juillet, entraîne sa petite tribu à Rozven, dans la maison offerte par Missy.

Le baron et la baronne ont invité une nouvelle amie de la baronne, Musidora. « Musi » a onze ans de moins que Colette. C'est une inconditionnelle des *Claudine* et elle a voulu connaître leur auteur.

Connaissance immédiatement changée en coup de foudre de l'amitié. À l'exemple de Colette, Musidora écrit, danse, joue la comédie. Elle ne connaîtra la célébrité qu'en 1915, avec un film de Louis Feuillade, *Les Vampires*. Elle sera la première « vamp » du cinéma. En 1914, elle n'est encore qu'une girl des Folies-Bergères. Dans *La Revue galante*, elle a montré des seins magnifiques au Tout-Paris parmi lequel figuraient le baron et la baronne qui, tous deux, n'ont pas caché leur admiration.

À Rozven, Musidora continue à se croire aux Folies-Bergères et à montrer ses seins, et le reste aussi, aux Jouvenel. Pour Léon Hamel, Colette évoque les joies de Rozven : « Quelle belle vie, sans souliers, tout le temps dans l'eau, dans le sable [...]. Je noircis, en vieillissant, Musi montre ses f... aces, [...] et Sidi a découvert ce que c'était que la vie à la mer, on ne peut plus le tirer de l'eau, il se baigne sans caleçon, [...] ! »

Comme il fait bon vivre à Rozven en juillet 1914 ! La France respire cette douceur de vivre qui semble un reflet de ce que fut la douceur de vivre sous l'Ancien Régime. Cette douceur semble aussi immuable pour les Français que le sont, pour Élisabeth de Gramont, le franc, la fortune des Rothschild et la monarchie espagnole. Il n'y a que les pessimistes pour croire qu'une guerre est possible parce qu'un archiduc autrichien et son épouse ont été assassinés à Sarajevo le 28 juin. Il n'y a que les alarmistes pour répandre des bruits d'agression imminente, hélas confirmés le 28 juillet par la déclaration de guerre de l'Autriche à la Serbie. L'Allemagne qui se tient aux côtés de l'Autriche demande à la France de rester neutre dans ce conflit, et déclare la guerre, le 1er août, à la Russie qui soutient la Serbie. Alliée de la Russie, la France, en ce même 1er août, ordonne la mobilisation générale.

Le 2 août 1914, Henry de Jouvenel reçoit l'ordre de rejoindre le vingt-troisième régiment d'artillerie. Le 3, l'Allemagne déclare la guerre à la France. Ce jour-là, Colette est à Saint-Malo en quête de nouvelles, quand elle entend soudainement sonner le tocsin, le glas de la douceur de vivre et des bonheurs divers, « Comment oublierais-je cette heure-là ? Quatre heures, un beau jour voilé d'été marin, [...] Et du milieu de la cité tous les vacarmes jaillissent à la fois : le tocsin, le tambour, les cris de la foule, les pleurs des enfants... »

La fille de Sido se souvient qu'elle est aussi la fille du Capitaine et fait face, montrant un courage égal à celui de son sous-lieutenant de mari qui, comprenant la gravité de la situation, confie les siens à son ami de toujours, Anatole de Monzie, « Je pars. Je compte bien revenir. Mais on ne sait jamais. Si, par hasard, je restais là-bas, je t'en prie, occupe-toi des miens ».

Par ses relations, et ne serait-ce que par l'intermédiaire de Monzie, député et plusieurs fois ministre, Jouvenel aurait pu obtenir d'exercer ses talents à l'arrière. Il veut partir au front, défendre sa patrie, reprendre l'Alsace et la Lorraine perdues depuis le traité de Francfort en 1871. Il ne veut pas faire partie de ces lâches que l'on ne va pas tarder à appeler des « embusqués ».

Bel-Gazou et Miss Draper gagnent Castel-Novel pendant que Colette et Musidora retournent à Paris qu'elles trouvent « suffocant et gris sous sa brume d'août, plein de cris, fermentant de chaleur et de fureur, d'angoisse et de bravoure ».

Dans son journal intime, Marguerite Moreno note le 13 août, « Colette crâne. Les femmes se tiennent bien en ce moment ». Ce que confirme Robert de Jouvenel qui, avant de partir « avec une ardeur joyeuse » a dit à son frère : « Mon vieux, les grues les plus notoires et les plus charmantes font partie de la Croix-Rouge, le métier de blessé va être tuant ».

La France et Colette espèrent en une victoire rapide. Fortes de cet espoir, la France et Colette peuvent cacher leur peine, et s'offrir même le luxe de « crâner »...

Chapitre 29

Un harem à Verdun (décembre 1914-février 1915)

Cet été 1914 apporte aux Français son lot de malheurs, de privations, et d'ennuis. Colette n'échappe pas à cette fatalité et se retrouve, une fois de plus, solitaire, démunie, aux prises avec des problèmes financiers. Henry n'a plus, pour vivre, que son traitement de sous-lieutenant. C'est peu. Colette n'a plus que son traitement du *Matin*. Ce n'est pas beaucoup. Elle doit subvenir aux besoins de Bel-Gazou, soutenir le chancelant chalet de Passy qu'elle transforme en « phalanstère ».

Ses amies, Annie de Pène qui habite impasse Herran, et Musidora qui vit rue Decamps, viennent en voisines, bientôt rejointes par Marguerite Moreno. Les quatre femmes décident de mettre leurs (maigres) ressources en commun. Ce quatuor de Passy se répartit les tâches. Annie fait le marché, Colette le ménage, et Musidora la cuisine. Moreno, peu apte aux travaux domestiques, se charge de soutenir le moral de la troupe en répandant « la bienfaisante rosée des nouvelles, fausses ou vraies, de l'anecdote, des prédictions ».

Quand tombe le soir, plus personne ne veut se quitter, et on campe, on couche au chalet de Passy. On plaisante, on rit, puis on se tait, en entendant, à l'est, le canon tonner sur les bords de la Marne où se déroule une bataille décisive puisqu'il s'agit d'arrêter la foudroyante avancée des Allemands sur Paris. Il tonne de plus en plus fort, ce canon, semant l'angoisse dans le phalanstère. Alors Moreno s'empare du rythme de la canonnade et s'en sert pour improviser une danse espagnole qui ramène aussitôt « le rire, l'inconscience du danger, la saine impertinence et la témérité des héroïnes ». Comme quoi, même au sein d'un bruyant enfer, on peut se créer un bref paradis !

La bataille de la Marne qui dure du 6 au 12 septembre est une victoire qui se termine par le recul des Allemands. On respire au phalanstère de Passy.

Si les hommes se comportent comme des héros sur le front, les femmes, à l'arrière, ne sont pas en reste et montrent un courage égal en affrontant d'innombrables difficultés. Elles ne veulent pas, ou plutôt, elles ne veulent plus se sentir inférieures à ces messieurs qu'elles s'efforcent de remplacer, vaille que vaille, prenant le chemin du bureau, de l'usine ou de l'infirmerie. Comme tout est mode à Paris, dès l'automne 1914, la mode de l'infirmerie destinée à recevoir les blessés venant du front bat son plein. Liane de Pougy, Élisabeth de Gramont, Misia Sert ont la leur.

À partir d'octobre, Colette est veilleuse de nuit au lycée Janson-de-Sailly transformé en hôpital. C'est épuisant et la baronne n'y tient pas longtemps, d'autant qu'elle doit, coûte que coûte, alimenter sa rubrique du *Matin* et trouver des sujets pour ses chroniques. Sa plume fixe les désastres de la guerre, avec son cortège d'éclopés et d'amputés qui se réjouissent quand même d'être encore en vie, d'avoir échappé aux épouvantables corps à corps, à Verdun où se trouve Henry.

Le 16 octobre 1914, Colette s'aperçoit que cela

COLETTE *enfant*

Photo : Harlingue-Viollet

1. Sidonie Gabrielle Colette, à cinq ans. Déjà un regard d'adulte, avec toute la tristesse du monde dans ses yeux. Rien ne justifie une telle apparence. Idolâtrée par sa mère, adorée par son père et par ses frères, Colette a une enfance tellement heureuse qu'elle cherchera toujours à retrouver ce bonheur perdu.

2. Sido, mère de Colette. Elle est le centre du cercle de famille, son âme et son soleil.

Photo : collection Jouvenel

3. Le Capitaine, père de Colette. Amoureux fou de Sido, il rêve d'être écrivain.

Photo : collection Jouvenel/Musée Colette, Saint-Sauveur-en-Puisaye

COLETTE

le cercle de famille

Photo : collection Jouvenel

4. Le frère aîné, Achille, médecin, et son cadet, Léo, musicien amateur. Tous deux sont si peu sociables qu'on les appelle « les sauvages ».

Photo : coll. Musée d'art moderne/Richard Anacréon

5. Juliette, la demi-sœur, et son époux, le docteur Roché. Leur mariage met fin à la paisible félicité de la famille Colette.

6. La maison natale de Colette à Saint-Sauveur-en-Puisaye. L'écrivain évoquera sans cesse cette demeure bénéfique avec son jardin d'en-haut et son jardin d'en-bas.

Photo : Documentation Taillandier

7. Henry Gauthier-Villars, dit Willy, le premier mari de Colette. C'est l'un des rois du Paris « fin de siècle » et personne ne comprend comment il a pu épouser une petite provinciale qui n'apporte pour dot que ses longues tresses et son accent bourguignon.

8. Colette en Claudine. À l'ombre de Willy, la provinciale s'est métamorphosée en parisienne, la plus parisienne de toutes, puisque, en 1900, Claudine, le personnage que Mme Willy vient de créer, donne le ton et engendre d'innombrables modes.

Photo : coll. de l'auteur

COLETTE à l'ombre de Willy

Photo : Jean-Loup Charmet/BHVP

9. Les Willy offrent l'apparence d'un couple uni. Mais il est résolument polygame, et elle est farouchement monogame. Elle reconnaît cependant qu'elle doit à ce premier homme de sa vie « la foudroyante découverte du plaisir ».

10. Mme Willy apprend à composer avec ses rivales, et même, à s'en faire des amies. Elle sait qu'elle est légitimement la « première » et tolère des « secondes », comme Meg Villars (ci-contre à droite) avec qui elle partage son époux et son chien.

Photo : BN

Photo : coll. de l'auteur

11. Natalie Barney. L'amitié amoureuse qui lie l'Amazone à Colette dure exactement un demi-siècle, de 1904 à 1954. En 1946, Colette écrit à Natalie : « Ma porte et mes bras te sont à toute heure ouverts. Ton calme visage ! L'ai-je jamais mieux aimé ? »

Ecris-moi encore ! J'aime ta
que tu m'écrives. Tes lettres sont pl
d'un passé tout frais. Donne-moi
encore des nouvelles d'Hélène Berthe
Ce portrait de Renée Vivien, est-
celui de Lévy-Dhurmer ?
Depuis mon retour, j'ai
été rejointe par une crise si dure
d'arthrite que je ne suis qu'horizo
Viens me voir avec Lily, si ce n'es
avec Germaine Beaumont. Fais me
amitiés à Bizardel. Enfin répand
sur nous toutes et tous, ta grâc
impérissable et ta santé bien
équilibrée. Je t'aime et t'enlace
tendrement

Ta

Colette

Maurice est respectueusement
à toi

Coll. de l'auteur

12. Lettre de Colette à Natalie Barney. À celle qu'elle nomme « ma plus tutélaire amie », Colette adresse souvent des messages qui sont des chroniques du présent et d'un passé toujours présent...

Photo : coll. de l'auteur

13. Liane de Pougy. Rivale de Colette dans ses amours avec Natalie Barney et Auguste Hériot. Léa dans *Chéri* et tante Alicia dans *Gigi* doivent beaucoup à Liane.

COLETTE

les reines de Lesbos

14. Lucie Delarue-Mardrus. Elle n'aime guère Colette dont elle prétend qu'elle a l'air « perpétuellement en train de jouer la centième de Claudine ».

Photo : BN

Photo : collection Jouvenel

15. Renée Vivien. Sa passion pour Natalie Barney fait rêver le Tout-Lesbos. Colette reçoit ses confidences et, peut-être, davantage...

Photo : collection Jouvenel

16. Mathilde de Morny, dite Missy, marquise de Belbeuf. Fille du duc de Morny et de la princesse Troubetskoy, c'est une grande dame aux allures de grand seigneur. Surnommée par ses intimes « oncle Max ».

Photo : collection Jouvenel/Musée Colette, Saint-Sauveur-en-Puisaye

17. Dans la pantomime *La Chatte*, Colette incarne son animal préféré, et dans son roman *La Chatte*, elle met en scène « la chatte Dernière » dont la mort, en 1939, la laisse longtemps inconsolable.

Photo : coll. Musée d'art moderne/Richard Anacréon

18. Colette dans *La Chair*. Dans ce mimodrame, Colette remporte un triomphe en montrant un sein, et le reste aussi. « On lui voit tout, à tante Colette », remarque l'une de ses nièces.

COLETTE
le triomphe de la chair

19. Auguste Hériot. Richissime et sportif, il a été l'amant de Liane de Pougy, et d'autres belles de son temps. Il est séduit par Colette qui en fait le héros de *La Vagabonde.*

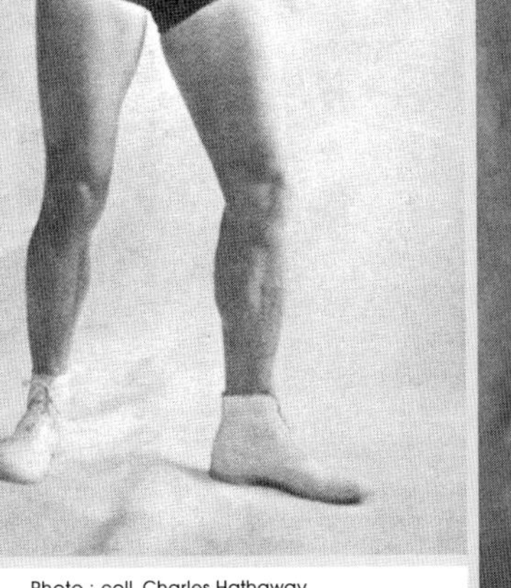

Photo : coll. Charles Hathaway

Photo : Harlingue-Viollet

20. Après s'être séparée de Willy, Colette ne cache plus son goût pour les dames et s'exhibe parfois en complet-veston. Ce qui fera dire à Marguerite Moreno que « certaines femmes représentent pour certains hommes un danger d'homosexualité ».

21. Baron Henry de Jouvenel, rédacteur en chef du journal *Le Matin*. Ce deuxième époux de Colette est aussi polygame que le premier.

Photo : BN

22. Colette et sa fille à Castel-Novel. De son union avec le baron naît une fille, Colette de Jouvenel, dite « Bel-Gazou ». Entre la mère et la fille, l'accord est loin d'être parfait.

Photo : Viollet

la « tribu Jouvenel »

Photo : collection Jouvenel

23. Fils d'Henry et de sa première épouse, Claire Boas, Bertrand de Jouvenel est pour Colette un beau-fils trop chéri. Il entre justement dans la vie de la romancière alors que celle-ci vient de publier *Chéri*. On a longtemps cru, et à tort, qu'il avait inspiré ce personnage.

24. Les belles saisons de Rozven. Debout, Bertrand de Jouvenel et Hélène Picard. Par terre, Germaine Beaumont, Colette et Bel-Gazou. Assise, Mme Francis Carco. Pendant les années folles, chaque été, en Bretagne, à Rozven, la « tribu Jouvenel » se retrouve au grand complet et se livre à des plaisirs divers.

Photo : coll. J.-L Lécard

25. Marguerite Moreno. Épouse de Marcel Schwob, incomparable interprète de Bataille et de Giraudoux, Moreno a tout pour plaire à Colette qui en fait sa confidente et sa complice.

Portrait par Granié. Photo : Roger-Viollet

26. Annie de Pène *(à gauche)*. Colette partage la passion d'Annie pour les sulfures, les potins et les promenades aux Puces.

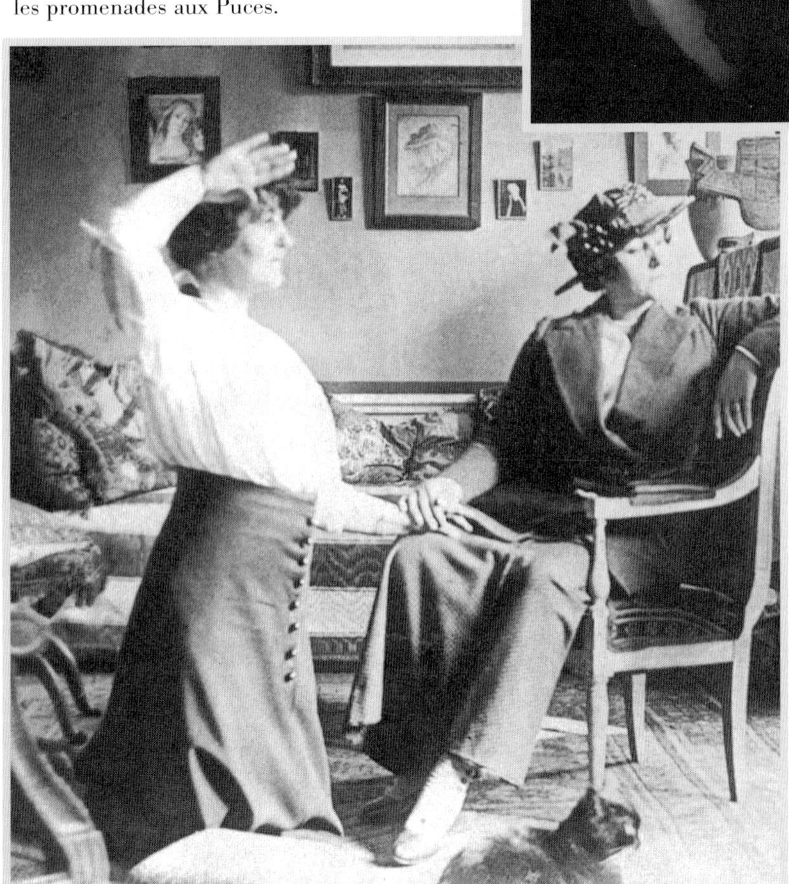

Photo : coll. J.-L Lécard

COLETTE les amies tutélaires

Photo : Viollet

27. Hélène Picard. Elle est l'auteur d'un recueil de poèmes, *Pour un mauvais garçon*, que Colette loue sans réserves, comme elle admire également la façon dont vit Hélène dans sa « chambre d'azur où cette ascète gourmande filtrait le café comme personne ».

Photo : BN

28. Anna de Noailles. L'auteur des *Éblouissements* voue à Colette un véritable culte et lui déclare : « Vous n'écrivez que des chefs-d'œuvre. »

Photo : coll. J.-L Lécard

29. Germaine Beaumont. « Il y a en toi tout ce qui te vient et me vient d'Annie », explique patiemment Colette à l'ombrageuse Germaine qui est la fille d'Annie de Pène et qui, comme sa mère, est journaliste-écrivain.

Saint Maurice Goudeket

Photo : Flammarion

30. Maurice Goudeket. Troisième mari de Colette qui voudrait qu'on le canonise puisque, précise-t-elle, « le pauvre, il a épousé une emmerdeuse ». « Maurice est parfait, Maurice est un saint », répète-t-elle inlassablement à partir de 1950. M. et Mme Goudeket devraient être maintenant reconnus comme les héros d'une intense passion conjugale.

COLETTE

l'ange gardien

Photo : Cartier-Bresson H./Magnum Photos

31. Pauline Tissandier, née Vérine. De janvier 1916 à août 1954, Pauline sert Colette avec une efficacité, un dévouement, une vigilance qui font de cette gouvernante un véritable ange gardien.

COLETTE *la gloire*

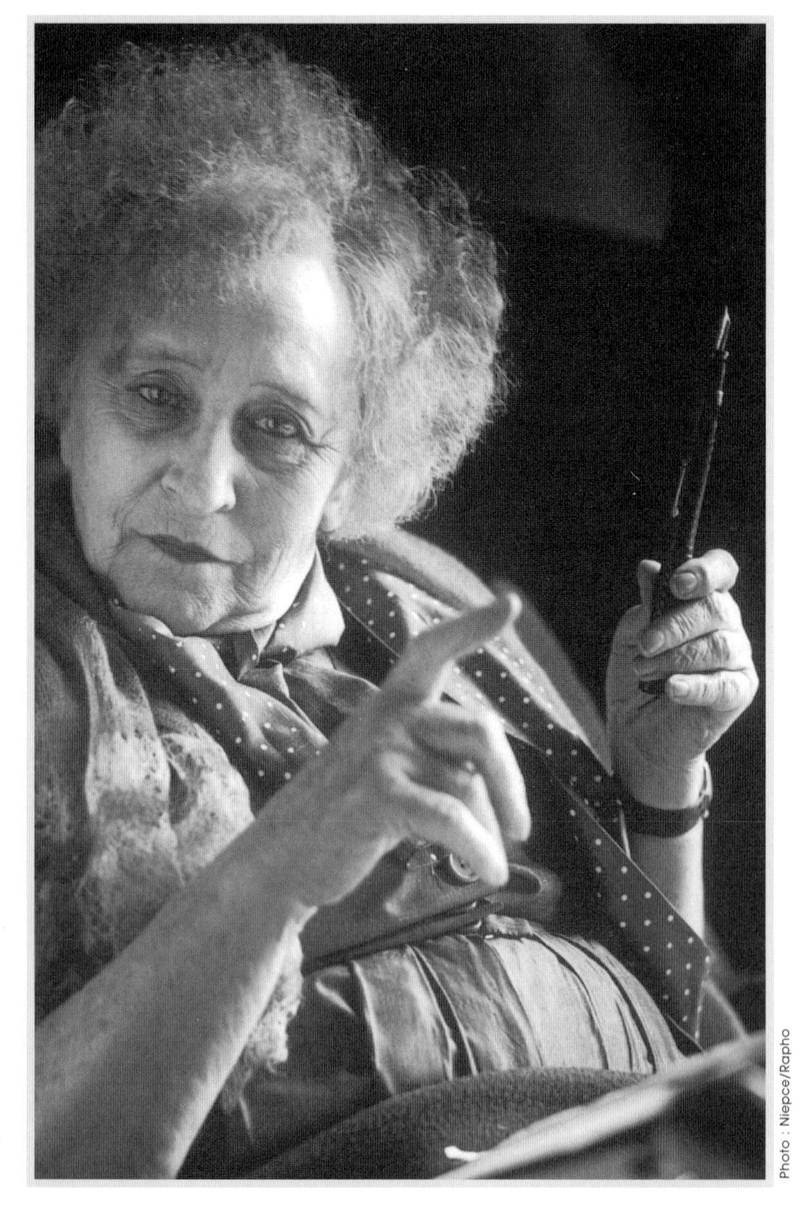

Photo : Niepce/Rapho

32. À la fin de sa vie, celle qui fut une scandaleuse Claudine connaît tous les honneurs et une gloire incontestée. Armée de son seul stylo, la fille de Sido semble prête à défier l'éternité.

fait exactement soixante-quatre jours qu'Henry est là-bas et qu'elle l'attend. Elle apprend à attendre. Elle croyait avoir appris, rue Jacob, quand elle guettait le retour tardif d'un Willy en goguette. Mais cela n'a rien à voir avec l'insupportable attente de ces premiers temps de guerre et cette insupportable question : Henry est-il encore vivant ? Le chalet de Passy se révèle alors un vrai refuge dont Colette fait l'éloge : « Aucune maison ne me conseilla si fidèlement l'attente. [...] Je dois beaucoup au chalet de Passy. [...]. Là, je travaillais, le besoin d'argent aux trousses ». Mais plus que le besoin d'argent, le besoin d'Henry. En décembre, elle n'y tient plus et part, clandestinement, rejoindre son époux. Elle n'est pas la seule de ces clandestines qui, bravant les interdictions, s'en vont au front retrouver leur mari, ou leur amant.

Comme l'infirmerie, l'escapade sur le front est à la mode. Ce n'est pourtant pas une partie de plaisir. Treize heures dans un train plongé dans une obscurité complète. À l'arrivée, consternation : un gendarme prétend faire reprendre le train à Colette et aux autres clandestines qui obtiennent un sursis de quatre jours que l'on réussira à prolonger davantage. Vaincue la maréchaussée, il ne reste plus qu'à dominer l'émotion des retrouvailles, avec un Sidi en militaire, aussi « joli qu'un pharmacien de première classe », et à rire du danger passé, en oubliant un peu le danger présent. Le front n'est qu'à dix kilomètres. Cette distance suffit à maintenir dans la ville l'illusion du calme et l'apparence de la normalité, bien que l'on puisse noter, dans les commerces, quelque changement. Le tapissier vend du beurre, le marchand de piano propose des sardines et le papetier des saucisses. À la guerre comme à la guerre !

Les Jouvenel logent chez les Lamarque, lui est « un sous-officier couleur de blé mûr », et sa jeune femme est « brune comme une châtaigne ». Colette a fait le voyage avec Mme Lamarque, ce qui a créé des liens, elle l'appelle par son prénom, Louise.

À Verdun, la baronne « mène une singulière existence » selon l'aveu qu'elle fait à Annie de Pène, une existence de recluse, avec, à la nuit tombée, une courte promenade hygiénique sur les bords de la Meuse. En échange des nouvelles du front, Annie envoie des truffes et de la dinde que les Jouvenel partagent fraternellement avec les Lamarque, à Noël. Ce n'est plus l'envers du music-hall, ou du journalisme, mais l'envers du front. C'est une aubaine pour les lecteurs du *Matin* qui, grâce aux articles, style « choses vues », que Colette envoie de Verdun, ont l'impression d'être aux premières loges d'une guerre qui dure plus longtemps que prévu.

Début janvier 1915, Colette est encore là, avec Sidi. Ils sont toujours très amoureux l'un de l'autre. Quand Sidi est de garde, Colette déplore d'être, pendant vingt-quatre heures, privée de son plaisir quotidien alors qu'elle l'a été pendant quatre mois... Entre deux étreintes, elle écrit ses chroniques comme ce *Jour de l'An en Argonne* dans laquelle elle raconte comment elle a distribué des jouets aux enfants qui se terrent dans des villages et des villes dévastés par les bombardements. Colette se souvient alors des paroles d'un Grec rencontré en août de l'année précédente, « Il n'y a pas d'état auquel on s'habitue aussi vite que l'état de guerre ». Et c'est vrai que la fille du Capitaine semble avoir toujours mené cette existence d'épouse d'un officier qui part au front le matin, comme on va au bureau, et en revient le soir, affamé, ardent...

Puis, c'est le retour à Paris où Colette retrouve son phalanstère et sa fille, gardée par l'incomparable Miss Draper qui, pendant toute la guerre, refusera le moindre salaire pour ne pas ajouter aux embarras financiers des Jouvenel. À dix-huit mois, Bel-Gazou a un vocabulaire militaire et sait dire boum, fusil, soldat. Elle sait aussi les premiers mots de *La Marseillaise* qu'elle chante ainsi : « À mon zafa de la patrie ». Henry et Colette peuvent être fiers de cette patriote en herbe.

Les Parisiens, comme l'avait prévu le Grec, s'habituent à l'état de guerre. Ils baissent le gaz, tendent les vitres de papier huilé et suivent strictement les ordres de ce que l'on nomme « la défense passive ». Les Parisiennes se déguisent en soldat de fantaisie, arborant d'élégantes capotes de drap gris-bleu, se parant d'un bonnet à galon.

Le café-concert rouvre timidement ses portes fermées depuis août 1914. On y chante surtout des chansons patriotiques. Colette raconte tout cela dans ses chroniques. Elle sait à merveille capter l'air du temps. En cela, elle suit obstinément l'enseignement de Sido, « regarde », et ne détourne jamais son regard. Elle devrait être considérée comme un modèle par les gens de la presse, comme une Notre-Dame du Journalisme.

Parce qu'elle est pleinement journaliste, comme elle a été pleinement mime, Colette veut être là où il se passe quelque chose, donc, au front. En mai 1915, elle repart rejoindre Sidi à Verdun. Le 14 mai, elle écrit à Annie de Pène, « Mon Annie personnelle, et chérie, m'y voilà encore une fois. C'est le harem. [...] J'y suis très bien. Je goûte le calme des gens qui ont atteint leur but dans l'existence ».

C'est le harem à Verdun. Avec pour sultan, la « Sultane » Sidi. Cloîtrée chez les Lamarque, Colette découvre qu'elle a un tempérament de femme de sérail. Elle ne s'en plaint pas, au contraire. Ses lettres à Annie tournent à l'éloge permanent de Sidi qu'elle qualifie de « maître-de-tout ». Et d'ajouter : « Sa présence me délivre du soin de penser, de prévoir, d'agir autrement que pour ranger la chambre ou m'arranger la figure. Le reste est en son pouvoir ».

Ni Henry Gauthier-Villars, ni Auguste Hériot, ni Missy de Belbeuf, pour ne citer que ces trois-là, n'ont éveillé en Colette une telle soumission engendrant une telle béatitude. Soumise, et heureuse de l'être, la Vagabonde s'est changée en odalisque. Elle a enfin trouvé son maître, « le maître-de-tout ».

En ce printemps 1915, à Verdun, le bonheur des Jouvenel serait parfait, n'était-ce la pénurie de beurre dont ils souffrent. Les lettres à Annie de Pène sont ponctuées par cet immuable refrain, « du beurre, vite, du beurre ». En temps de guerre, comme en temps de paix, la consommation de beurre chez les Jouvenel est effrayante, « Je voudrais vite vite vite un kilo et demi de beurre ». Ce beurre, acheté chez Potin, doit avoir des effets aphrodisiaques puisque, toujours dans les lettres à Annie, abondent les allusions égrillardes aux prouesses d'Henry, précédées par de curieux dialogues comme :

— Qu'est-ce que vous êtes ?

— Une chérie.

— Et quoi encore ?

— Une sorte de beauté etc., etc.

Il est bon de préciser que, dans ce dialogue, c'est la baronne qui pose les questions, et le baron qui y répond. On pourrait s'y tromper. Jeux de harem entre ces deux sultanes, pendant que, là-bas, à dix kilomètres, on fait la guerre, et pas l'amour... La fille du Capitaine sera certainement l'une des rares personnes en France pour qui le nom de Verdun n'évoquera pas seulement des exploits guerriers, mais aussi, des exploits amoureux !

Chapitre 30

Le printemps romain de Mme de Jouvenel (printemps 1917)

Comme chroniqueuse, Colette est de plus en plus appréciée au *Matin*, et cela, en l'absence même de son rédacteur en chef d'époux. Elle est alors plus journaliste que romancière et écrit article sur article, non seulement pour *Le Matin*, mais aussi pour *La Vie parisienne*, et autres revues. La chroniqueuse Colette ne cesse pas pour autant de faire du Colette, elle est inimitable, elle sait transformer l'article, genre éminemment périssable, destiné à envelopper les légumes ou pis encore, en un texte capable de supporter la pire des épreuves, celle du temps, et d'en sortir vainqueur.

Pendant ses saisons de music-hall, Colette qui se dit volontiers sédentaire a dû se résigner à jouer les nomades, bon gré mal gré. Le *Matin*, comme les tournées Baret, exige de ses collaborateurs le mouvement perpétuel. Colette ne cesse de courir d'un endroit à l'autre. À peine a-t-elle le temps de se rendre compte qu'elle est entrée dans sa quarante-deuxième année, qu'elle est envoyée, en juin 1915, en reportage en Italie où son père avait fait la guerre, et s'était comporté en héros. À Saint-Sauveur, il chantait volontiers des chansons italiennes et évoquait, pour faire enrager Sido, la beauté des Milanaises. Suivant l'exemple de son père, Colette ne peut qu'aimer l'Italie qu'elle découvre en juin, et où elle retourne en août. Entre-temps, en mai, l'Italie est entrée en guerre aux côtés des alliés contre l'Autriche et l'Allemagne. Passée la frontière, la baronne-chroniqueuse a « l'illusion de voyager dans un pays oublié par la guerre ». Tout respire la paix, et soudain, à une gare, elle entend « de frénétiques mandolines », c'est « le peuple des mandolinistes » qui s'en va au front, en chantant.

À Rome, Colette préfère les auberges du Trastevere au Colisée et autres monuments. Elle y dîne de poisson, d'artichauts frits et s'abreuve du vin des Castelli. Rome devenue brusquement hostile aux étrangers voit des Allemands partout. « Tedesca ? » demande-t-on à Colette qui répond immédiatement, « Francese », indignée qu'on puisse la prendre pour une « Boche ».

Le portier de l'hôtel Excelsior où elle est descendue est d'autant plus soupçonneux qu'elle a été devancée là par une autre baronne de Jouvenel. Il s'agit de la première femme d'Henry, Claire Boas, qui a gardé son titre de baronne, et s'occupe activement de politique. C'en est trop pour Colette qui abandonne l'Excelsior pour l'hôtel Regina où séjourne également Gabriele d'Annunzio. Avec l'auteur de *L'Enfant de volupté*, Colette est en pays connu, il est l'ami de Natalie Barney et a voulu être l'amant de Liane de Pougy qui a décliné l'offre. Colette qui ne veut pas passer pour plus facile que Liane repousse les assauts du condottiere, en brandissant, comme bouclier, la photo de Bel-Gazou. Elle est mère, elle est baronne, elle se dit vertueuse. Gabriele d'Annunzio s'incline et consent à n'être qu'un ami pour Colette qui vient ainsi de remporter sa première victoire en Italie. D'autres suivront. Elle fait la conquête de l'un des rois de Rome, le comte

Primoli qui l'entraîne dans des palais et des basiliques où elle s'ennuie.

Rome n'est que grandeur et Colette n'est pas faite pour cette grandeur-là. Elle quitte donc Rome pour Venise, point impressionnée par la cité des Doges. À cause de la guerre, les touristes ont disparu, et la baronne-chroniqueuse peut constater : « Je suis l'unique voyageuse, la voyageuse de Venise ». Elle découvre une Venise que l'on ne verra plus et qui, en prévision d'éventuels bombardements, dissimule ses statues sous des sacs de sable, « les chefs-d'œuvre de Saint-Marc emmaillotés, regrettent la lumière [...] et le fier Colleone s'abrite bizarrement sous un toit de chalet normand ».

Quand vient la nuit, une obscurité totale règne sur Venise qui s'enveloppe de ténèbres pour déjouer les attaques de l'ennemi. On ne s'éclaire plus qu'à la bougie, ou à la lueur d'un cigare. Colette erre comme une ombre et se demande si elle ne rêve pas, ombre parmi les ombres, « Peut-être que je rêve. Peut-être que rien de tout cela n'existe, sauf le parfum gelé du sorbet à la vanille ». Elle revient se coucher à l'hôtel et « commence avec résignation la première, la plus longue, la plus morne des nuits vénitiennes ». Henry, où es-tu ?

L'amour de Colette pour Henry, toujours au front, s'étend aux autres Jouvenel, à son beau-frère, Robert, à sa compagne, Zou, et surtout à Mamita qu'elle trouve « divine » et qui joue les grands-mères parfaites avec Bel-Gazou. Cette entente avec les Jouvenel constitue un démenti formel à Sido qui voyait en la famille « des amis que l'on n'avait pas choisis ». Colette n'est pas loin de considérer cette reposante paix familiale comme un don du ciel. Mais il est rare qu'un don du ciel soit immédiatement perçu comme tel.

Ainsi, quand, en janvier 1916, Colette engage à son service une fille de quatorze ans, Pauline Vérine, elle ne sait pas qu'elle reçoit, pour son quarante-troisième anniversaire, un véritable don du ciel qui va durer jusqu'à son dernier jour. Elle vient d'engager en Pauline Vérine, future Pauline Tissandier, la fidélité et l'efficacité. C'est une petite paysanne des environs de Brive. Avant d'entrer au service de Mme la baronne Henry de Jouvenel des Ursins, « la silencieuse, la secrète, la mystérieuse Pauline » a consulté une voyante qui lui a prédit : « Vous entrerez au service d'une femme qui n'est pas comme les autres et qui rendra votre prénom célèbre dans le monde entier ». Cette prédiction, qui m'a été rapportée par Pauline elle-même, s'est révélée strictement exacte. La « Pauline de Colette » comme « la Céleste de Proust » est connue dans les milieux littéraires du monde entier.

Si, en ce commencement de 1916, la vie de Colette traverse une accalmie, il n'en est pas de même sur le front où la guerre fait rage autour de Douaumont pris, perdu, repris, perdu encore, au prix de milliers de victimes. La paix a déserté les hommes et ne règne plus que chez les bêtes qui, elles, ne tuent qu'à bon escient, pour se nourrir, et non pour atteindre à l'anéantissement total de leurs adversaires.

La Paix chez les bêtes, tel est justement le titre d'un recueil de ces textes que Colette a publiés principalement dans *Le Matin* et qui paraît chez Crès en avril 1916. Dans un avertissement solennel qui débute par « À l'heure où l'homme déchire l'homme », l'auteur compare son livre à un enclos voué à la paix et où l'on retrouve Lola, Manette, Cora, Nonoche et autres héroïnes, canines ou félines, que l'on avait déjà croisées dans *Les Vrilles de la vigne* ou *L'Envers du music-hall*. La réputation de Colette, peintre animalier, doit beaucoup à ce livre.

En septembre, envoyée par *La Vie parisienne*, Colette se rend sur les bords du lac de Côme, à Cernobbio. Elle y serait heureuse si Henry était là. « On ne me rend pas Sidi ! Je suis très malheureuse » se plaint-elle à Annie de Pène. Sidi finit par obtenir une permission et rejoint son épouse qui exulte. Tous deux vivent une seconde lune de miel, « Tout est si facile avec ce grand diable de Sidi, si optimiste et si jeune ».

Le 24 octobre, Colette annonce à Annie son retour à Paris, en compagnie de Sidi, « si mignon », qui est momentanément arraché aux horreurs du front pour participer, sur intervention d'Anatole de Monzie, comme délégué de la France à la conférence de l'Entente. Celle-ci rassemble les États des Balkans favorables aux Alliés et se tient à Rome, en décembre 1916. C'est au tour de Colette de rejoindre son époux, et de se demander si elle ne va pas connaître un destin romain...

À Rome, dans les bras du baron, la baronne se remet un peu des émotions qu'elle vient d'éprouver à Paris, en novembre, quand le chalet de Passy, à bout de souffle, s'est écroulé, un jour de pluie. Colette qui était en train de changer de vêtements dans la salle de bains se dit : « La curieuse illusion d'optique. On jurerait que cette grosse pluie d'argent traverse obliquement la salle de bains ». Hélas, ce n'est pas une illusion d'optique et la pluie traverse bien la salle de bains puisqu'un angle du chalet est tombé dans le jardin. Il a fallu déménager, une fois de plus et sans tarder, pour échouer au 62 boulevard Suchet dans un petit hôtel particulier que les Jouvenel achètent, en raclant les fonds de tiroir et en empruntant, à l'actrice Ève Lavallière.

À Rome, quand elle quitte les bras de Sidi, Colette travaille à rassembler ses chroniques de guerre pour en former un recueil, *Les Heures longues*. Elle s'essaie aussi à une tâche dont la nouveauté l'excite : elle écrit le scénario d'un film tiré de *La Vagabonde* avec, dans le rôle de Renée Néré, Musidora.

L'Italie, à son tour, connaît les restrictions que rapporte Colette, « quinze grammes de sucre par jour, une noisette de beurre, le pain mesuré en tranches minces ». Cette obsession du beurre, et celle plus discrète de l'ail auquel elle a converti le baron, ne quitte pas la baronne dans les plus heureux moments de sa vie comme dans les plus sombres.

Elle accepte de dire trois de ses *Dialogues de bêtes* à l'ambassade d'Angleterre parce que... le beurre y est « fait à la maison » et qu'elle peut enfin s'en rassasier !

Le printemps romain éclate avec des splendeurs que Colette renonce à décrire, occupée qu'elle est par le tournage de *La Vagabonde.* Elle s'en échappe parfois pour errer dans le Palatin. « J'ai un refuge, c'est le Palatin. Pendant la semaine, on n'y rencontre pas une âme. Et le printemps y est sauvage. J'y cueille en sécurité des narcisses blancs dans les prés » confie-t-elle à Léon Hamel qui, le 20 avril, meurt à Paris. Comme d'habitude, Colette cache sa peine et abandonne le Palatin pour se réfugier dans l'écriture, la composition de son prochain roman, *Mitsou ou comment l'esprit vient aux filles.* En mai 1917, se termine le printemps romain de Mme de Jouvenel qui quitte Rome, avec, sous le bras, les premiers chapitres de *Mitsou.*

Chapitre 31

« Nous sommes de pauvres animaux » (automne 1918)

Colette n'a pas de chance avec ses époux : c'est toujours elle qui fait « bouillir la marmite », ou qui participe grandement aux frais du ménage. Le petit hôtel particulier d'Auteuil demande des aménagements indispensables, même si Colette, dureté des temps oblige, se résigne à supporter la chambre à coucher d'Ève Lavallière, avec ses murs sinistres, recouverts de batik ocre et noir. Le château de Castel-Novel, comme tous les châteaux, a toujours besoin d'immédiates, et incessantes, réparations. Le baron est trop grand seigneur, trop occupé par la guerre, pour s'abaisser à de telles préoccupations qu'il abandonne à la baronne experte à diriger, et même à dompter, les corps de métier.

Anatole de Monzie, qui est secrétaire d'État à la Marine marchande, estime qu'Henry de Jouvenel est plus utile à l'arrière qu'au front et en fait son chef de cabinet. La sultane a son sultan à domicile et n'a plus besoin de courir à Verdun. Mais la politique est aussi exigeante que la guerre. Henry passe plus de temps à son ministère qu'à l'hôtel d'Auteuil où Colette ne reste pas inactive et compte sur sa prose pour payer les fournisseurs. Elle continue *Mitsou* qui doit paraître en feuilleton dans *La Vie parisienne*, multiplie les articles dans *Le Matin*, *L'Éclair*, *L'Excelsior*, et même *Le Film* où elle est la première à faire paraître des critiques cinématographiques.

Pour soutenir un tel rythme, une cure de Castel-Novel s'impose et Colette, toujours avec le manuscrit de *Mitsou* sous le bras, part y retrouver, en juillet 1917, sa fille, Miss Draper, des roses et des rossignols à foison, tout ce qui constitue son paradis limousin. Elle supplie Annie de Pène de l'y rejoindre, « Il faut venir. Cet endroit, cette année, est fait pour nous. Personne, – mille bêtes – une nourriture aussi simple qu'alliacée, un beau pays, du silence. J'ai mangé six gousses d'ail à dîner, deux oignons à déjeuner ».

C'est à se demander si l'haleine de Colette n'est pas pour quelque chose dans la faillite de ses deux premiers mariages... Aux orgies d'ail s'ajoutent des débauches de beurre, « un beurre digne des meilleurs de votre pays ». Annie la Normande doit bondir en lisant cet éloge du beurre limousin. Mais elle ne bondit pas jusqu'à Castel-Novel où Colette se console de son absence, et de celle d'Henry retenu à Paris par Monzie, en engloutissant des meringues au cognac fourrées de crème préparées par Miss Draper qui se révèle aussi bonne gouvernante que bonne cuisinière, et qui trouve en Pauline Vérine une disciple attentive et douée. Colette grossit et n'en a cure. La mode est encore aux femmes qui ont de belles épaules, de beaux seins et de belles fesses. Le style « planche à pain » imposé par les garçonnes n'a pas encore exercé ses ravages.

Colette goûte à tout et se gave de tout. Elle rêve, et en rêvera sa vie durant, de s'établir fermière, « Annie, venez, on s'établit fermière ici, on vit épatamment, et tous les deux mois dix jours de bombe à Paris ». Projet sans suite...

De temps en temps, Sidi s'échappe et vient passer

quelques jours à Castel-Novel. C'est la fête. Le baron et la baronne s'unissent dans leur admiration mutuelle pour la fille qu'ils ont engendrée, « Colette II enchante son père qui a partout cette petite ombre dansante sur ses pas ». À la campagne, Bel-Gazou a pris des façons tellement viriles que Colette I en plaisante et parle de « mon garçon de fille ».

À l'automne, Colette doit s'arracher aux délices de Castel-Novel pour revenir à Paris où elle perd, dans le métro, la moitié du manuscrit de *Mitsou*. Elle en tombe malade pendant une nuit, et se remet vaillamment au travail, le lendemain, reconstituant de mémoire ce qu'elle avait déjà écrit et ne souhaitant à personne, même pas à ses pires ennemis, ce treizième travail d'Hercule !

Après cette perte, la série noire continue et c'est au tour d'Henry de perdre son poste de chef de cabinet auprès de Monzie dont le ministère est tombé. Jouvenel reprend le chemin du front, fin novembre 1917. Les heures longues recommencent pour Colette qui, justement, ironie du sort, publie *Les Heures longues* qui, comme *La Paix chez les bêtes*, rassemble des chroniques de guerre, des impressions d'Italie qui lui valent les compliments de Marcel Proust, un portrait de son père en zouave, et un autre de Bel-Gazou en « petit tâcheron rubicond ».

En 1918, les heures se font très longues pour Colette qui, dans l'hôtel d'Auteuil comme dans le chalet de Passy, attend désespérément des nouvelles d'Henry. Est-il mort ? Est-il vivant ? Est-il prisonnier ? L'issue de la guerre est incertaine, on se bat, et des deux côtés, avec l'énergie du désespoir, le courrier est censuré et se perd souvent. Face à l'absence et au silence, involontaires, d'Henry, la Pénélope du boulevard Suchet constate tristement : « Nous sommes de pauvres animaux ».

Soudain, c'est la bonne nouvelle, Jouvenel s'est conduit en héros et a été cité à l'ordre du jour. Colette lit et relit le communiqué officiel qui fait l'éloge de son époux, « officier courageux, dévoué et d'un sang-froid remarquable. S'est particulièrement distingué le 11 juin 1918 en se portant seul, sous le feu, à la rencontre d'une patrouille ennemie que l'on supposait vouloir se rendre, donnant à tous l'exemple du plus profond mépris du danger ».

Pendant l'automne 1918, Colette remplace l'amour par l'amitié. Elle retourne souvent au 20 rue Jacob où Natalie Barney tient un salon résolument pacifiste et noue avec Francis Carco une agréable camaraderie. Elle est attirée par son côté « mauvais garçon », charmée par ses romans où jeunes gens et jeunes filles monnayent leurs spécialités diverses dans un Montmartre nocturne et pluvieux.

Le 14 octobre, Annie de Pène meurt, victime d'une épidémie de grippe espagnole qui cause alors d'importants ravages. Colette ressent cruellement cette perte qu'elle annonce ainsi à Georges Wague, « Annie de Pène va bien me manquer, et quelle mort imbécile ! Elle oubliait de déjeuner ou de dîner, ou bien sautait un repas pour ne pas engraisser, et la grippe l'a saisie dehors, sans défense, c'est-à-dire l'estomac vide ».

Bien qu'elle sache Annie irremplaçable, Colette reporte son affection sur la fille d'Annie, Germaine Beaumont, qu'elle entraîne au restaurant, pour un festin de deuil. Manger, manger, est la seule façon qu'ont les pauvres humains d'oublier la mort, et de conjurer le mauvais sort. Colette ne peut que répéter à Germaine : « Nous sommes de pauvres animaux ».

Un mois plus tard, le 11 novembre 1918, c'est l'armistice, la fin de la guerre, « la der des der » comme disent les combattants épuisés et qui croient fermement que c'est la dernière guerre et que l'on ne reverra plus jamais de tels massacres, ni de telles horreurs. Henry revient, chargé de gloire, et Colette assume pleinement le repos de son guerrier.

Chapitre 32

L'avènement de Chéri (1920)

La Grande Guerre se termine, quatre ans de cauchemar absolu prennent fin. Au sinistre tocsin du 2 août 1914 succèdent les allègres carillons du 11 novembre 1918. Paris, et la France entière, sont en liesse. Unis en un même sentiment de victoire, on se laisse aller à une complète euphorie, on succombe à toutes les tentations.

C'est probablement au retour de la Grande Guerre qu'Henry prend pour maîtresse principale Germaine Patat, couturière renommée, et très, très mince. Colette dont la minceur n'est plus qu'un souvenir, l'apprend, l'admet, et fidèle à sa conduite de sultane qui consent à la coexistence avec d'autres favorites, devient l'amie de Germaine. Ni Colette, ni Germaine ne peuvent empêcher qu'Henry plaise, et succombe à d'autres passades. Ces nombreuses conquêtes sont sensibles à ces suaves moustaches brunes, à ces larges épaules qui feront dire à Marthe Bibesco, « Je touche vos larges épaules », et à d'autres charmes puissants qui inspirent à la cousine de Marthe, Anna de Noailles, cette flatteuse réflexion :

« C'est un beau mâle ». À ces attraits purement physiques, s'en ajoutent d'autres, plus intellectuels, le souvenir de ses récents exploits guerriers, le pouvoir qu'il vient de retrouver en reprenant son poste de rédacteur en chef du *Matin.*

Claire Boas et Isabelle de Comminges constatent à quel point la guerre n'a pas changé leur Henry et se réjouissent des infortunes de Colette qui découvre, à son tour, combien son époux peut être volage, et avide de nouveauté. Natalie Barney évoque la « dévorante sensualité » de Sidi.

Venue en fin d'après-midi au *Matin,* Natalie assiste à une brève passe d'armes entre les deux époux. « Je te prie de ne pas m'attendre à dîner ce soir » dit Henry à Colette, qui, interloquée, demande s'il rentrera tôt après ce dîner. « Non, je crains que cela ne soit tard. Ne m'attends surtout pas » répond Henry d'un ton dont Natalie dénonce la suffisance. Mais le coup a porté et Colette ne cache pas à son amie qu'elle est blessée par tant de désinvolture.

Sagement, comme au temps des infidélités de Willy, Colette essaie d'oublier les infidélités de Jouvenel en cherchant refuge derrière le fragile rempart formé par l'encrier, la lampe, et la feuille de papier bleu. En décembre 1918, elle publie *Dans la foule,* un nouveau recueil d'articles, qui, contrairement aux deux précédents, *Les Heures longues* et *La Paix chez les bêtes* ne contient que des articles composés avant le cataclysme. On pourrait considérer *Dans la foule* comme son bilan (momentané) de la Belle Époque qui s'y trouve exactement reflétée avec ses orateurs comme Aristide Briand ou Louis Barthou, son prophète, Jean Jaurès, et ses revues du 14 juillet considérées comme un spectacle aussi chatoyant que celui offert par les Ballets russes. On y admirait « l'impeccable chorégraphie » des saint-cyriens, « la foudre brève et rose des canons », sans penser un seul instant que cette féerie martiale se changerait en apocalypse. Cette inconscience qui caractérise les peuples heureux ressuscite dans ces pages qui font mesurer à leur lecteur de 1919 combien, en quatre années, le monde a changé.

Avec *Mitsou* qui paraît en février 1919, Colette met en scène de récentes amours de guerre, entre Mitsou, première vedette à l'Empyrée-Montmartre, et le Lieutenant bleu, en permission à Paris. Ce roman vaut à Colette les nouvelles louanges de Marcel Proust qui met au-dessus de tout les deux lettres finales que Mitsou adresse à son lieutenant. Sans vouloir amoindrir les mérites d'un tel hommage, on peut présumer que la minutieuse description du lieutenant nu, endormi dans les bras de Mitsou, n'a pas été étrangère à l'enthousiasme de Proust...

Les compliments de Marcel Proust, « un Maître tel que vous », « ma respectueuse admiration », ajoutés aux louanges de la critique, rassurent Colette : la journaliste qu'elle a été pendant ces quatre années de guerre n'a pas tué en elle la romancière ! Elle se sent mûre pour écrire cette œuvre qu'elle porte en elle depuis quelque temps, et dont elle ne sait pas encore quel prénom aura son héros, s'appellera-t-il Clouk ou Chéri ? Dès 1911, Clouk avait été l'un des héros de ses contes du *Matin*, et un an après, en 1912, Chéri était aussi apparu dans ces contes. Puis ces deux jeunes gens qui avaient en commun d'avoir des maîtresses assez mûres, des cocottes sur le retour, coutume fréquente à l'époque, avaient regagné les limbes de l'imaginaire de l'auteur et n'attendaient que le moment de renaître, et définitivement cette fois.

Au commencement de l'été 1919, Colette pense faire de Chéri, car elle a choisi de l'appeler Chéri plutôt que Clouk, une pièce de théâtre. Elle est détournée de son projet par une promotion : elle obtient la direction littéraire du *Matin* et celle de la rubrique « Contes des mille et un matins » dont elle n'était que l'éminente collaboratrice. Comme Mme de Staël estimait que la gloire est le deuil éclatant du bonheur, Mme de Jouvenel peut penser que la promotion est le deuil du bonheur conjugal. Henry et

Colette mènent des vies de plus en plus séparées. La rumeur de leur mésentente se propage dans Paris et Liane de Pougy mêle sa voix à ce concert de médisances, « On chuchote qu'elle n'est pas très heureuse, trompée, repoussée, mal traitée ». Liane exagère. Si Colette est trompée, elle n'est pas mal traitée. Elle est seulement moins bien traitée qu'avant... Il n'y a pas de quoi en faire un drame. Un bon repas peut remplacer une bonne étreinte. Colette multiplie les agapes et grossit inexorablement. Comme on connaît sa faiblesse pour les chocolats de marque, faiblesse héritée de Sido, son bureau du *Matin* est encombré de boîtes où elle puise énergiquement, inlassablement. Le chocolat console de tout. Et l'amitié peut aider à supporter la dégradation de l'amour. En 1919, Colette engrange deux nouvelles amitiés qui vont compter dans sa vie : celle de Léopold Marchand et celle d'Hélène Picard.

Léo a la trentaine, et une taille au-dessus de la moyenne. C'est un géant que Colette compare à un « jeune éléphant rose ». Il sera aussi « mon fils chéri, mon méchant Léo, mon geyser de prédilection ». Il débute alors au théâtre comme auteur, il écrira une quarantaine de pièces. Cela n'empêche pas Colette de demander à Léo, et d'obtenir, des contes pour *Le Matin*.

Hélène Picard est née le 1er octobre 1873 à Toulouse. C'est l'exacte contemporaine de Colette qu'elle fascine puisqu'elle est poète, « sa poésie profitait de tout, ennoblissait tout ». Elle a abandonné son mari et sa province pour venir vivre à Paris en 1915, « Chasteté, fierté, pauvreté, elle vécut sur ces trois sommets ». Elle n'existe que pour écrire des alexandrins, faire des confitures et idolâtrer Colette. Elle éprouvera pour l'un de leurs amis communs, Francis Carco, un amour fou qui lui inspirera *Pour un mauvais garçon* dont Colette savait des strophes par cœur.

Colette ne tarde pas à engager Hélène Picard pour être sa secrétaire (appointée) au *Matin* alors que

Germaine Beaumont est sa secrétaire (bénévole). Germaine tient au *Matin* une rubrique qu'elle signe sous le pseudonyme de Rosine. Entre Hélène et Germaine, c'est la guerre ouverte pour se partager les faveurs de Colette que cette rivalité amuse, ou fâche, selon son humeur. Ainsi pour compenser les infidélités de son époux, Colette s'entoure d'amis très fidèles. On peut même dire que Léopold Marchand, Hélène Picard, Germaine Beaumont sont plus que des amis : ce sont des dévots inconditionnels de Colette.

Ayant assumé ses nouvelles fonctions au *Matin* et assuré le bon fonctionnement des services qu'elle dirige, Colette peut enfin se consacrer à *Chéri* qu'elle commence à Rozven, comme un devoir de vacances. « Pour moi, les vacances, c'est changer de lieu de travail » se plaît-elle à répéter. D'août à la mi-septembre, elle travaille à *Chéri*, distraite dans sa tâche par les arrivées simultanées de Bel-Gazou et de Miss Draper, de Germaine Beaumont et de Meg Villars. Meg est rentrée en grâce puisque sa mésentente avec Willy est complète. Leur divorce est prononcé en décembre 1920.

Colette est aussi distraite de *Chéri*, et encore plus heureusement, par les apparitions d'Henry de Jouvenel qui se plaît à venir jouer les époux, et les pères modèles, le temps d'une fin de semaine.

Stoïquement, rageusement parfois, Colette tourne le dos au paradis de Rozven pour se remettre à *Chéri* qu'elle promet à Charles Saglio parce qu'il s'engage à payer ce roman mieux qu'il ne l'a fait pour les textes qu'il a déjà publiés dans *La Vie parisienne*. Sensible à cet argument financier, et toujours à court d'argent, elle ôte tout souci monétaire à ses deux personnages principaux, Alfred Peloux, dit Chéri, et Léa de Lonval qui ont chacun ce que Colette a toujours rêvé d'avoir et n'aura jamais : de solides rentes. Elle donne à Léa le collier de perles qu'elle n'a plus, et l'âge qu'elle n'a pas encore. Léa avoue quarante-neuf ans, Colette n'en a que quarante-six quand elle écrit la première réplique du roman, « Léa ! Donne-le-moi ton collier de perles ! »

En Léa de Lonval, Colette de Jouvenel se plaît à peindre la courtisane qu'elle aurait pu être si elle avait été moins monogame, moins indépendante. Léa, comme Colette, aime « la cuisine réfléchie », le beau linge, le bleu, et possède un hôtel particulier. Chéri est riche comme Auguste Hériot et beau comme Georges Ghika. Comme Auguste, il tient ses comptes et vit dans la crainte d'être volé par son chauffeur. Et comme Georges, il aime se promener nu dans sa chambre.

Pour voir le jour, Chéri doit lutter contre les sortilèges bretons, les bienfaits de la sieste, les fous rires avec Germaine et Meg, les promenades avec Bel-Gazou, les baignades avec Sidi. Mais *Chéri* qui, depuis huit ans, attend de naître est impatient d'éclore et paraît en feuilleton, du 3 janvier au 5 juin 1920 dans *La Vie parisienne*, et en volume, chez Fayard, le 2 juillet [1]. « Pour la première fois de ma vie, je me sentais intimement sûre d'avoir écrit un roman dont je n'aurais ni à rougir, ni à douter » avoue son auteur. Cet assentiment est rare chez Colette qui rejette toujours, et presque avec dégoût, ce qu'elle vient d'écrire. Elle obtient aussi « un succès de lecture » auprès de Sidi, et auprès des critiques qui ne tarissent pas d'éloges.

Dans *Le Figaro*, Henri de Régnier célèbre l'art « admirable » et le réalisme « supérieur » de l'auteur, Benjamin Crémieux dans *La Nouvelle Revue française* « sa riche perfection », et André Germain dans *Les Écrits nouveaux* sa « phrase heureuse ». Dans le concert de louanges qui accompagne l'avènement de *Chéri*, deux notes discordantes. La première, celle de Jean de Pierrefeu qui, bien qu'il reconnaisse, dans le *Journal des débats*, que « Nul n'a plus de génie que

1. Ces dates suffisent à détruire la légende qui fait de Bertrand de Jouvenel Chéri. *Chéri* est déjà écrit, quand, à la fin de mars 1920, Colette se voit confier par Claire Boas Bertrand, pour les vacances à Castel-Novel.

Colette » ajoute aussitôt, « elle a trop de génie, n'est-ce pas, pour continuer à l'encanailler ». Et de déplorer la « chaude odeur d'étable humaine » qui se dégage de ce livre. La seconde, celle de Liane de Pougy qui croit se reconnaître en Léa, et reconnaître son époux, Georges Ghika, et certaines de ses manies, en Chéri, trouve ce roman « exécrable » et indigne du talent de son auteur. Mais ni Pierrefeu, ni Pougy ne peuvent empêcher *Chéri* de triompher et d'accéder au statut d'amant universel comme Roméo ou don José.

Chaque jour apporte à Colette des lettres en forme de compliments signés par ses pairs. Marcel Proust trouve *Chéri* « génial », André Gide « dévore » *Chéri*, Anna de Noailles lit et relit *Chéri*, « ce livre inouï » et se dit éblouie par « ce poète perpétuel » qu'est son auteur.

Seule ombre à cet éclatant tableau : Charles Saglio qui avait promis une augmentation à Colette se contente de régler le prix habituel : 2 500 francs. Furieuse d'avoir été dupée, Colette se brouille avec Saglio. Ah, que n'a-t-elle des rentes comme Chéri et Léa !

Chapitre 33

Détournement de mineur (été 1920)

En août 1920, Colette peut enfin se reposer sur ses lauriers, à Rozven. Elle est l'auteur d'un roman, *Chéri*, dont tout le monde parle et que tout le monde, ou presque, a lu. Elle est l'un des piliers du *Matin*. Elle est la baronne Henry de Jouvenel des Ursins dont les déjeuners et les dîners, boulevard Suchet, sont recherchés. La terre entière y défile, d'après Claude Chauvière, qui, en cette année 1920, est présentée à la maîtresse des lieux par leur ami commun, Anatole de Monzie. Cette jeune intellectuelle blonde, un peu exaltée [1], devient l'une des fidèles et des intimes du boulevard Suchet.

Claude ne cache pas qu'elle veut mettre à profit cette fidélité et cette intimité pour écrire un livre sur Colette, avec la bénédiction de l'intéressée. Ce *Colette* par Claude Chauvière paraîtra en 1931 chez Firmin-Didot dans la collection « Visages contemporains ».

Au 69 boulevard Suchet, Claude Chauvière voit

1. Elle se convertira plus tard, et Colette sera sa marraine.

défiler « des Japonais, des Américains, des Grecs, quémandeurs d'autographes, des managers, des auteurs, des peintres, des musiciens, des types tarés et des types très bien ». On voit que la baronne aime les mélanges et qu'elle reçoit aussi bien Louis Aragon que Pierre Benoit. Claude Chauvière ne précise pas si c'est en même temps.

Le baron est flatté de voir que sa maison est l'une des premières de Paris. S'il est notoirement infidèle, il n'en revient pas moins, comme le pigeon de la fable de La Fontaine, roucouler avec sa légitime pigeonne. Ses brefs retours de flamme donnent à Colette l'illusion qu'elle est revenue au beau temps de Verdun. Mais Henry n'est plus « le maître de tout ». Il est pris par la politique comme elle est prise par sa renommée qui ne cesse de croître.

Colette est en train de devenir un monument, s'en rend compte, et fait tout pour rester une femme avec des bras pour étreindre et des jambes pour courir. C'est à Rozven que l'idole peut descendre de son piédestal, se rouler dans le sable, ou se faire rouler par les vagues.

À Rozven, Colette est une autre femme, possédée par les démons de la mer et du jardin. Elle se baigne et jardine inlassablement. Elle n'arrête de plonger, ou de sarcler, que pour coudre des chemises de nuit avec Germaine Beaumont, couper les cheveux d'Hélène Picard, écumer les antiquaires du coin, croquer quelques gousses d'ail, donner des ordres à l'indispensable Miss Draper et noter que la ressemblance de Bel-Gazou avec Sidi s'accentue d'année en année. Toute la tribu Jouvenel est là, Henry et ses deux fils, Bertrand et Renaud, et Robert, le frère d'Henry, est là aussi.

Quand sa tribu est au complet, Colette rayonne et, de son propre aveu, « pète » dans sa peau. Elle pèse 80 kilos, ce qui est beaucoup pour sa taille : elle mesure 1 mètre 63. Elle se moque de ses rondeurs qu'elle n'hésite pas à exhiber dans un maillot noir troué, « Je n'ai que des trous pour draper ma nudité exubérante. J'ai l'air d'un gruyère en deuil ». Sa joie de vivre éclate dans chacune des lettres qu'elle adresse à ses amis, « Tous mes enfants sont ici, avec leur père. Ils sont bien gentils tous, et Bertrand s'est mis à nager tout seul, d'instinct ».

Bertrand n'est pourtant pas un instinctif. C'est un cérébral qui a reçu une éducation très stricte et qui est un peu « coincé », comme on dirait aujourd'hui. Né le 31 octobre 1903, il va donc, en cet été 1920, sur ses dix-sept ans. Il est partagé entre l'admiration qu'il porte à son père et celle qu'il a pour sa belle-mère, laquelle vient de lui faire cadeau d'un exemplaire de *Chéri*, ainsi dédicacé, « à mon fils *Chéri* ». Il est très grand, très mince, très blond. Il a l'air de ces viriles Anglaises que l'on voit errer dans le salon de Natalie Barney et que peint son amie Romaine Brooks. C'est un fruit vert, un jeune Adam qui n'a connu aucune Ève.

Dans ce Rozven de fin août, déserté par Henry, Robert et les autres, Colette, Germaine et Hélène s'ennuient un peu et décident de se distraire aux dépens du trop sérieux Bertrand qui a besoin d'être « dégourdi ». Poussées par Colette, Germaine et Hélène essaient, l'une après l'autre, et vainement, de jouer les initiatrices. Elles font part de leur échec à Colette qui en conclut : « Eh bien, vous n'y entendez rien, il va falloir que je m'en occupe [1]. » Elle réussit au-delà de ses espérances, et Bertrand, conquis, ébloui, ne tarde pas à la suivre « caninement ». Cette liaison entre un garçon de dix-sept ans et une femme de quarante-sept ans serait inexplicable si l'on ne songeait à cette phrase de *Mes apprentissages* que Colette a écrite en songeant à Willy, « Elles sont nombreuses les filles à peine nubiles qui rêvent d'être le jouet, le chef-d'œuvre libertin d'un homme d'âge mûr ». Il suffit de mettre cette phrase au masculin pour que s'éclaire la soudaine passion de Bertrand pour Colette, « Ils sont nombreux les garçons à peine nubiles qui rêvent d'être le jouet, le chef-d'œuvre

1. Propos rapportés par Germaine Beaumont à l'auteur.

libertin d'une femme d'âge mûr ». Colette vient de se comporter avec Bertrand comme Willy s'était comporté avec elle. Bertrand doit à Colette la foudroyante découverte de « ces plaisirs que l'on nomme, à la légère, physiques ».

Victoire de Colette sur cette maladroite Germaine et cette malhabile Hélène. Victoire surtout sur Henry qui la délaisse de plus en plus. Colette se prouve ainsi qu'elle est toujours désirable, et qu'elle peut encore séduire un jeune homme, même si c'est son propre beau-fils.

La Phèdre de Rozven n'éprouve aucun de ces tourments qui accablent la Phèdre de Trézène [1]. Pas de tourments, ni de craintes non plus. Colette est assurée de la complicité aveugle et de la discrétion absolue de ses deux suivantes, Germaine et Hélène. Elle est persuadée de sa complète impunité. Elle n'ignore pourtant pas qu'elle a purement et simplement détourné un mineur puisque la majorité était alors fixée à vingt et un ans. Pour un pareil délit, on se retrouvait en prison. L'auteur de *Chéri*, la baronne Henry de Jouvenel des Ursins, le pilier du *Matin*, en prison ? Impensable ! Impossible !

Après cette mémorable conquête qui mériterait de figurer dans les annales galantes de notre siècle, le 25 septembre 1920, Colette accède à la dignité de chevalier de la Légion d'honneur. Cette distinction, c'est le sacre de Colette, le triomphe de la Phèdre bretonne. Bertrand se garde bien de dire comme l'Hippolyte de Racine :

> Dieux qui la connaissez
> Est-ce donc sa vertu que vous récompensez ?

Bertrand se contente de féliciter sa belle-mère qui reçoit quelque quatre cents lettres de félicitations que Renaud range et recense, ébloui. Renaud, le demi-frère de Bertrand et de Bel-Gazou, a douze ans

1. « La scène est à Trézène, ville du Péloponnèse » précise Racine, après avoir établi la distribution des personnages qui composent sa *Phèdre*.

et suit volontiers les conseils que lui donne Colette, « Ne montre pas tes défaillances – du moins à d'autres qu'à moi ».

Début octobre, à Castel-Novel, Henry, Bertrand, Renaud, et Bel-Gazou réservent au chevalier de la Légion d'honneur une fête familiale, « Sidi et ses trois rejetons organisent un défilé à Castel-Novel, en réquisitionnant toutes les armures à revenants de la maison, les trois gosses m'ont fait la blague d'enrubanner de rouge tous les ustensiles dont je me sers ».

La tribu Jouvenel aime, parfois, faire partager des plaisirs innocents à Colette que son ruban rouge enchante enfantinement.

Chapitre 34

Une « grosse tritonne » (1921-1922)

Après avoir été mise en vedette pour sa Légion d'honneur que Napoléon avait créée pour récompenser les services rendus à la patrie, et non pour couronner les exploits d'une belle-mère habile à déniaiser son beau-fils, Colette, femme du jour, cède la place à Henry qui, à son tour, devient l'homme du jour quand, le 4 novembre 1920, dans un retentissant article publié dans *Le Matin*, il réclame, et obtient, que le Soldat inconnu soit enterré, non au Panthéon comme prévu, mais sous l'Arc de triomphe.

Puis Colette reprend la vedette en publiant *La Chambre éclairée.* Après l'effort fourni pour la création de *Chéri*, Colette s'est contentée, selon son habitude, de réunir, dans cet ouvrage, des textes parus dans divers journaux. Plusieurs de ces textes sont consacrés à Bel-Gazou et reflètent l'amour que Colette porte alors à sa fille, détruisant ainsi la légende d'une enfant mal aimée, rejetée.

Bel-Gazou, comme la plupart des filles de son temps et de son milieu, est élevée par une nurse,

« Nursie-Dear » et sera, plus tard, mise en pension. Rien d'anormal à cela. Si Bel-Gazou a douté de l'amour de sa mère, le texte qui ouvre ce recueil et lui donne son titre est là pour la rassurer : « Mon dernier trésor de lumière : la voix, les rires de Bel-Gazou ». Ce « trésor de lumière » semble rejoindre le « soleil en or » de Sido...

En cette fin d'année 1920, le couple parisien le plus en vue est certainement celui formé par le baron et la baronne Henry de Jouvenel des Ursins. Colette s'efforce, tant bien que mal, de seconder les ambitions politiques de son mari en organisant des déjeuners de soixante couverts et en participant à des banquets. Campagne qui porte ses fruits puisque le 9 janvier 1921, Henry est élu sénateur de la Corrèze où il représente le groupe de la Gauche démocratique.

Ces mondanités électorales n'empêchent pas Colette de commencer à écrire *La Maison de Claudine* et de travailler à l'adaptation théâtrale de *Chéri* à laquelle collabore Léo Marchand et qu'elle termine en juin à Castel-Novel, « La pièce est finie. J'ai lu hier soir à Sidi le 3e acte, et je dois reconnaître qu'il a été fort ému. C'est un succès de lecture. »

Le 13 décembre 1921, à Paris, au théâtre Michel, création de *Chéri* avec Pierre de Guingand dans le rôle-titre et Jeanne Rolly dans le rôle de Léa. Succès éclatant. À la générale, le Tout-Paris remarque que ce n'est pas Henry de Jouvenel qui accompagne Colette, mais le grand fils d'Henry et de Claire Boas, Bertrand. En août de cette même année, à Rozven, Colette écrivait à Moreno : « Il y a aussi Bertrand de Jouvenel, que sa mère m'a confié pour son hygiène et son malheur. Je le frictionne, le gave, le frotte au sable, le brunis au soleil ». Il semble que Bertrand ne perde plus une occasion d'être aux côtés de Colette, tandis que « Sidi plane sur le groupe avec une sérénité mahométane ».

C'est également avec Bertrand que Colette termine l'année 1921 et commence l'année 1922 à Castel-Novel. Sidi qui continue à planer, téléphone régulièrement à sa femme et à son fils qui, à son grand contentement, s'entendent à merveille. « C'est un bon compagnon, et la plupart du temps, d'une intelligence qui ravit » assure Colette à Henry comme à Claire. Pour le moment, ni Henry, ni Claire ne se doutent que ce n'est pas seulement l'intelligence de Bertrand qui ravit Colette...

Pour la centième de *Chéri*, Colette interprète le rôle de Léa, ce rôle qu'elle joue, à la ville, avec Bertrand, ce dont elle prendra plus tard conscience en avouant : « Prémonitoire, j'agençais une Léa ».

Prémonitoire aussi le titre du recueil de textes que Colette publie en avril 1922, *Le Voyage égoïste*. C'est exactement ce que vont faire Colette et Bertrand, en Algérie, en avril-mai, un voyage égoïste. Dans chaque idylle survient le moment où les amoureux ne supportent plus les contraintes familiales ou sociales et veulent être seuls au monde. Déjà, Colette et Bertrand ont trouvé un refuge, dans un rez-de-chaussée de la rue d'Alleray, précisément dans l'immeuble où habite Hélène Picard qui ne doit pas être étrangère à cette trouvaille. Il est rare que Colette monte jusqu'au cinquième étage où vit Hélène en compagnie de ses opalines, de ses perruches et de ses fantasmes. Elle a mieux à faire au rez-de-chaussée. Bertrand est maintenant un grand garçon de dix-neuf ans qui réussit brillamment ses études et marche sur les traces de son père et de son oncle. Il est fasciné par le journalisme, la politique et la philosophie, un peu trop au goût de Colette.

L'escapade algérienne de Colette et Bertrand ressemble assez à l'escapade normande de Léa et Chéri. À la différence que si Léa gavait Chéri « de fraises, de crème, de lait mousseux », Colette gave Bertrand de couscous, de dattes et de crépuscules sahariens. Elle découvre, et aime, le désert. « Le désert est une chose admirable, variée, prenante, mélancolique et que l'on regrette quand on l'a vue. C'est lui que j'ai préféré dans mon voyage, je te parlerai de lui » confie-t-elle à Renaud de Jouvenel.

Colette paye son tribut à l'exotisme par une crise de dysenterie dont elle se réjouit presque puisque, à son retour en France, elle constate qu'elle a perdu quelques livres. À quelque chose malheur est bon.

À peine sont-ils rentrés boulevard Suchet que Sidi entraîne son épouse et son fils à Castel-Novel où vient les rejoindre Germaine Patat. C'est au tour de Colette de « planer avec une sérénité mahométane » sur le groupe formé par son mari, son amant et la maîtresse en titre de son mari. Elle profite du calme régnant pour corriger les épreuves de *La Maison de Claudine* que publie Ferenczi, fin juin.

Ce livre constitue un phénomène unique dans les lettres françaises. Colette y parle de sa famille, de la maison de son enfance et de son enfance. Elle les rend tellement présentes que Sido, le Capitaine, Juliette, Achille et Léo nous deviennent aussi proches, et parfois plus proches, que certains membres de notre propre famille. Dès 1922, *La Maison de Claudine* exerce sur ses lecteurs comme sur les critiques, un effet hypnotique et suscitent des admirateurs délirants. Et cela n'a pas cessé depuis...

Rassurée par un tel enthousiasme, Colette peut reprendre, comme chaque été, le chemin de Rozven. Là, elle a l'illusion que le temps s'est arrêté puisqu'elle y retrouve, immuables, le même décor et les mêmes personnes. Certes, Henry qui a été nommé délégué de la France à la Société des Nations, est plus souvent à Genève qu'à Rozven, mais quand il est là, c'est une suite ininterrompue de fêtes nautiques et autres, « Si tu voyais le bain de Sidi, Sidi-Neptune entouré de ses petits tritons, Bertrand, Renaud, Colette et sa grosse tritonne, moi... C'est un spectacle d'une mythologie bien touchante » écrit, début juillet 1922, à Marguerite Moreno, Colette qui semble vivre dans un Olympe où tout est permis et naturel. La fille de Sido et de Pasiphaé transforme son éden breton en paradis grec, en succursale de la Grèce antique.

La « grosse tritonne » se plaît dans un comportement de matriarche. Elle règne sur sa tribu de mâles, confondant le père et le fils en un même amour. Après tout, qu'est-ce que Bertrand sinon un Henry de vingt ans ? Henry en avait le double quand il avait connu Colette. Une femme amoureuse a toujours la nostalgie des temps où son aimé, qu'elle ne connaissait pas encore, n'était qu'un très jeune homme. À travers Henry et Bertrand, Colette réalise l'irréalisable, aimer un homme en sa maturité et en son printemps. Avec une préférence pour le printemps qui éclate dans *Le Blé en herbe* qui, à partir du 29 juillet, paraît en feuilleton dans *Le Matin*. Colette y peint les amours de deux adolescents, Phil et Vinca. Phil est initié par la Dame en Blanc, Mme Dalleray, allusion directe à la rue d'Alleray où Colette et Bertrand cachent leurs rencontres. Si la Dame en Blanc est une Colette idéalisée, très mince et très élégante, Phil doit beaucoup à Bertrand, mais un Bertrand de seize ans, « ce petit bourgeois timoré » qui « se gourme » quand « on lui demande des nouvelles de sa famille [...] et s'enferme dans un bastion de silence et de pudeur ».

À l'automne, nouvelle escapade de Colette et de Bertrand, la première emmenant le second, et dans le plus grand secret, à Saint-Sauveur-en-Puisaye. Comme Willy, Bertrand a droit à une visite guidée du « vert paradis » de Colette. Personne n'est au courant de cet intermède bourguignon. Un peu tardivement, Colette et Bertrand pressentent qu'ils doivent prendre d'extrêmes précautions afin d'arrêter la naissante rumeur qui entoure leurs secrètes amours. Claire Boas est la première à s'inquiéter et à mettre en garde son ex-époux qui n'en veut rien croire, jouant les aveugles et les incrédules, ce qui arrange tout le monde. Il ne peut pas, ou ne veut pas, croire à une telle liaison. La différence d'âge est trop grande.

Colette a déjà pris Henry à Claire qui refuse de lui céder Bertrand. Trop, c'est trop. Mais justement, un peu trop n'est jamais assez pour l'insatiable Colette qui entre dans sa cinquantième année, le 23 janvier

1923. Elle cesse d'être soumise aux ennuis mensuels qui affligent les femmes et qu'elle dissimulait sous diverses appellations. Elle n'en reste pas moins femme, et fermement décidée à profiter de son automne.

Chapitre 35

« Où sont mes beaux cinquante ans ? » (1923)

Le 20 janvier 1923, à trois jours de son cinquantième anniversaire, Colette donne une conférence au théâtre de l'Athénée sur le thème, « L'homme chez la bête ». L'homme et la bête, voilà deux sujets que Colette connaît, et traite parfaitement, provoquant les applaudissements prolongés d'une nombreuse assistance. Mêmes applaudissements à la création de *La Vagabonde*, dans une adaptation de Colette et de Léopold Marchand, au théâtre de la Renaissance, le 3 février.

Début mars, elle joue la Vagabonde au naturel en allant dans le Midi pour une tournée Baret pendant laquelle elle interprète Léa dans *Chéri*, et donne des conférences. La province imite Paris, acclamant également l'actrice et la conférencière. Pour Colette, être actrice ou conférencière, c'est pareil, c'est du théâtre, et elle aime déchaîner cette ferveur populaire que suivent d'interminables séances de dédicaces. Chacun se presse pour voir Léa, Claudine et la Vagabonde en une même personne.

Voilà un beau début d'année qui fera dire plus

tard à Colette, quand elle s'en souviendra, et elle ne se souviendra pas uniquement de cela, « Où sont mes beaux cinquante ans ? » Elle court, elle court, la baronne, et on est en droit de se demander si tant de déplacements et d'activités ne cachent pas une fuite en avant. Le Tout-Paris s'interroge et l'abbé Mugnier note dans son *Journal*, « M. de Jouvenel ne rayonne pas. Il paraît soucieux. [...] Colette a, dans la figure, je ne sais quoi de dur, de non épanoui ». Et pourquoi Henry rayonnerait ? Il devait être nommé ambassadeur de France à Berlin et il a suffi d'une photo, publiée dans la presse allemande, une photo de Colette en danseuse nue, présentée comme « la future ambassadrice des Français » pour qu'il ne soit plus question de ce poste. Comme quoi, des empires se sont écroulés, des sociétés ont disparu, mais rien ne peut abolir dans les mémoires les scandales causés par Colette dansant nue ou vivant avec Missy de Morny. Et l'abbé Mugnier de poursuivre : « Si Jouvenel ne parvient pas à se réhabiliter ou à réhabiliter Colette, il pourrait la lâcher. Elle a peur d'être lâchée, en effet ». Pour conjurer cette peur, elle s'accroche à Bertrand qui, très épris et très fidèle, ne demande pas mieux.

En 1923, le baron et la baronne Henry de Jouvenel des Ursins se rendent compte qu'ils ont fait fausse route. Henry n'aime que la politique qui assomme Colette. Elle préfère hanter, en compagnie de Francis Carco, les antres de Gomorrhe et de Sodome que s'ennuyer à l'Assemblée nationale. Son plaisir d'abord, quitte à provoquer le scandale. Mais n'est-elle pas née sous l'étoile du scandale qui ne la laisse pas longtemps en repos ? Le 31 mars, devant l'avalanche de lettres de protestations et les clameurs des lecteurs indignés, *Le Matin* interrompt la publication du *Blé en herbe*. Les adultes de 1923 prétendent que les adolescents de quatorze ou quinze ans sont des anges qui n'ont pas de sexe. Et voilà que cette diablesse de Colette prétend que son Phil et sa Vinca jouent à Daphnis et à Chloé. C'est une honte, comment ose-t-on salir ainsi la pure jeunesse, etc.

Face à cette interruption, Colette ne décolère pas et se sent humiliée. Elle pressent, peut-être, que ses jours au *Matin* sont comptés, comme les jours du ménage qu'elle forme encore avec Henry. Heureusement, quand *Le Blé en herbe* paraît, en juillet, chez Flammarion, elle reçoit une lettre d'Anna de Noailles qui la paye amplement de ses peines, et de son humiliation, « C'est une sorte de passion que j'éprouve pour votre dernier livre [...], ce don de perfection à chaque page [...] Vos livres aident à supporter la vie. Merci madame ». Et Anna n'est pas la seule à estimer que les livres de Colette « aident à supporter la vie »...

En août, de Rozven, Colette écrit à Marguerite Moreno, « Sidi est venu trois jours, retour des Balkans, rajeuni, alerte, épatant et charmant ». Aveuglée par la présence de Bertrand, Colette ne peut pas comprendre que ce brusque rajeunissement et ce changement d'humeur sont dus à une nouvelle passion.

En octobre, de Castel-Novel, et toujours à Moreno, Colette confie qu'elle a ouvert les yeux et tout compris : « Amour, amour... Anagramme d'amour : rouma. Ajoute « nia » et... tu trouves au bout une dame qui a des os de cheval et qui pond des livres en deux volumes. Il n'a pas de chance, notre Sidi ».

Cette « dame », c'est une illustre et séduisante Roumaine, la princesse Georges Bibesco, née Marthe Lahovary. Elle appartient aux quatre ou cinq familles dont la noblesse se perd dans la nuit des temps. Jouvenel, baron récent, ne peut qu'être ébloui par une telle antiquité. Pour Marthe, seuls les rois, les princes, les ministres et les ambassadeurs existent. Le reste appartient, à peine, au genre humain et n'est que valetaille. Contrairement à Colette, Marthe se passionne pour la politique et rêve de tenir un premier rôle sur le théâtre de l'Europe, ou, à défaut, d'être une éminence grise. Elle pense avoir trouvé en Jouvenel son Metternich.

L'amour ne l'intéresse guère. A-t-elle dit à Henry ce qu'elle dit habituellement à ses soupirants pour décourager leurs ardeurs : « L'amour n'est pas ce que je fais de mieux [1] »? Peu importe. Jouvenel est tombé dans le piège Bibesco.

Atterrées, Colette et Germaine Patat, la sultane et la favorite, ne peuvent que constater les dégâts. Et comme si tout cela ne suffisait pas, Marthe Bibesco écrit des romans qui remportent un certain succès. Certes, elle a la plume facile, et tendance à écrire en plusieurs volumes ce qui n'en demanderait qu'un seul. Elle a débuté en publiant des poèmes qui ont fait dire à sa cousine, Anna de Noailles, née Brancovan, « J'en ai été quitte pour la peur ». Marthe a compris la leçon et a définitivement abandonné la poésie pour la prose. Les deux cousines se répandent en perfidies l'une sur l'autre. Anna aura certainement mis Colette en garde contre Marthe. Mais que faire ? Le mal est fait, Henry est amoureux de Marthe, rajeuni, charmant...

Pour oublier cette éclatante, et inquiétante, infidélité, Colette emmène Bertrand voir la grande marée au Mont-Saint-Michel. Inoubliable spectacle, inoubliable Bertrand. « Où sont mes beaux cinquante ans ? »

Le 1er novembre 1923, Colette énumère pour Léopold Marchand les bonheurs retrouvés de Castel-Novel : « Germaine Patat est là, avec son joli sourire et sa charmante humeur. Sidi, entre deux banquets, porte volontiers la chemise ouverte, la physionomie se met parfois au genre de la chemise [...] Bertrand a la grippe [...] ». Henry, Bertrand, Germaine et Colette à Castel-Novel, il ne manque que Marthe Bibesco pour que la réunion de famille soit complète !

La baronne est loin d'imaginer que c'est la dernière Toussaint qu'elle passe en son château. En décembre, quand elle rentre, boulevard Suchet, après une tournée de conférences, elle trouve le logis

1. Propos rapporté par Natalie Barney à l'auteur.

vide. Henry de Jouvenel est parti brusquement s'installer chez sa mère, rue de Condé. La baronne téléphone tout de suite au baron pour avoir une explication qu'il se refuse à donner, se contentant de répondre « La parole est à nos avocats maintenant [1] », et de raccrocher. Anéantie, comprenant que tout est perdu, Colette appelle au secours Germaine Beaumont et Bertrand qui accourent aussitôt. Puisque Bertrand est là, la situation n'est pas aussi désespérée que ne l'a craint Colette qui doit pourtant se rendre à l'évidence : la rupture avec Henry est irrémédiable et la parole est, en effet, à leurs avocats respectifs.

D'autres versions de cette rupture qui fait les délices du Tout-Paris circulent. D'après les uns, Henry aurait surpris Colette et Bertrand au lit. Il aurait alors pris à son compte les fureurs de Thésée mais, au lieu d'invoquer Neptune, il aurait demandé à Monzie de s'occuper immédiatement du divorce. D'après les autres, Henry était au courant de la liaison que sa femme entretenait avec son fils, mais fermait les yeux pour courir, à son aise, de son côté. Sa subite passion pour Marthe Bibesco qui est mariée, mais qu'il voit comme la compagne idéale d'un homme politique tel que lui, la pression exercée par Claire Boas qui veut à tout prix arracher Bertrand à Colette, l'ont porté à prendre cette brusque décision et à retourner chez Mamita qui exulte. Un peu snob, Mamita se voit déjà présentée par la princesse à la reine de Roumanie...

Fin décembre 1923, au boulevard Suchet comme rue de Condé, les masques tombent, les rancœurs se soulèvent et les cœurs se déchirent. Pour oublier un peu ces tempêtes, Colette choisit de terminer sa cinquantième année par un réveillon de la Saint-Sylvestre chez Germaine Beaumont qu'elle remercie peu après, « Le boudin me fut léger, non moins que l'andouillette et le foie gras. Et j'ai passé chez toi le réveillon le meilleur que je pouvais souhaiter [...] ».

1. Propos rapporté par Germaine Beaumont à l'auteur.

Le malheur, on le voit, ne coupe pas l'appétit à Colette. Boudin, andouillette, foie gras, sans oublier la présence de Bertrand, aident la baronne à supporter l'abandon du baron. « Où sont mes beaux cinquante ans ? »

Chapitre 36

Madame Phénix
(1924)

Rupture avec Willy, rupture avec Missy, rupture avec Henry, la vie de Colette apparaît parfois comme une suite de ruptures. Mais elle ressent la dernière plus durement que les autres. Elle a le sentiment de redevenir une vagabonde, une déclassée et de perdre son royaume, *Le Matin*, où elle comprend que ni sa personne, ni sa prose ne seront plus souhaitées...

Être abandonnée à cinquante ans est moins facile à supporter qu'à trente, quand on croit avoir toute la vie devant soi. Willy avait habilement, insidieusement, poussé son épouse hors du domicile conjugal. Plus expéditif, et redoutant par-dessus tout les scènes, Henry a préféré abandonner ce domicile qui n'avait plus rien de conjugal.

D'après le récit de cette rupture que m'a fait Germaine Beaumont, Colette aurait non seulement trouvé la demeure vide, mais pratiquement « vidée ». Le baron aurait mis à profit l'absence de la baronne pour récupérer ses meubles de famille, ses tapisseries à sujet mythologique, ne laissant à la baronne que ce qu'elle avait apporté au chalet de Passy comme à l'hôtel d'Auteuil : la lampe, les billes en verre, le bureau et les Balzac dans l'édition Houssiaux. Résultat ? Le petit hôtel d'Auteuil a non seulement perdu ses meubles mais son âme, « Le rez-de-chaussée redevint humide et triste, la salle à manger me refoula au premier étage où j'emportai sur un plateau la dînette des femmes seules. Ma bicyclette, dans l'antichambre, remplaça le meuble vestiaire ». Ce qui prouve bien que le meuble vestiaire a été emporté, laissant la place pour la bicyclette. Seul le jardin est intact, avec ses rosiers, ses héliotropes et sa glycine. « Mais je n'en étais plus à croire qu'une existence s'établit sous une tonnelle, qu'une pergola panse la plupart des maux » constate Colette campant sur les ruines de sa baronnie disparue.

Contempler ses erreurs, et en tirer la leçon, voilà ce à quoi l'Éternelle Apprentie emploie le mois de janvier 1924 qu'elle passe à Gstaad pour fuir les curieux Parisiens avides de voir quelle tête fait l'abandonnée. Mamita, Claire Boas, Isabelle de Comminges se sont chargées de répandre la nouvelle du divorce à travers la ville et la cour. Colette a sobrement annoncé le désastre à ses proches : « Je suis seule depuis un mois. [...] Je divorce ».

À Gstaad, Colette n'a pas seulement la neige pour compagne, elle a aussi pour compagnon Bertrand qui, plus que jamais, la suit « caninement » et se considère comme le principal responsable du drame qui a détruit le cercle de famille. Seule est tenue à l'écart de ces remous Bel-Gazou qui, jugée « insupportable », a été mise en pension à Saint-Germain-en-Laye. Colette s'en réjouit, contente de n'être pas « épiée par deux grands yeux impénétrables, par deux petites oreilles qui frémissent de ce qu'elles entendent et qui retiennent le son d'un mot insultant, d'une servile prière et d'une porte qui claque ». Ces lignes, extraites d'*Aventures quotidiennes*, qui paraîtront en novembre 1924, semblent refléter assez bien l'orage provoqué par Marthe et par Bertrand qui vient de ravager le couple.

Si Colette a perdu une bataille, elle n'a pas perdu la guerre. À Gstaad, elle reprend goût à la vie, luge « comme un dieu », n'écrit pas une ligne pendant que Bertrand pond « des volumes politiques ». « Je ne fiche rien, mais je te réponds que je prends de la santé, et de la résistance » annonce-t-elle triomphalement à Léo Marchand. Elle doit avoir pour ancêtre le Phénix dont elle suit l'exemple, trouvant toujours la capacité, le courage, de renaître de ses cendres encore chaudes...

De retour à Paris, Colette reçoit la confirmation de ce qu'elle craignait : elle perd son poste au *Matin*, et les avantages qui y étaient attachés, comme une auto et un chauffeur à sa disposition. On retrouvera dans *Julie de Carneilhan* un écho de ces deux dernières pertes quand Julie, sur le trottoir, se surprend à attendre, et à regretter, l'auto et le chauffeur qu'elle n'a plus depuis qu'elle a divorcé...

Plus d'auto, plus de chauffeur, plus de meubles, plus de rubrique, il en faudrait davantage pour décourager cette Madame Phénix qui puise sa résurrection dans son encrier et qui se remet vaillamment au travail. Elle reprend en main la collection « Colette » qu'elle dirigeait depuis octobre 1923 chez Ferenczi et où avaient déjà paru *La Nuit* de Raymond Escholier et *Sabbat* d'Hélène Picard. Le titre de directrice de collection est plus honorifique que lucratif. Pour payer la pension de Bel-Gazou qui a augmenté, entretenir l'hôtel du boulevard Suchet et la maison de Rozven, Colette qui n'a pas un sou d'économie, ne peut compter, pour des rentrées d'argent immédiates, que sur sa prose. Elle porte, provisoirement, ses chroniques au concurrent direct du *Matin*, *Le Figaro*, et donne à Flammarion un livre de contes, *La Femme cachée* qui paraît en mars ainsi qu'un recueil de chroniques, *Aventures quotidiennes* dont André Billy chante les louanges dans *L'Œuvre*. Ce qui vaut à Billy ce remerciement en forme de protestation : « Le plus grand prosateur français vivant, moi ? Même si c'était vrai, je ne le *sens* pas, comprenez-vous, au dedans de moi ».

Le 2 juillet, Robert de Jouvenel meurt subitement. Colette qui aimait son beau-frère en a de la peine et écrit aussitôt à Moreno, « Je viens d'apprendre que Robert est mort à 2 heures du matin. J'ai envoyé un mot que sans doute on n'ouvrira pas. [...] je reste ici, puisque tous m'ont écartée d'eux ».

Tous les Jouvenel ont rejeté Colette qui ne pardonnera jamais ce rejet sans appel. Mais pouvaient-ils agir autrement alors que Colette et Bertrand, enfin majeur, ne cachaient plus leur liaison et vivaient sous le même toit, boulevard Suchet ?

Bertrand revient des funérailles de son oncle, assez content d'avoir entendu son père lui dire : « Ta santé avant tout... Je ne veux pas que tu sois malheureux ». Colette médite ces paroles que l'on pourrait prendre pour un vague assentiment à la présente situation. Elle médite aussi ces propos d'Anatole de Monzie, « J'ai l'impression qu'Henry regrette d'avoir ainsi désorganisé sa vie ». Car enfin, Henry pouvait parfaitement ajouter Marthe Bibesco comme troisième épouse de son harem, sans répudier pour autant Colette et Germaine Patat. La princesse n'est pas femme à supporter un tel partage. Elle devra quand même supporter de partager Henry avec Germaine qui continue à être la maîtresse du baron et l'amie de l'ex-baronne. Et pour cause : Germaine s'occupe de Bel-Gazou comme si c'était sa propre fille. C'est certainement Germaine qui a fait comprendre à Bel-Gazou que rien ne serait plus comme avant, et que les réunions de famille à Rozven comme à Castel-Novel étaient terminées.

L'habituelle fête estivale reprend pourtant à Rozven, sans Henry cette fois, mais avec les fidèles Marchand, Léo et son épouse Misz. Juive polonaise, Misz Hertz a divorcé d'Alfred Savoir pour épouser Léo le 6 avril 1922. Elle a été immédiatement adoptée, et chérie, par Colette qui l'appelle Miche, la traite affectueusement d'« Éphèbe quadrillé » et trouve ses lettres « délicieuses ».

Deux autres fidèles sont également là, Germaine

Beaumont et Claude Chauvière. Les amies de Colette sont plus constantes que ses maris, ses amants, ou ses maîtresses.

Le 12 août, Colette compose pour Moreno cette chronique de vacances : « La chaleur est sur nous, elle suffirait à expliquer mon silence, mais rien ne saurait l'excuser envers toi. Bertrand est à Paris depuis huit jours, l'imbécile. Il organise je ne sais quelle jeunesse démocratique ou autre fantaisie. Il doit revenir le 15, je crois. Je lui en veux de compromettre mon œuvre : il a, en treize jours, engraissé de deux kilos ! Que ces êtres-là sont décourageants. Pour moi, je travaille, mal, je nage, bien, [...] ».

Que ces Jouvenel sont décourageants ! Bertrand, comme Henry, s'occupe plus de politique que de Colette. Et Colette en souffre. Ayant appris que Mamita, Claire et Henry unissent leurs efforts pour fiancer Bertrand à une certaine Mlle de Ricqlès, Colette n'a qu'un mot à dire à Bertrand, « Je t'aime », pour qu'il ne soit plus question de fiançailles. Les Jouvenel et les Ricqlès sont outrés, Colette est enchantée et Bertrand se croit au septième ciel. Jamais, jusqu'alors, son initiatrice ne lui avait dit « Je t'aime ». Colette, comme Léa, ménage ses effets et n'ignore rien de la stratégie amoureuse. Hélas, la différence d'âge entre la maîtresse de cinquante et un ans et l'amant de vingt et un ans s'accentue chaque jour davantage. Colette en est consciente. Bertrand, non, qui est fidèle et n'envisage pas, pour le moment, de connaître une autre femme que son Incomparable Dame en Blanc. Comme Mme Dalleray, dans *Le Blé en herbe,* Colette aime les amples tenues blanches qui dissimulent ses rondeurs. Elle ne pèse plus que 79 kilos...

Fin 1924, Colette travaille, difficilement, durement, à *La Fin de Chéri* et interprète sur scène, à Monte-Carlo, le rôle de Léa avec, ô joie sans pareille, Marguerite Moreno dans le rôle de Mme Peloux. Pierre de Guingand continue de détenir le rôle-titre.

Toujours fin 1924, Colette rencontre à un dîner,

chez des amis communs, les Bloch-Levallois, un jeune courtier en perles, Maurice Goudeket. Rencontre purement mondaine, et sans lendemain, estiment Colette et Maurice. Elle le trouve trop réservé, il la trouve trop « nature », croquant une pomme dès qu'elle est à table, sans attendre que l'on serve les hors-d'œuvre.

Pour cette première rencontre, Maurice Goudeket n'est pas loin de partager l'opinion de l'abbé Mugnier qui, lorsqu'il avait vu Colette pour la première fois, le 21 juin 1922, à un dîner chez les Jacques Porel, avait noté dans son journal : « Drôle de personne ! Si son mari tient au décorum, je le plains. Après le dîner, causant à Mme Bernstein, elle lui tâtait les seins en la félicitant sur sa santé ».

Après le dîner, Colette n'a pas tâté les seins de Mme Bloch-Levallois et s'est contentée de s'étendre, à plat ventre, sur un divan. Ce manque de tenue, ou de décorum, a surpris Maurice, très respectueux des usages du monde et qui est reçu dans les meilleures maisons de Paris.

Chapitre 37

La conquête de Maurice (printemps 1925)

Le 21 mars 1925, à Monte-Carlo, est créé *L'Enfant et les sortilèges*, livret de Colette, musique de Maurice Ravel. Vers 1910, Colette avait, en huit jours, écrit ce texte qui s'appelait *Divertissement pour ma fille*. Ensuite, Ravel a mis des années pour en composer la musique, après avoir demandé, et obtenu, un changement de titre puisque, comme il l'avait fait observer, il n'avait pas de fille...

Colette et Ravel remportent un égal succès, et la première se dit touchée plus qu'elle ne s'y attendait, « Je n'avais pas prévu qu'une vague orchestrale, constellée de rossignols et de lucioles, soulèverait si haut mon œuvre modeste ».

Pour entendre la musique de Ravel, Colette a choisi de loger à l'Éden Grand Hôtel au Cap d'Ail, et d'y rester ensuite pour les vacances de Pâques, en compagnie de Marguerite Moreno, avec qui elle vient de jouer *Chéri* à Paris, au théâtre Daunou, puis au théâtre de la Renaissance. Colette et Moreno estiment avoir droit à un juste repos. Moreno a été conduite au Cap d'Ail en auto par l'un de ses amis,

Maurice Goudeket. Ce dernier a pris une chambre à l'Éden et n'est pas particulièrement enchanté de voisiner avec Colette qu'il avait trouvée un peu trop jouant à Colette, lors de leur première rencontre, l'hiver précédent, chez les Bloch-Levallois. Il ne va pas tarder à s'apercevoir que Colette ne joue pas Colette, elle est Colette tout simplement.

Les premiers jours, la romancière est quasiment invisible. Du matin au soir, enfermée dans sa chambre, elle travaille à *La Fin de Chéri*. Le soir, elle quitte son écritoire pour dîner avec Moreno, son neveu Pierre et Maurice Goudeket. Ensuite, partie de cartes pendant laquelle chacun s'efforce de garder un visage impassible. Maurice excelle en cette pratique, ce que remarque Colette qui le compare à « une flamme couverte ».

Un après-midi, Colette abandonne la rédaction de *La Fin de Chéri* pour retrouver Bertrand de Jouvenel à Cannes. Il est à la veille de se fiancer avec la nièce de Maurice Maeterlinck, Marcelle Prat. Bertrand se dit prêt, une fois de plus, à renoncer à ces nouvelles fiançailles, et à vivre avec Colette. Ils discutent de cette éventualité, longuement, jusqu'à l'aube. Leur dernière nuit aura été surtout une nuit de paroles échangées à la place des caresses. Quand le jour paraît, c'est décidé, et ni l'un ni l'autre ne reviendront sur cette décision, ils se séparent pour toujours, reconnaissant enfin que la trop grande différence d'âge rend impossible leur liaison.

Au lendemain de cette rupture, Colette a envie de changer d'air, de quitter l'Éden et la Côte d'Azur, de rentrer à Paris, sans tarder. Comme Maurice Goudeket a prévu, lui, de prendre le train de nuit, il offre son auto et son chauffeur à Colette qui accepte. Hélas, ou en ce cas précis, tant mieux, il n'y a plus une place de libre dans ce train. Maurice revient à l'Éden où il demande, piteusement et comiquement, à Colette une place dans « son » auto. Tous deux rient de cette mésaventure. En quittant l'Éden en compagnie de Maurice Goudeket, Colette est d'excellente humeur, elle se sent délicieusement libre et comme soulagée d'avoir rompu avec Bertrand. Elle se promet, bien sûr, de rester libre et de ne plus tomber dans le filet de l'amour comme le rossignol pris au piège des vrilles de la vigne. Elle est toute au plaisir d'écouter parler son compagnon qui a pris la place du chauffeur installé à l'arrière.

Ce voyage a dû être très agréable puisque, dès son arrivée à Paris, Colette remercie cet obligeant courtier en perles qui est aussi bibliophile par le don d'un exemplaire de *La Vagabonde* ainsi dédicacé : « À Maurice Goudeket en souvenir de mille kilomètres de vagabondage ». Une invitation à déjeuner accompagne cet envoi. En fin de compte, Colette n'aura eu que quarante-huit heures de liberté sentimentale, et sera passée, avec une aisance incomparable, de Bertrand à Maurice. Car elle s'intéresse déjà à Maurice comme le prouvent ce cadeau et cette invitation à déjeuner.

Le 6 avril 1925, le divorce entre le baron et la baronne Henry de Jouvenel des Ursins est prononcé. Colette peut alors accorder toute son attention à ce nouveau compagnon qu'elle a rencontré à l'Éden. Il va bientôt entrer dans sa trente-sixième année alors qu'elle est déjà dans sa cinquante-deuxième.

Maurice Goudeket est né le 3 août 1889 à Paris. Son père est hollandais, courtier en diamants. Sa mère, française. Les Goudeket appartiennent à la bourgeoisie juive, libérale, intellectuelle qui va plus au théâtre qu'à la synagogue et lit plus les romans à la mode que la Torah !

Maurice fait ses études au lycée Condorcet où il a pour disciple, et ami, Jean Cocteau. Comme Colette, Maurice est un dévoreur de livres. Il appartient à cette génération de jeunes gens qui a rêvé de prendre dans ses bras Claudine, Minne, la Vagabonde, Mitsou, Léa. Encore adolescent et particulièrement conquis par Colette, ses personnages et son style, il a pensé, un instant, « j'épouserai cette femme ». Puis d'autres femmes sont venues, attirées par ce jeune homme accompli qui, à l'exemple de son père, est courtier en pierres précieuses, et qui, de plus, pratique la boxe, le tennis, la natation, affirmant volontiers « le bonheur est d'abord d'essence respiratoire ». À vingt et un ans, il a choisi la nationalité hollandaise afin d'échapper aux pesanteurs du service militaire. Mais quand la Grande Guerre éclate, Maurice s'engage immédiatement dans la Légion étrangère pour défendre la France qu'il considère comme sa vraie patrie. Il se conduit en héros, est décoré, et, à la suite d'une blessure, est attaché comme interprète à un bataillon anglais. En 1917, il publie *Le Tissu de l'heure présente*, un recueil de poèmes qu'il a composés de 1914 à 1916, sur le front. On pourrait considérer ce recueil comme un art de survivre aux désastres de la guerre. Son auteur s'applique à vivre le moment présent, malgré ses présentes horreurs, « Je cherche à vivre mon heure dans sa plénitude, à en épuiser le tissu ». Colette à qui Maurice offre sa plaquette ne cache pas qu'elle apprécie un tel amour de la vie qui rejoint le sien.

Quand il rencontre Colette, Maurice est un célibataire convoité. Il a pour maîtresse officielle Mme Bloch-Levallois qui doit regretter maintenant de l'avoir présenté à Colette, en décembre 1924. Car cette rencontre est en train de tourner à l'idylle dont on peut suivre les progrès dans la correspondance avec Marguerite Moreno qui, bien plus que Mme Bloch-Levallois, est la véritable organisatrice de ce télescopage qu'elle a prémédité entre l'écrivain et le courtier en perles.

7 mai 1925, « [...] nous allâmes manger un souper froid dans le froid mais joli appartement de Goudeket. J'ai eu une très longue conversation avec ce garçon la nuit dernière, je le trouve tout à fait à son avantage quand il s'abandonne un peu. »

11 mai 1925, « Je cause longuement avec notre ami Goudeket, de préférence la nuit ».

13 mai 1925, « La nuit dernière, nous avons eu, Goudeket et moi, une de ces conversations qui

commencent à minuit moins dix et finissent à 4 h 25 du matin. Oui. Crois-tu ? [...] Orgies d'eau de Vittel, d'oranges et de pamplemousses, et de cigarettes. [...] Le beau temps vient d'éclater sur Paris ».

Et pas seulement sur Paris : le beau temps vient d'éclater dans le cœur de Colette pour qui la conversation n'est qu'un prélude à l'amour ou qui baptise pudiquement conversation certaines voluptés.

Le 18 mai, elle continue à attendre avec une impatience non dissimulée son « conteur nocturne » qui vient déjeuner, « Chut ! il déjeune ici, n'en dis rien ». À cause de Mme Bloch-Levallois, Colette et Maurice sont tenus à une grande discrétion. Précaution inutile. Fin mai, Mme Bloch-Levallois, surnommée par sa rivale, « le gracieux Chiwawa », comprend que « quelque chose » est en train de se passer entre son amant et celle qu'elle croyait être une amie. Pendant huit jours, la maîtresse officielle de Maurice « est entrée dans la peau d'une harpie et a montré sa passion déchaînée pour ce garçon. Elle l'a poursuivi et m'a poursuivie partout, dans tous les téléphones, dans tous les domiciles, à toutes les heures du jour et de nuit ».

C'est plus que n'en peut supporter Colette qui prend la situation en main et remet les « choses » à leur place, « J'ai tout apaisé avec beaucoup de sang-froid, sans cris, ni pugilat ». Dompté, le « gracieux Chiwawa » promet de se tenir tranquille, et de céder la place : « C'est bien, je partirai. Mais promettez-moi que si vous êtes heureuse, je le saurai ? » « Je n'aurai pas seulement achevé de l'être que je quitterai le lieu de ma félicité pour courir au télégraphe » répond Colette avec une ironie qui n'est peut-être pas autant appréciée qu'elle l'espérait...

Comme elle avait arraché Henry de Jouvenel à Isabelle de Comminges, dite « la Tigresse », Colette enlève Maurice Goudeket à Mme Bloch-Levallois. Le « gracieux Chiwawa » s'est révélé moins redoutable que la « Tigresse » , c'était prévisible. Elle a compris qu'elle n'était pas de force à lutter avec une adversaire comme Colette qui savoure sa rapide victoire, « Le garçon est exquis. J'aime mieux ne rien ajouter. Quelle grâce masculine il y a dans certains amollissements, et comme on est touché de voir le feu intérieur fondre l'enveloppe. Est-ce que tu ne crois pas qu'il y a peu d'hommes qui sachent, sans hausser la voix, ni changer le ton dire... ce qu'il faut dire ? »

Non seulement Maurice le dit, mais il l'écrit. Et comme une adolescente de cinquante-deux ans, Colette se délecte de ces messages presque quotidiens qu'elle reçoit et auxquels elle répond. Et comment ne pas répondre à une déclaration comme *« Jeune, j'étais désabusé comme un vieillard ; suis-je ridicule, dans ma maturité, de rester amoureux comme un collégien ? Si je me laissais aller, mes lettres seraient pleines du lyrisme le plus coco et je dépeindrais " ma flamme " avec les mots les plus véhéments et les plus ridicules. [...] je n'ai faim que de toi : ce n'est que dans tes bras que je pourrai crier : « terre »*.

Maurice est conquis. Colette est conquise et même plus que conquise, comme en témoigne cette lettre qu'elle envoie, le 21 juin, à Marguerite Moreno :

« Ah ! la la, et encore la la ! Et jamais assez la la ! Elle est propre ton amie, va. Elle est dans un beau pétrin agréable, jusqu'aux yeux, jusqu'aux lèvres, jusque plus loin que ça ! Oh ! le satanisme des gens tranquilles. Je dis ça pour le gars Maurice. Veux-tu savoir ce qu'est le gars Maurice ? C'est un salaud, et un ci et un ça, et même un chic type, et une peau de satin. C'est là que j'en suis ».

La réponse de Marguerite Moreno ne se fait pas attendre et le 23 juin, elle admoneste son amie :

« Eh ! bien ! c'est du propre ! c'est du joli !

Te voilà tombée dans le digue-digue maintenant !

Tu ne peux donc pas connaître la paix, malheureuse !

On te donne un serviteur, vlan ! tu en fais un maître !

Ah ! tu peux dire la-la ! Et encore la-la ! [...] Loin de moi, tu te déchaînes ».

Déchaînée ? Non ! Curieusement, Colette se sent tranquille et veut rassurer Marguerite, « Ne me crois pas folle, ni déchaînée, ma chère âme. C'est bien pis, va, que faire ? ah ! laisser faire. Me laisser vivre, [...] ». C'est si bon de se laisser enfin vivre avec un homme qui, pour une fois, reçoit l'approbation de ses amies. Natalie Barney, Winnie de Polignac, Anna de Noailles chantent les louanges de la nouvelle conquête de Colette. Ce n'était pas un inconnu pour ces dames dont il fréquentait les salons. Mais depuis qu'il a été distingué par Colette, Maurice y est encore plus apprécié. Maurice apprécie surtout de dépendre maintenant de Colette, *« Que les Dieux soient loués, je ne suis plus libre d'être libre »*. Tout semble être dit. Colette et Maurice ont pourtant encore tout à se dire. Oubliant toute prudence, Colette rivalise avec Maurice en déclaration de dépendance : *« Je n'ai envie d'écrire que pour toi. Noir, mon chéri ! [...] Je baise ta belle peau et je t'attends. [...] Je t'embrasse, garçon chéri, noir, vindicatif et que j'aime. [...] Chat ! tends-moi ton doux museau. Viens, chat ! »*

Dès le début de leur liaison, Colette donne à Maurice le nom de son animal préféré, le chat, et rend hommage à sa belle peau brune, plus douce encore que celles de Willy, Henry et Bertrand. Une peau de satin, mais de satin brun, car Maurice est l'un des premiers Parisiens à oser exposer sa peau au soleil, en 1925, et à bronzer. Il met tous les atouts de son côté. Car, succéder à Willy, à Henry et à Bertrand n'est pas une petite affaire. Maurice se montre à la hauteur de ses prédécesseurs, et même, les surpasse. Colette perd son sens critique et vante les perfections de Maurice à ses amies abasourdies et qui en viennent à la même conclusion que Marguerite Moreno : c'est le triomphe du digue-digue, tout espoir de sauvetage est perdu. Signe significatif, Colette, subjuguée, ne veut plus entendre parler de

Limousin, de Bretagne ou des Alpes. Elle est prête à découvrir la Provence en été, comme l'y invite Maurice qui a loué à Beauvallon une maison, la Bergerie, pour y passer la belle saison. Le 5 août, Colette éblouie, fait partager son ravissement à Moreno : « J'ignorais tout de ce pays. Aussi à l'aise que si je fusse salamandre, j'évolue parmi les flammes, ce brasier craquant des bois de pins, [...] Le bain, le sable, tout m'est élément natal, et l'amour aussi ».

Nouvelle Ève, elle contemple son Adam endormi, le temps d'une sieste. Que demander de plus ? Un beau pays, un ciel bleu immuable, et un « charmant compagnon » qui partage sa passion pour l'ail, oui, que demander de plus ? Ne voulant plus être dupée comme elle l'a été, Colette a franchement indiqué à Maurice sa ligne de conduite : *« TROMPE-MOI, MAIS NE ME TRAHIS PAS »*. Pendant cet été, et les saisons qui suivront, Maurice n'a nulle envie de tromper celle à qui il écrit : *« Toi, ma perle rare, toi ma seule bonne affaire »*.

Quand elle s'éloigne de la Bergerie pour faire une tournée en jouant *Chéri* à la Bourboule ou à Deauville, Colette est sûre, en arrivant à l'hôtel de trouver une lettre de Maurice qui lui témoigne inlassablement son amour naissant et renaissant, évoquant les soirées passées ensemble, en tête à tête à Auteuil ou à Beauvallon, *« Chaudes soirées, soirs suaves, soirs scellés d'une tendre complicité. Adorable amante, ma douce compagne aux yeux de nuit et de lumière, c'était toi, c'était donc toi qui devais me libérer, toi qui devais me rendre mon royaume et mon clair domaine. Ma jeunesse date de ce dernier printemps. [...] Retiré dans ma chambre, il me vient une faim singulière, analogue à celle du fumeur privé. C'est que c'est l'heure d'Auteuil. J'ai besoin de toi et du refuge de tes bras, de toi, mon amie, mon harmonique. Toi que je vois parfois s'inquiéter d'un pli ou d'une ombre à ta chair, n'as-tu pas compris encore, insensée, que mon amour ne dépend plus des formes mouvantes des choses ? Et si le chant où nos sens se célèbrent à l'unisson, en sa mesure et sa limite dans le temps, qu'avons-nous besoin de le savoir aujourd'hui, ma Colette ? Il ne dépend pas du temps que tu persistes en moi, ni qu'à toi seule je sois dévoué désormais* ».

La déesse Colette a enfin trouvé en Maurice Goudeket l'adorateur qu'elle mérite. Mais la déesse garde son sens de l'humour et quand c'est au tour de Maurice de s'éloigner, elle constate : *« J'ai maigri de 700 grammes depuis ton départ. Le chagrin, le ménage et la marche* ».

Dès qu'ils se retrouvent à la Bergerie, les trente-six printemps de Maurice et les cinquante-deux automnes de Colette s'unissent pour former ce que George Sand nommait des « embrasements célestes ». Ils quittent parfois leur divan pour aller boire une citronnade à Sainte-Maxime. Colette se plaint aussitôt d'y retrouver le « Tout-Paris-cabot » comme disait Jean Lorrain, l'acteur Jules Berry, Sacha Guitry et Yvonne Printemps, quelques danseuses des Folies-Bergères. Devant cette invasion parisienne, le couple rebrousse chemin et retourne promptement cacher son bonheur à la Bergerie.

C'est pourtant pendant ce premier été de leur amour resplendissant, que Colette continue à écrire le plus sombre, le plus désespéré de ses romans, *La Fin de Chéri*. « Cette *Fin de Chéri* sera la mienne » avoue-t-elle sobrement à Moreno, dès son retour à Paris, en septembre. Elle accueille Bel-Gazou pour huit jours, boulevard Suchet, et miracle d'imprévisible entente, Bel-Gazou « fait des mots croisés avec Maurice ». On peut en déduire que la petite-fille de Sido qui entre en sa douzième année est déjà « une grande personne » comme l'a souhaité sa mère qui l'a prévenue, « À partir de maintenant, je vais te traiter comme une grande personne ». « Je veux bien » a répondu Mlle de Jouvenel qui prend congé de sa mère et de son nouveau compagnon pour aller passer un an en Angleterre comme c'est l'usage pour les jeunes filles de bonne famille.

Le 12 octobre, Colette joue *Chéri* à Bruxelles, au théâtre du Parc. La représentation terminée, à la sortie des artistes, elle trouve, sur le trottoir, Maurice qui l'attend. Ne supportant plus la séparation, il est venu de Paris. Il répète qu'il se conduit comme « un collégien amoureux » et craint le ridicule d'un tel agissement. Colette le rassure, on n'est jamais ridicule quand on aime, et surtout quand on est deux à partager ce ridicule, à tomber dans « le digue-digue », à oublier l'exemple du rossignol. Au diable le rossignol, au diable les vrilles de la vigne, et vive « le digue-digue » qui peuple la nuit de Bruxelles de voluptés dignes des Mille et une nuits...

Chapitre 38

La Reine-Soleil de la Treille muscate (été 1926)

Après les voluptés belges, Colette, en décembre 1925, termine *La Fin de Chéri*, sans cesser pour autant de jouer *Chéri* à Marseille, avec, toujours dans le rôle de Mme Peloux l'irremplaçable Marguerite Moreno, et dans le rôle de Chéri, un débutant qui promet : Pierre Fresnay. Entre Colette, Moreno, et Fresnay, règne une entente très cordiale. Tous trois s'amusent beaucoup dans ce Marseille qui justifie alors pleinement son surnom, « La Porte de l'Orient ». C'est donc sans manifester une grande émotion que Colette apprend la nomination d'Henry de Jouvenel comme haut-commissaire en Syrie, et sa rupture avec Marthe Bibesco. Elle est plus touchée par l'annonce du mariage de Bertrand avec Marcelle Prat, et cela d'autant que Bertrand n'a pas répondu à la lettre qu'elle lui avait adressée au lendemain de leur rupture. Cette très belle lettre avait été prudemment interceptée par Marcelle qui, à force de la lire et de la relire, avait fini par l'apprendre par cœur et put ainsi la réciter, beaucoup plus tard, à son époux.

Henry pris dans les mirages syriens et Bertrand empêtré dans les liens du mariage, voilà ses deux Jouvenel enfin casés ! La page est définitivement tournée. Pour Colette, Castel-Novel n'est plus qu'un château de carte postale, et la rue d'Alleray, la rue où habite Hélène Picard, malade, immobilisée, vivant dans un sabbat intérieur que peuplent ses mauvais garçons. C'est à Hélène que Colette raconte son paradis marseillais, « J'ignorais Marseille à Noël : il délire. La foire aux santons, la foire aux sucres, les lumières [...] Maurice Satan sera là demain matin ».

Dès qu'il peut se dérober aux exigences de son métier de courtier en perles, Maurice Satan accourt vers sa perle rare, sa bien-aimée Colette, et annonce son arrivée imminente en des lettres tellement enflammées que leur destinataire soupire : « Ses lettres sont pleines du plus jeune amour. L'accepter, quel cannibalisme de ma part ! » Colette cannibale dévorant un Maurice heureux d'être dévoré, voilà un beau sujet pour les peintres de scènes galantes...

À cinquante-trois ans, plus amoureuse, et plus vagabonde, que jamais, Colette court Paris et la province, sans arrêt, se bornant à constater : « Je suis comme d'habitude folle et écartelée ». Écrivain, actrice, conférencière et amoureuse, cela fait beaucoup pour une personne. Mais Colette sait assumer. Elle assume.

Quand, en mars 1926, paraît chez Flammarion *La Fin de Chéri*, la critique étonnée et unanime constate qu'il s'agit là encore d'un chef-d'œuvre. Comme le proclame Anna de Noailles, « Chaque fois que Colette publie un livre, on est forcé de constater que c'est son chef-d'œuvre ». Mais, en 1926, Colette est déjà l'auteur des *Vrilles de la vigne*, de *La Vagabonde*, de *Chéri*, de *La Maison de Claudine*, autant de chefs-d'œuvre qui ne semblaient plus pouvoir être égalés.

Avec *La Fin de Chéri*, Colette atteint le dépouillement parfait qu'elle s'était proposé, en peignant l'amour impossible de Chéri pour une Léa qui n'existe plus, une Léa qu'il n'a même pas connue, une jeune Léa insolente qui triomphait aux Drags de

1895 [1]. À la place de cette courtisane idéale, il retrouve une « énorme femme coiffée en vieux violoncelliste » dont s'élève un rire qui est bien le rire de Léa et qui porte un collier de perles qui est bien le collier de Léa. Face à ce désastre humain, il n'y a que deux solutions possibles : ou vieillir, ou périr. Chéri choisit de se donner volontairement la mort puisque tout ce qu'il aimait, Léa et son monde, ont disparu dans un néant où il va les rejoindre.

Avec *La Fin de Chéri*, Colette atteint des sommets et des abîmes que seuls savent explorer les grands classiques auxquels elle appartient désormais, sans en avoir pleinement conscience, ou alors, se contentant de partager avec ses pairs ce qu'elle nomme « le solitaire isolement des élus ».

Comme elle n'est pas femme à s'attarder dans les nuées de la gloire, elle s'en va, avec Maurice, à la rencontre du printemps, au Maroc, où ils sont reçus par le pacha de Marrakech, Le Glaoui, qui les loge dans l'un de ses palais, à Fez, un vrai palais des Mille et une nuits, avec « des jardins d'odeurs, jardins tout en roses, menthe, jasmins jaunes, daturas, chèvrefeuilles, mélisses, où le vent et la nuit brassent des parfums troubles ».

Colette quitte les splendeurs du palais de Fez pour d'autres splendeurs, infiniment moins éclatantes, mais aussi réelles et plus adaptées à ses goûts profonds, celles de la Treille muscate, une propriété qu'elle vient d'acquérir dans les environs de Saint-Tropez, un petit port oublié par le temps et par les hommes. Sa tranquillité, les façades roses, bleues ou vertes de ses maisons attirent, en été, quelques peintres comme Dunoyer de Segonzac ou Luc-Albert Moreau. L'été fini, les peintres s'en vont et le petit port retombe dans sa somnolence qui sent le poisson frit et le melon pourri.

---

1. « Ses amis se souvenaient d'une journée aux Drags, vers 1895, où Léa répondit au secrétaire du *Gil Blas* qui la traitait de " chère artiste " : – Artiste ? Oh ! vraiment, cher ami, mes amants sont bien bavards... » (In *Chéri*.)

Avec la Treille muscate, Colette est consciente de vivre un nouveau roman d'amour qu'elle aborde avec les précautions d'usage, « C'est la mer qui m'a appelée ici. Ici, je suis libre maintenant de vivre si je veux, de mourir, si je peux... Nous n'en sommes pas encore là. Je ne fais que d'arriver et d'acquérir ». Elle contemple son domaine, cette « treille muscate qui couvre de son nom et de ses sarments, le puits », ses deux hectares de vigne, d'orangers, de figuiers, d'ail, de piment et d'aubergines, et sa maison, avec une terrasse couverte de glycine. C'est une modeste bâtisse, sans grand confort, et où, en cet été 1926, Colette, Maurice et Pauline campent tant bien que mal. Qu'importe l'inconfort ? Colette, conquise, écrit à Léo Marchand, « Léo, il faut tellement que tu connaisses ce pays d'été ! J'y retrouve cette chaleur éventée, ces nuits fraîches qui m'ont conquise l'été dernier. [...] Ma maison... oui, il y a ma maison. Elle n'est pas prête. Mais ça n'a aucune importance. S'il le faut, j'habite avec une lampe à pétrole, deux matelas et nos maillots de bain ».

La fille de Colette est là aussi, et s'intègre parfaitement à cette vie très rustique, participant aux aménagements divers et accomplissant, sans rechigner, quelques tâches domestiques. Colette exulte de cette entente familiale et trouve un autre motif d'exaltation en nouant l'une de ces amitiés-toquades dont elle a le secret avec la compagne de Luc-Albert Moreau, Hélène Jourdan-Morhange, trente-huit ans, violoniste, interprète préférée de Ravel et qui devient vite une « Moune » très chérie. Afin de ne pas faire de jaloux dans le ménage, Colette donne un surnom à Luc-Albert Moreau, « le Toutounet ».

Pendant cet été 1926, Colette puise, dans ce rivage et dans l'amour de Maurice, une nouvelle jeunesse semblable à cette naissance du jour à laquelle elle assiste, chaque matin, quand tout le monde dort encore et qu'elle s'éveille, attentive à cueillir le premier rayon de soleil. Après quoi, pendant le reste de la journée, Colette rayonne comme une Reine-Soleil de la Treille muscate.

Chapitre 39

Une sourcière de génie
(printemps 1928)

Le 5 janvier 1927, à Paris, reprise de *La Vagabonde*, au théâtre de l'Avenue, dans une mise en scène de Léopold Marchand. À l'affiche, Colette, Marguerite Moreno, Pierre Moreno et Paul Poiret. Poiret, grand couturier ruiné, fait encore recette en s'exhibant sur les planches. Dans le rôle-titre, Colette continue à attirer les foules avides de contempler leur idole. Elle termine en beauté sa carrière d'actrice. Elle ne montera plus sur une scène que pour y donner des conférences. On ne saura jamais ce que valait Colette comme actrice, sublime pour les uns, exécrable pour les autres. Mais ses admirateurs comme ses détracteurs s'accordent pour reconnaître à la Vagabonde une présence qui, paraît-il, éclipsait ceux et celles qui l'entouraient.

À cinquante-quatre ans, Colette met de l'ordre dans sa vie. Elle dit adieu au théâtre comme elle a dit adieu à Rozven et au boulevard Suchet. Elle a réussi à vendre sa maison en Bretagne et son hôtel d'Auteuil, après bien des difficultés. Elle vise un logis plus modeste et atteint son but en sous-louant à une amie, Alba Crosbie, un entresol au Palais-Royal, au 9 rue de Beaujolais. Elle se dit aussitôt séduite par « la magie particulière » qui y règne et découvre « la séduction du bien-vivre » dans « ces tanières blotties sous les arcades, écrasées entre l'étage noble et la boutique ».

Colette a l'impression d'habiter dans un couloir, ou dans un tiroir, et se garde de sauter de joie tant les plafonds sont bas. Elle se promet quand même de sauter de joie si elle parvenait à acquérir l'étage noble du 9 rue de Beaujolais qu'elle guigne déjà et que possède le directeur d'un théâtre voisin, M. Quinson. En attendant, elle se réjouit de suspendre tableaux et rideaux sans avoir à monter sur une échelle. Elle ne reçoit le soleil que par réverbération, ce qui ne l'empêche pas d'avoir l'illusion de vivre à la campagne grâce à ses proches voisins, les arbres, les fleurs et les pigeons qui peuplent le jardin. Le plancher de son entresol retentit des pas des passants qui empruntent le passage du Perron, sans parvenir à troubler sa quiétude que partagent la chatte et la chienne, visiblement enchantées par l'étrangeté de ce nouveau logis, « berceau d'une paix unique ». La Vagabonde, la chatte et la chienne espèrent avoir trouvé leur halte définitive.

Là, Colette commence à relire les lettres de Sido pour en intégrer quelques-unes dans *La Naissance du jour* qu'elle prépare. Le 9 juillet, elle écrit à Moreno, « Je ne fais que sortir d'un travail émouvant : relire, toutes, les lettres de maman, et en extraire quelques joyaux ». Elle poursuit la composition de *La Naissance du jour*, « lentement et avec désespoir », à la Treille muscate où, fin juillet, elle se retrouve momentanément seule, Maurice étant rentré à Paris pour ses affaires. Il doit gagner sa vie comme Colette gagne la sienne. Chacun jouit d'une bonne aisance, sans être riche.

Comme cette séparation est ennuyeuse ! « Je m'ennuie bien de Maurice » avoue Colette et Maurice s'ennuie bien de Colette ! Pour tromper leur accablement, ils s'écrivent souvent et maudissent la poste quand la lettre espérée n'arrive pas. « *Je renonce à suivre la poste dans ses caprices* » s'exclame Maurice. Colette fait chorus. Dans ses lettres, elle l'appelle « chou-chéri », il lui répond, comme en écho, « chou-chérie ». Souvent ils terminent leur missive en traçant phonétiquement les miaulements du chat amoureux. Moreno avait vu juste, Colette et Maurice sont vraiment tombés dans le digue-digue. Et cela ne semble pas près de s'arrêter... Maurice regrette les jours, et les nuits, passés à la Treille muscate, « *Que tout a plus de goût là-bas. Je n'ai aucune raison pourtant d'être aussi violemment latin : peut-être ne suis-je que méditerranéen par mon origine lointaine, ou bien me souvient-il d'avoir été rascasse dans la préhistoire.* [...] *Colette, mon adorable souci, il fallait que je m'éloignasse de toi pour connaître à quel point tu m'es nécessaire.* [...] *J'écris le soir, pour les mêmes raisons que toi le matin. C'est pour être plus seul avec toi.* »

Et puis Maurice revient. Son retour coïncide avec l'installation de l'électricité à la Treille muscate, fin août. Ce double bonheur, Maurice et l'électricité en même temps, illumine Colette qui se trouve à l'unisson avec un parfait beau temps, « une immobilité bleue ». Quand elle ne contemple pas l'azur, elle regarde sa fille « qui mène une vie de petite bête » avant de repartir pour le Limousin, où elle redeviendra la petite demoiselle du château. Mlle de Jouvenel retourne chez son père sous la protection de Pauline qui prend dix jours de vacances.

En l'absence de Pauline, Colette fait, sans ennui, le ménage pendant que Mme Lamponi, la gardienne de la Treille muscate, s'occupe du marché et de la cuisine. En septembre 1927, Colette constate qu'elle n'a écrit que trente-cinq pages de *La Naissance du jour* qu'elle désespère de terminer, poursuivant son labeur à Paris, et en Engadine.

Enfin, *La Naissance du jour* paraît en avril 1928 chez Flammarion et provoque aussitôt le délire des critiques et des admirateurs. Dans *L'Œuvre* du

17 avril, André Billy rend hommage à l'art de Colette, « C'est toujours la même perfection imperturbable, écrasante » et souligne que ce roman offre « quelque chose d'extrêmement nouveau et hardi [...], c'est que l'héroïne du roman n'est autre que l'auteur. [...] Ce n'est plus une transposition [...], c'est l'auteur en chair et en os, dans sa maison, avec ses amis eux-mêmes désignés nommément ». Anna de Noailles renchérit : « Pour votre génie, le monde le proclame, et *La Naissance du jour* [...] transporte vos lecteurs, [...]. Il n'y a que vous ».

Il est facile de comprendre de tels enthousiasmes : *La Naissance du jour* offre une suite ininterrompue de grands airs comme certains opéras réussis. Cela n'arrête pas, il y a le thème de Sido qui ouvre le livre et annonce le retour à la simplicité des premières années, « Aurais-je atteint ici ce que l'on ne recommence point ? Tout est ressemblant aux premières années... », le refrain sur l'amour des bêtes, « M'émerveillerai-je jamais assez des bêtes ? », un bref récitatif sur la mort, « La mort ne m'intéresse pas – la mienne non plus », et un hymne quasiment ininterrompu à la Treille muscate, « Est-ce ma dernière maison, celle qui me verra fidèle, celle que je n'abandonnerai plus ? » Mais le grand thème de *La Naissance du jour* demeure le renoncement à l'amour pour mieux profiter des autres joies de l'existence. « Une des grandes banalités de l'existence, l'amour, se retire de la mienne », affirme solennellement l'auteur qui ajoute : « Sortis de là, nous nous apercevons que tout le reste est gai, varié, nombreux ». Or si l'écrivain affirme ce renoncement à l'amour, la femme est en train de vivre avec Maurice de brûlantes saisons, les lettres qu'ils échangent le prouvent. En ce printemps 1928, lors d'une séparation d'une quinzaine de jours, Colette écrit à Maurice :

« *Chou ! Chou ! Nous sommes jeudi, tu es parti dimanche, et je n'ai pas encore vu ton écriture sur un papier ! Comment marchent les courriers, comment te comportes-tu à mon égard ? Il n'y a donc pas une petite place pour moi entre tes emménagements burellifères, entre tes opérations perlifuges ? [...] Es-tu l'être qui m'aime le mieux et qui m'écrit le moins ? Je suis chagrine, tu sais. " Comment, dit Pauline, M. Maurice n'a pas encore écrit à madame ? " Parole sévère mais juste [...] Que te dire encore ? Que je t'attends, cher mauvais garçon aimé, que je t'attends. [...] Je suis sauvage et méchante, car il pleut, et tu n'es pas là, et je suis dans l'obligation de travailler. [...] Tu es un charmant petit compagnon si aimé. Tu tiens, en faisant peu de bruit, une si grande place autour de moi, et en moi. Tâche de ne pas m'en vouloir si je me fais mal comprendre. Parfois, je cesse moi-même de m'en rendre compte, mais quels rappels ! [...] Je suis émue de penser que je vais – je touche du bois – retrouver à Paris ce garçon que j'aime et que nous pourrons aller le long des arcades, au cinéma, au lit ensemble. Tu savais, toi, que c'était si long quinze jours ? Car je me suis mise à m'ennuyer terriblement de toi...* »

À quoi Maurice répond : « *Dire que tant de gens aspirent à la liberté. À quoi cela peut-il bien servir la liberté ? Moi je ne demande que celle de t'aimer, de te le dire avec mauvaise grâce et de t'embrasser avec une infinie tendresse* ». Et de préciser qu'il a « *mérité le baiser à l'ail du chou* ». L'ail n'est pas absent des voluptés que se prodiguent le chou et la chou-chère, surtout quand ils sont à la Treille muscate, comme en ce printemps 1928. Hélas, ce séjour est bref pour Maurice qui repart « noir comme... les joues du diable ». Pour tromper son ennui, Colette écrit son prochain roman qu'elle appelle *Le Double* et dont le titre sera finalement *La Seconde*. Elle découvre qu'elle est sourcière et fait part de cette nouvelle à Moreno, le 21 avril, « Ma Marguerite, je suis sourcière ! [...] J'ai découvert ça aujourd'hui, sous la conduite d'une voisine sourcière, et je le suis encore plus qu'elle ! [...]. Je suis ravie, – sans savoir pourquoi. Et Maurice qui n'est pas là, pour me contempler dans ma gloire ! »

Quoi qu'il arrive à cette sourcière de génie, elle ne

cesse de penser à Maurice, et quoi qu'elle ait pu écrire dans *La Naissance du jour*, l'amour ne s'est pas retiré de son existence, mais l'a complètement envahie. Colette forme maintenant avec Maurice un couple bien accordé qui préfère la délectable monotonie de l'habitude aux imprévisibles piments de la nouveauté. Finis les trios, les incursions à Lesbos, les brèves passades, et surtout finie la solitude qu'elle n'a jamais supportée. Quand Maurice s'absente, elle sait qu'il ne s'agit que d'une solitude momentanée, ce qui lui fait écrire dans *La Naissance du jour*, « Je suis simplement seule, et non délaissée ». À cinquante-cinq ans, Colette découvre enfin avec ce Maurice de trente-neuf ans les joies – partagées – de la fidélité. Il était temps...

Chapitre 40

Une « bonne petite bourgeoise » en Espagne (printemps 1929)

Le peintre Boldini avait traité Colette, quand elle était encore Mme Willy, de « bonne petite bourgeoise ». Mme Willy, se jugeant « offensée », sortit dignement, « en rectifiant le nœud d'une régate qui venait de Londres », signe extérieur de son non-conformisme, de son défi aux convenances que constituait l'existence qu'elle menait alors... Mais il se peut que Boldini ait vu juste et qu'il y avait, et qu'il y aurait toujours, au fond de Colette, une bonne petite bourgeoise, âpre au gain, méfiante à force d'avoir été dupée, et rejetant le toc, la fausse originalité, les placements douteux, la cuisine bâclée. Ce qu'elle avait pris pour une insulte n'était qu'un compliment. Cette « bonne petite bourgeoise », c'est son double, son ange gardien, celle qui, en elle, se réveille juste à temps pour éviter de tomber dans les abîmes qu'elle côtoie allègrement, sans jamais y tomber...

Réflexe de raison, ou réflexe de bonne petite bourgeoise, Colette, en sa cinquante-cinquième année, estime qu'il ne faut jamais s'endormir sur ses lauriers, et qu'elle doit continuer à produire parce que c'est son métier d'écrire. Elle poursuit donc la rédaction de *La Seconde*, un sujet qu'elle connaît bien puisqu'il s'agit de la maîtresse en titre qui seconde l'épouse légitime de ces polygames comme Henry Gauthier-Villars ou Henry de Jouvenel. En cette pratique de la cohabitation, Colette a innové puisqu'elle a réussi à devenir l'amie de la favorite, pour mieux contrôler la situation, et à le rester, même après ses deux divorces, comme c'est le cas avec Meg Villars et avec Germaine Patat.

Sur un sujet qu'elle maîtrise parfaitement, et qu'elle situe dans un milieu qu'elle connaît aussi bien, le théâtre, Colette, curieusement, n'avance pas et stagne. Elle a pourtant promis ce roman à Pierre Brisson qui doit le faire paraître en feuilleton dans *Les Annales* à partir de juin. En juin, Brisson a beau pleurer, le roman n'est pas au point et elle espère le terminer à la Treille muscate qui est en plein chantier, « les W.-C. pas encore construits, la salle de bains (?) muée en resserre à meubles, les volets démontés, [...] Ma gentille fille (Pauline n'est pas là encore) m'aide, et rit, et nage, et met le couvert [...] »

Depuis qu'elle a renoncé à reprocher à sa fille ses mauvaises notes en classe, c'est l'idylle entre Colette et Mlle de Jouvenel qui a quinze ans en 1928 et est « miraculeusement aimable ». Elle semble avoir atteint pour ses parents la majorité légale puisqu'elle fait, à peu près, tout ce qu'elle veut. Elle va de pension en pension, elle ne voit son père et sa mère qu'aux vacances. Elle joue les châtelaines à Castel-Novel et les sauvages à la Treille muscate.

La Treille muscate en chantier, *La Seconde* également en chantier, rien ne saurait troubler le bonheur estival de Colette, sauf l'absence de Maurice, une fois de plus retenu à Paris par ses affaires, *« Maurice, ton absence m'enlève le goût du vin* [...] *Je vendange comme un crapaud des vignes, en me traînant* [...] *Si tu n'étais pas de ce monde, de mon univers à moi, reviendrai-je jamais ? Abandonner un tel pays, un tel automne, quelle scandaleuse preuve d'amour ».*

Les lettres de Colette à Maurice sont le reflet de ce qu'elle raconte dans *La Naissance du jour*, elle se promène avec la Chatte [1], cueille les fleurs des marais, se baigne avec ses amis peintres, dîne avec les Lucien Lelong et Natalie Barney, « *Hier, nous fûmes* [...] *voir Natalie à Beauvallon, nous la trouvâmes au tennis avec Romaine Brooks. Toutes deux sont plus grosses que moi, je l'ai constaté avec une mesquine satisfaction* [...] *On a joué au tennis dans une obscurité bleue* ». Elle annonce à Maurice son retour à Paris pour la mi-septembre, sans s'arrêter dans les bons restaurants qui jalonnent son chemin, « *Je n'ai pas de goût, sans toi, aux étapes de gueule* ». Elle ne cache pas son inquiétude : Maurice s'est enrhumé. Comme les rhumes de Maurice Sand mettaient sa mère et Nohant en émoi, les rhumes de Maurice Goudeket bouleversent Colette qui sourit, à peine, quand elle en apprend la cause : « *J'avais, je l'avoue, fait un usage abusif de la douche froide et du costume d'Adam* » confesse Maurice.

Une heureuse surprise attend Colette à Paris : elle est promue officier de la Légion d'honneur. Cette nouvelle engendre un curieux dialogue, que rapporte l'abbé Mugnier, entre le nouvel officier et Anna de Noailles. « Au lieu d'un ruban, c'est une sous-ventrière qu'on aurait dû vous donner » dit l'auteur des *Éblouissements* à l'auteur de *Chéri* qui répond joyeusement : « Vous voulez dire un cache-sexe ». « Colette, vous êtes si glorieuse que vous n'avez rien à cacher » réplique Anna qui veut toujours avoir le dernier mot. Entre les deux amies, une grande, une surprenante liberté de ton règne. La littérature est absente de leurs propos, comme le précisera, plus tard, Colette, mais non l'amour et ses plaisirs divers

1. Dans *Près de Colette* (Flammarion), Maurice Goudeket raconte, aux pages 38 et 39, l'achat de cette incomparable chartreuse grise à une exposition féline, « littérairement, elle figure dans *La Naissance du jour* et dans d'autres ouvrages. Elle est non seulement le modèle du personnage félin de *La Chatte*, mais encore ce livre n'eût pas été écrit sans elle ».

qu'elles évoquent dans d'interminables conversations téléphoniques [1].

Ne parvenant pas, entre le chantier de la Treille muscate et les honneurs à Paris, à poursuivre la rédaction de *La Seconde* comme elle l'entend, Colette termine l'année 1928 en Belgique, dans un hôtel des Ardennes où rien ne vient la distraire de sa feuille bleue. Le 2 janvier, elle met, avec délice, le point final au dernier paragraphe évoquant « la sécurité débile » régnant entre l'épouse légitime, Fanny, et Jane, la maîtresse légitimée, qui devraient être en guerre et qui réussissent à bâtir une paisible complicité.

Pierre Brisson ne pleure plus, se dit même content, et veut commencer la publication de *La Seconde* dans *Les Annales*, après avoir demandé, et obtenu, quelques coupures. Comme il en exige d'autres, il provoque la colère de l'auteur, « Je vous serai infiniment reconnaissante de me renvoyer purement et simplement mon roman. Sortons ainsi, vous et moi, de deux risques : vous risquez de mécontenter un public nombreux – et moi de déchoir à mes propres yeux en restreignant une vérité littéraire, une qualité d'expression, une sincérité professionnelle auxquelles, par-dessus tout, je tiens ». Pierre Brisson et Colette finissent par trouver un accord. « C'est terrible d'avoir raison tous les deux » lance l'auteur de *La Seconde* qui paraît enfin dans *Les Annales*.

Récompense d'un tel travail et de telles tractations, Colette, en mars 1929, entraîne Maurice en Espagne, « Nous faisons un voyage idiot et charmant, un de ces voyages devant lequel le Vrai Voyageur se détourne et crache de mépris » confie-t-elle à Misz Marchand. Ce qu'elle ne dit pas à Misz, c'est qu'ils sont allés de Madrid à Gibraltar en taxi. Coût

1. Ces conversations étaient écoutées par une téléphoniste de la ligne Jasmin qui était celle d'Anna de Noailles. Cette téléphoniste rapportait ces propos très libres à Maurice Noël dont elle était la petite amie. Maurice Noël les a, à son tour, rapportés à Jean Chalon.

de l'expédition : 9 500 pesetas. Somme fabuleuse pour l'époque et qui éblouit Henri de Rothschild lui-même que Colette et Maurice rencontrent à Gibraltar. Face à ce qu'il considère comme un intolérable gaspillage, Rothschild demande pourquoi ils ont dépensé une telle somme, « Parce que nous l'avions » avoue Colette avec une simplicité de grande dame que doit désapprouver la « bonne petite bourgeoise » dénoncée par Boldini.

Après Henri de Rothschild, c'est au tour de Marguerite Moreno de blâmer Colette, « Ce que tu me dis de l'Espagne me fait bien rire ». Moreno, qui revendique des racines ibériques, fait l'éloge d'une Espagne que Colette n'a pu qu'entrevoir. Mais ce qu'entrevoit Colette vaut le plus sagace des regards. Un regard de bonne petite bourgeoise qui sait tout estimer à son plus juste prix et distinguer, d'un seul coup d'œil, le vrai du faux, et le pur de l'impur...

Chapitre 41

Grande félicité et petites douceurs (juillet 1929-janvier 1931)

Comme Liane de Pougy qui, la cinquantaine passée, voulait profiter de ce qu'elle appelait « la félicité des biens acquis », et comme Léa de Lonval qui « avouait volontiers en laissant tomber sur Chéri un regard de condescendance voluptueuse qu'elle atteignait l'âge de s'accorder quelques petites douceurs », Colette, à cinquante-six ans, estime que c'est le moment, ou jamais, de suivre l'exemple de Liane et de Léa, de s'accorder grande félicité et petites douceurs. Elle voyage en Belgique pour son plaisir et visite, pour son déplaisir, le zoo d'Anvers où le spectacle des bêtes captives la révolte. Elle clame sa colère à Maurice, *« Nous sommes des salauds, d'infâmes cochons, et si jamais je suis panthère dans une autre existence, le Deux-Pattes peut numéroter ses os »*.

Avec Maurice, l'accord parfait continue, et Colette est consciente de vivre, comme elle le confiait à Valère Vial dans *La Naissance du jour*, quelques-unes des belles saisons de sa vie. Tout n'est alors que pluie de roses. La parution de *La Seconde* en juillet 1929 chez Ferenczi provoque l'habituel concert de louanges que Colette recueille avec un contentement que surpasse le plaisir de pêcher, en une matinée, « huit araignées, la plus petite grosse comme un melon, deux homards d'un kilo, une sole, une limande », en compagnie de Léo et Misz Marchand qui l'ont invitée à Costaérès, dans les Côtes-du-Nord.

Après la pêche miraculeuse, c'est la vendange miraculeuse à la Treille muscate où elle cueille son raisin et espère tirer de sa récolte « 1 500 litres environ ». Grisée, Colette accepte, en septembre, de succéder à Paul Souday comme critique dramatique à la *Revue de Paris*. Puis, dégrisée, elle démissionne en décembre, parce que cela l'embête, elle emploie un mot plus sonore. Et pourquoi s'embêter quand est venu le temps de la grande félicité et des petites douceurs ? Parmi ces dernières, il faut inclure une tournée de conférences en Allemagne où Colette est reçue comme une star, et tient à Berlin une conférence de presse.

En janvier 1930, Maurice Goudeket achète la Gerbière, une propriété située près de Montfort-l'Amaury. La Gerbière, c'est la Treille muscate à portée de la main, avec, à la place de la mer, la forêt que Colette aime tant. Là, elle espère pouvoir travailler en paix à *Sido*, tout en se livrant à sa passion du jardinage, et en accrochant « un peu partout » des nids que des couples d'oiseaux viennent occuper. À la Gerbière, entourée de fleurs, d'arbres et d'oiseaux, Colette peut croire, un instant, qu'elle est une autre Sido...

Sitôt *Sido* terminé, Colette commence à écrire *Ces plaisirs* sur l'*Éros*, le yacht d'Henri de Rothschild, qui, en juillet 1930, entraîne ses invités en mer du Nord jusqu'en Norvège. Dès qu'elle voyage, et quitte sa table de travail où elle est le plus souvent rivée, la sédentaire Colette redevient la nomade que tout émerveille et tout éblouit. Le soleil de minuit l'enchante, sans la détourner pour autant du seul soleil qui compte vraiment à ses yeux, celui qui luit sur la Treille muscate.

Hélas, le Saint-Tropez de cet été 1930 n'est déjà plus celui que Colette a connu cinq ans plus tôt. Cinq ans ont suffi à tirer ce petit port de sa somnolence et à en faire une villégiature à la mode. Déjà, Saint-Tropez n'est plus ce qu'il était et Colette s'en plaint à Moreno : « St.-Tropez, me disent mes voisins, est cette année inhabitable. On y trouve les gens que *Vogue* photographie ». Et quand elle va faire des achats, elle est reconnue, ce qui l'agace profondément, « Trente personnes, massées soudain par magie, ont attendu ma sortie de chez le marchand de journaux avec un tel sans-gêne que... je n'ai pas caché ce que je pensais d'elles ». Rançon de la gloire.

Colette oublie aussi qu'elle est la grande coupable de cet engouement, ayant par ses dithyrambes trop vanté les charmes de Saint-Tropez qui attire maintenant des foules que l'été déguise ou endimanche. Elle n'en reconnaît pas moins qu'elle habite « une région privilégiée ». Ève de la Treille muscate, elle ne cueille pas la pomme, mais la figue, quatre espèces de figues, la verte, la noire, la blanche et la violette. Elle se gave de figues et d'ail, plonge dans la mer, se promène, écrit, loin des foules déchaînées par « des concours de pyjamas, des concours de connerie ». Elle soupire de bonheur, « Il n'y a vraiment qu'ici qu'on goûte cette facilité de vivre ». Et quand, fin août, début septembre, l'heure du retour à Paris sonne, elle s'écrie : « C'est terrible de devoir toujours tout quitter ». Mais elle sait que cet abandon n'est que passager, qu'elle reviendra l'année suivante, sur les bords de la Méditerranée qui ont vu naître son père. Elle peut regagner les bords de la Seine qui ont vu naître Sido, assurée d'y trouver d'autres félicités et d'autres douceurs. Fille de la Seine et de la Méditerranée, Colette n'en demeure pas moins attachée à sa Bourgogne natale où elle va de moins en moins, et qu'elle évoque de plus en plus dans ses écrits.

En novembre 1930, paraissent simultanément *Sido* chez Ferenczi et *Douze Dialogues de bêtes* au Mercure de France. De quatre qu'ils étaient au début, les *Dialogues* ont augmenté d'année en année, et forment un bel ensemble. Ces *Dialogues* pâtissent un peu du voisinage de *Sido* qui capte particulièrement l'attention des critiques, et des meilleurs, comme Edmond Jaloux. Jaloux avait salué ainsi *La Fin de Chéri*, « Peut-être Mme Colette n'a rien écrit de plus beau, de plus intense et de plus tragique que ces dernières pages ». Que va-t-il trouver alors pour *Sido* ? Va-t-il être en panne de superlatifs ? Jaloux voit en l'auteur de *Sido* « un être inspiré par le génie de la terre », et l'un « des plus beaux esprits cosmiques que je connaisse ». On peut en déduire que Colette a compris que l'infiniment petit contient l'infiniment grand, comme l'enseignent certains sages de l'Extrême-Orient. Sido est devenue la Mère éternelle et le jardin de Saint-Sauveur, un éden à jamais immortalisé par ce que Jaloux appelle le « beau style » de Colette.

Le style de *Sido* enlève tout sens critique aux critiques qui, justement, restent béats devant tant de perfection, et cela pour longtemps, puisque, en 1989, Françoise Burgaud conclut la présentation de cet ouvrage [1] par cet hommage, « Faut-il insister sur le style de *Sido* ? [...] Il n'est pas étonnant que ce petit livre soit présenté à l'étranger, dans les universités en particulier, comme un modèle dans l'art de maîtriser la langue française ».

Avec ce livre qui fait entrer sa mère dans le panthéon des mères illustres, Colette fait définitivement taire le remords, et les regrets, d'avoir délaissé Sido, dans ses derniers jours, au profit d'Henry de Jouvenel...

Face aux éloges des critiques, Colette ne perd jamais la tête, elle les lit, s'en réjouit, remercie, et pense à autre chose, c'est-à-dire au texte qu'elle est en train d'écrire. Quand paraissent *Sido* et *Douze Dialogues de bêtes*, elle compose déjà *Ces plaisirs...* où

1. Page 756 du deuxième tome des œuvres complètes de Colette dans la collection Bouquins, Robert Laffont éditeur.

elle évoque, entre autres, Sodome et Gomorrhe, en familière des lieux.

Toujours scrupuleuse et soucieuse de vérifier un détail, elle demande à Natalie Barney son exemplaire d'*Une femme m'apparut* de Renée Vivien. Et le rend, avec le commentaire suivant, « Bon Dieu que c'est mauvais ». Craignant d'avoir froissé l'Amazone qui est l'héroïne d'*Une femme m'apparut*, elle l'invite à manger, dans les jours qui viennent, un munster, « cette charogne distinguée », accompagnant son invitation d'un « Ma très chère et sans reproche [...] je t'embrasse comme je t'aime, tendrement ».

Toujours pour composer *Ces plaisirs...*, Colette revoit Missy avec qui elle s'est enfin réconciliée et qu'elle campera magistralement en Chevalière, dans ces mêmes *Plaisirs...*

Renée Vivien, Missy de Morny, c'est tout le passé qui revient, quand elle n'était que Mme Willy, l'auteur secret des *Claudine*, et non comme aujourd'hui, Mme Colette, écrivain classique, auteur de *Sido*. C'est une grande félicité à laquelle s'ajoutent les petites douceurs procurées par la quotidienne, la permanente présence de Maurice attentif à satisfaire ses moindres désirs et qui répète : *« Tu vois que je m'occupe de toi. Je suis tout occupé de toi ».*

Chapitre 42

Colette du Claridge
(1931)

Fin décembre 1930, Colette quitte son entresol du Palais-Royal pour raisons de santé. Elle souffre d'une bronchite chronique qui l'affecte depuis plusieurs hivers et qui s'aggraverait si elle persistait à passer encore un hiver dans cette paisible mais sombre tanière. Son médecin exige de l'air et de la lumière. Colette se rend à ses prescriptions. Lassée d'attendre l'étage noble qu'occupe toujours M. Quinson, elle vient se jucher au dernier étage de l'hôtel Claridge, sur les Champs-Élysées.

Début janvier 1931, elle est en plein aménagement dans ce palace inauguré en 1919. Une riche clientèle cosmopolite occupe ses suites, se presse à ses thés dansants, plonge dans sa piscine et participe à ses fêtes comme une mémorable « Nuit de la fourrure », ou aux réceptions offertes par l'un des amis de Colette, le pacha de Marrakech. À ces fortunes qui s'étalent, Colette oppose tranquillement sa gloire d'écrivain, et son prestige de femme qui a vécu et qui connaît la vie. Le petit personnel du Claridge ne cache pas sa satisfaction d'avoir à servir l'auteur de

Chéri, d'autant que les Chéri sud-américains et les Léa bordelaises abondent au bar, ou dans le hall.

Le 12 janvier 1931, elle apprend la mort de son premier mari, Henry Gauthier-Villars. Willy disparaît dans un oubli complet, et dans une pauvreté proche de la misère. Il a été préservé du pire par une femme au grand cœur, Madeleine de Swarte, son dernier amour et son dernier « nègre ». À l'annonce de cette mort, Colette ne manifeste aucune émotion, trop rancunière pour accorder son pardon. C'est pourtant le premier homme qu'elle a aimé et à qui elle doit beaucoup plus qu'elle n'osera l'avouer en public, ou à elle-même... Et comment pourrait-elle s'attarder à cette disparition alors qu'elle est en train de renaître en un nouveau logis ?

Comme toujours, Colette déborde d'enthousiasme devant cet antre, « deux petites pièces communicantes sous le toit, une baignoire, deux petits balcons jumeaux au bord de la gouttière, des géraniums rouges et des fraisiers en pots, la plupart de mes meubles, et tous mes livres collés aux murs ». Il y a aussi un placard de toilette que deux prises électriques transforment en « kitchenette ». Et si Colette n'a pas envie de se faire cuire un œuf, elle fait monter du restaurant « le plat garni ». Maurice s'est installé dans une chambre voisine. Pauline s'est retirée à l'étage des domestiques. La chatte et la chienne donnent l'impression d'avoir toujours mené la vie de palace. Colette croit être, encore une fois, tombée dans un vrai paradis, élyséen celui-là, et invite ses amis le 6 janvier, à fêter les rois et à pendre la crémaillère, avec une galette et du vin chaud. Ce n'est plus Colette de Saint-Sauveur, c'est Colette du Claridge !

Claude Chauvière a laissé de Colette tourbillonnant au Claridge une trépidante évocation, « Et la sarabande commence. La sonnerie du téléphone ne s'arrêtera que pour reprendre haleine. Colette décroche, raccroche, répond, refuse, accepte, change de voix, d'humeur, de désirs. [...] Et puis

Colette veut aller au cinéma. Et puis Colette a un rendez-vous avec son couturier pour un essayage, un autre avec Gaston, pour une mise en plis ».

Et voilà qu'arrivent successivement une journaliste, Mlle de Jouvenel, et un colis contenant des fruits et des légumes en provenance de la Treille muscate. Colette se souvient qu'elle n'est pas encore poudrée, elle se poudre tandis que « les gens entrent et sortent comme dans un moulin ». Colette prétend que sa « solitude » n'a jamais été aussi bien protégée qu'en ce Claridge dont elle chante éperdument les avantages, « Je menai, à la cime d'un palace, ma silencieuse vie de travailleuse peu sociable ».

« Peu sociable », c'est beaucoup dire ! Colette se montre quand même souvent aux déjeuners de Violet Trefusis, aux thés de Natalie Barney, aux dîners de Winnie de Polignac et aux grandes réceptions d'Élisabeth de Gramont, duchesse de Clermont-Tonnerre. Les mondanités de Colette, pendant les années 30, sont des mondanités nettement orientées vers Lesbos. Winnie, Violet, Natalie, Élisabeth figurent alors parmi les plus remarquables fleurons de Gomorrhe.

Colette succombe-t-elle parfois aux tentations qu'elle côtoie chez ces dames ? Il est permis d'en douter. Maurice est là qui surpasse sans peine les plaisirs prodigués par ces notoires fleurs du mal. La Vagabonde n'a plus besoin de courir à droite ou à gauche. Elle a tout ce qu'il faut à la maison, c'est-à-dire au Claridge, son cocon de luxe. Elle ignorerait la crise qui commence si cette crise n'affectait durement son compagnon.

La perle fine que vendait Maurice Goudeket vient de s'effondrer, vaincue par la perle japonaise. Maurice a dû vendre son appartement de l'avenue Wilson et vient de vendre la Gerbière à Mlle Chanel. Colette admire la vaillance de son compagnon à se lancer dans d'autres affaires pour payer le loyer de la chambre qu'il occupe au Claridge, gagner sa vie.

Atteinte à son tour par la crise, Germaine Patat

doit fermer sa maison de couture. On achète moins de robes et on vend moins de livres. Voyant s'amoindrir sa principale source de revenus, Colette se lance dans une tournée de conférences, épuisante mais triomphale, en Autriche, en Roumanie, en Afrique du Nord. De Constantine, le 15 avril 1931, elle évoque pour Moune, « L'heure du petit supplice qui glace les mains et les pieds : la conférence. Tout va très bien, à part ce trac idiot ». Elle termine son bulletin de victoire par cette constatation destinée à amuser Moune et son Toutounet : depuis qu'il est ruiné, Maurice engraisse ! Car Maurice l'a accompagnée, bien sûr...

Le 5 septembre 1931, à Saint-Tropez, dans les alentours de la Treille muscate, Colette se fracture le péroné de la jambe droite en trébuchant dans une tranchée creusée par un voisin. Elle rend compte de cet accident à Moreno, « Mais quelle douleur ! On m'a emportée, voiture d'ambulance, hôpital, radiographie – et plâtre. [...] Maurice qui était venu me chercher, est reparti pour Paris hier avec une figure de condamné mexicain ».

Dès qu'il arrive à Paris, Maurice écrit à Colette : *« Je n'ai pas cessé de me glacer chaque fois que je pense à ton accident* [...] *Hochou, que ne donnerai-je pour qu'il ne t'arrivât jamais rien de fâcheux. Je ne savais pas que je t'aimais d'une manière aussi incommode »*. À la lecture de ces lignes, Colette ne regrette plus d'être plâtrée ! Elle profite de son immobilité passagère pour terminer *Ces plaisirs...*, « J'ai fini mon livre. Je n'ai pas fini avec mon pied » précise-t-elle à Moreno, le 5 novembre. Le 12 décembre, « Je souffre le martyre dans mes tendons de pied qui travaillent. C'est fastidieux ».

À cette souffrance physique s'ajoute une souffrance morale aussi intolérable. *Gringoire* qui publiait en feuilleton, depuis le 4 décembre 1930, *Ces plaisirs...* en arrête net la publication le 1er janvier 1931, devant les réactions indignées de ses lecteurs pudibonds. C'est le scandale du *Blé en herbe* qui recommence. C'est pire puisque *Gringoire* a mis le mot « fin » à un épisode qui n'est pas le dernier de *Ces plaisirs...* « On ne m'avait jamais fait ça » commente sobrement Colette qui vient justement d'avouer à Moune, « J'ai la crédulité de ceux qu'on a beaucoup trahis ».

L'auteur, lésé, de *Ces plaisirs...* pense d'abord en appeler aux avocats, puis se ravise. Elle a mieux à faire qu'à perdre son énergie dans un procès. Elle veut se lancer dans le commerce des parfums auquel elle associerait Maurice. Ainsi, le couple ne serait plus séparé par les voyages professionnels de l'un et les conférences de l'autre. Par cette surprenante décision de se changer en femme d'affaires, Colette du Claridge veut montrer qu'elle ne se laisse pas abattre par *Gringoire*, ou submerger par cette crise qui a débuté aux États-Unis, le 24 octobre 1929, lors du krach boursier de New York, le fameux « jeudi noir », et qui, depuis, a lentement, mais sûrement, gagné l'Europe. Colette ne dédaigne pas de se mesurer avec cette nouvelle épreuve, en éternelle apprentie qu'elle est...

Chapitre 43

L'affaire des parfums (janvier 1932-décembre 1933)

Colette passe les cinq premiers mois de l'année 1932, elle a cinquante-neuf ans, à préparer ce qu'elle appelle son « affaire des parfums », comme elle en prévient Léo et Misz Marchand, « Maurice gratte, gratte. Nous vivons très petit. L'hôtel nous diminue de mille francs par mois, – sans ça nous serions allés ailleurs. Personne n'a d'argent. Et pourtant nous nous lançons dans une affaire. Avec un petit paquet de commanditaires d'un choix excellent : le pacha Glaoui, Bailby, la princesse de Polignac, Simone Berriau, et Daniel Dreyfus. Ce n'est pas si mal, hein ? »

En effet, ce n'est pas si mal : un pacha, un patron de presse, une princesse, une excentrique fortunée, et un banquier, Colette a battu le ban et l'arrière-ban de ses riches amis pour commanditer cette affaire qu'elle prend au sérieux comme tout ce qu'elle entreprend. Elle s'y investit complètement, déjeunant et dînant avec des gens qu'elle estime utiles, mais qui l'ennuient profondément. Elle espère, avec la vente de ses produits de beauté, se délivrer des pesantes chaînes de la création littéraire et du cycle infernal des conférences. Secrètement, elle espère aussi que cette entreprise mettra Maurice, et son sens des affaires, en valeur. Or, Goudeket est assez réticent et essaie de modérer l'enthousiasme aveugle de la débutante. Mais il comprend vite que Colette éprouve « le besoin de renouer le contact avec des inconnus, avec ces gens moyens qui ont toujours été ses vrais personnages ». Sagement, il accepte de seconder sa compagne, « Telle que je la connaissais, elle se consolerait d'échouer, non de ne pas avoir entrepris ».

C'est André Maginot qui a suggéré à Colette d'ouvrir une boutique qui porterait, inscrite sur sa porte, cette phrase : « Je m'appelle Colette et je vends des parfums ». Propos tenus pendant un déjeuner, boulevard Suchet, et qui, depuis, ont fait leur chemin dans la tête de Colette. Cette balzacienne-née se voit assez bien égalant la grandeur d'un César Birotteau, sans en connaître la décadence. Donc, à l'exemple de Birotteau, elle avait vu grand. La petite boutique où l'on n'aurait vendu que des parfums s'est changée en une société qui ajouterait aux parfums, les fards, les crèmes, les onguents, tout ce qui est nécessaire aux soins de beauté. Passionnée par le visage humain, et les ravages du temps, Colette meurt d'envie d'apprendre à ses contemporaines comment on peut, selon elle, s'embellir et « réparer des ans l'irréparable outrage ». Comme elle donne sa marque à tout ce qu'elle touche, elle dessine d'un trait son profil qui est reproduit sur les poudriers.

En mai 1932, la parution de *Ces plaisirs*... chez Ferenczi n'interrompt pas cet élan qu'elle poursuit de sa démarche incertaine. Colette souffre des séquelles de sa fracture du péroné, et doit s'aider d'une canne pour se déplacer...

Le succès de *Ces plaisirs*... fait oublier à son auteur l'affront infligé par *Gringoire*. Colette a mis en exergue une phrase tirée du *Blé en herbe*, « Ces plaisirs qu'on nomme, à la légère, physiques... » On remarquera, au passage, son art de tout remettre en question avec seulement deux virgules! Ce « à la légère », suffit à renouveler la vision que l'on peut avoir des plaisirs. Le pluriel est de rigueur, et particulièrement pour ceux qui sont à l'honneur à Sodome et Gomorrhe que Colette résume en une phrase magistrale, « l'étroite ressemblance rassure même la volupté ». N'en étant pas à une audace près, elle va encore plus loin, faisant dire à Moreno, « Pourquoi ne te résignes-tu pas à penser que certaines femmes représentent pour certains hommes, un danger d'homosexualité ? »

Ce traité des plaisirs s'agrémente d'une série d'inoubliables portraits : moderne don juan, dame mûre feignant d'être comblée par un jeune amant, vierges passionnées de Langollen, Renée Vivien pâlissante et rougissante, Chevalière « venue de haut » et qui « s'encanaillait comme un prince ».

La publication de *Ces plaisirs...* met Colette-écrivain en vedette. Un mois après, l'annonce de l'ouverture de son magasin place Colette-personnage au premier plan de l'actualité. Elle feint de s'en plaindre, « La curiosité est telle que je n'arrive pas à modérer le zèle des journalistes. Ils m'ont déjà fait, à mon corps défendant, plus de 50 000 F de réclame. Je commence à croire que cela peut marcher... En tout cas, les produits sont ravissants et excellents ».

Colette a, bien sûr, rédigé elle-même l'invitation : « J'inaugure mon magasin de produits de beauté, mercredi 1er juin, et les deux jours suivants. Je serai heureuse, madame, de vous accueillir moi-même, 6 rue de Miromesnil, et de vous conseiller les maquillages les plus seyants pour la scène et pour la ville ».

La ville et la cour ont été invitées et se rendent en chœur le 1er juin 1932 au 6 rue de Miromesnil. On s'y presse, on s'y écrase autour d'une Colette épanouie dans son rôle de femme du jour. Liane de Pougy, oubliant ses vieilles rancunes, juge l'événement suffisamment important pour le consigner dans ses *Cahiers bleus* [1], et achète tout ce qu'on lui

1. Plon, 1977.

propose. Natalie Barney qui assiste au maquillage de Cécile Sorel par Colette s'amuse à en rapporter les effets désastreux. Qu'importe ? Au soir du 1er juin, Colette et Maurice peuvent s'estimer vainqueurs.

À cette inauguration, dans la foule des invités qui se croyaient illustres et dont on a, aujourd'hui, oublié les noms, s'est glissée une petite anonyme, une blonde Bretonne inconnue, Renée Hamon, qui, depuis 1925, assiège Colette de vœux de bonne année et de bonne fête. Elle a été présentée à son idole par Paul Poiret. Elle ne rêve que de voyages lointains et se prive de dîner pour offrir des fleurs à Colette qui, cédant à son goût des surnoms, l'a baptisée, « le Petit Corsaire ». En pénétrant au 6 rue de Miromesnil, le Petit Corsaire se croit dans l'antichambre du paradis. À partir de ce moment-là, naît l'une de ces amitiés indéfectibles qui ont illuminé la vie de l'écrivain.

Après avoir conquis Paris et le Petit Corsaire, Colette, infatigable, se lance à l'assaut de la province. La séance de maquillage tourne souvent à la séance de dédicace. La Claudine de Marseille, la Léa de Vichy, la Vagabonde de Béziers réclament la signature de l'auteur sur un exemplaire de *Ces plaisirs...* ou de *Prisons et Paradis* qui paraît fin juillet chez Ferenczi.

Dans *Prisons et Paradis*, Colette, qui a de la suite dans ses idées, poursuit la galerie de portraits qu'elle avait commencée dans *Ces plaisirs...*. On y voit Philippe Berthelot, Landru, Lyautey, Chanel, Mistinguett. On n'admirera jamais assez l'éclectisme, et le talent, de Colette capable de faire voisiner un ministre, un assassin, un maréchal de France, une couturière et une étoile du music-hall. Paraît aussi, pendant l'été 1932, *La Treille muscate*, illustrée par André Dunoyer de Segonzac. Colette oppose sa Treille toujours intacte, préservée, à un Saint-Tropez qui a tellement changé qu'elle ne l'aime plus, « Saint-Tropez ? Pyjamas. Dos nus. Boîtes à débardeurs truqués pour touristes riches ».

Quand elle arrive à Saint-Tropez, début août 1932, Colette n'a plus guère de temps à consacrer à la Treille muscate et à la naissance du jour. Elle se doit tout entière à son affaire de parfums. Le 6 août, sur le port, elle ouvre une succursale de son magasin parisien, puis s'en va courageusement, clopin-clopant, maquiller les dames de Pau, Biarritz, et autres villes du Sud-Ouest.

À Paris, Maurice Goudeket veille sur le 6 rue de Miromesnil et sur Colette à qui il conseille : *« Pour Biarritz où tu ferais simplement un après-midi de démonstrations, je ne pense pas que tu aies besoin de robes spécialement, et je pourrais vraiment bien t'apporter ce dont tu as besoin.* [...] *J'en mets un coup, mais je ne m'appelle pas Maurice Goudeket, dit le Chat, si cette damnée affaire n'a pas, dès le mois d'octobre, une tout autre allure.* [...] *Je ne suis inépuisable que sur un seul sujet : la folle tendresse que j'ai pour toi, et cette fringale de ta présence que l'éloignement exaspère. Mais est-ce qu'il te plaît que je te le dise si souvent, ou me trouves-tu ridicule ?* [...] *Tu vois ce que la chaleur et la longue attente ont fait de moi. Une cure d'aïoli s'impose évidemment.* [...] *Les nourritures d'ici me soulèvent le cœur. Je donnerais cher pour une soupe à l'ail, une salade à l'ail, une farce à l'ail et... un baiser à l'ail.* [...] *Je t'embrasse avec amour et sans respect ».* À quoi Colette répond : *« Je trouve longs cinq jours sans toi.* [...] *Qu'en dis-tu, Prince des Noirs ? Tu piaffes ? Ah ! pauvre de moi ! »* Elle termine sa lettre par ce grand cri de l'amoureuse à son bien-aimé : *« Ne t'enrhume pas. »*

À l'automne, Colette ne s'accorde aucun repos. Elle écrit les sous-titres français du film allemand, *Jeunes Filles en uniforme*, l'une des œuvres-cultes du Tout-Lesbos d'alors, multiplie les tournées de conférences et les séances de maquillage, de Toulon à Zurich, et de Tours à Liège. Un tel emploi du temps épuiserait quelqu'un de normalement constitué. En quoi Colette est-elle faite ? En acier ?

À cette question souvent posée, Colette oppose une seule, et triomphale réponse : « Non, je ne suis pas en acier, je suis en femme, tout simplement ».

Chapitre 44

Princesse des lettres (1933-début 1934)

Colette qui, le 23 janvier 1933, entre dans sa soixantième année, s'applique à réussir sa soixantaine. Elle veut cette décennie aussi féconde que la cinquantaine qui vient de s'écouler, afin de pouvoir s'exclamer, à son tour, « Où sont mes beaux soixante ans ? », comme le disait l'un des personnages de *Ces plaisirs*...

Malgré son poids imposant, elle ne parvient pas à maigrir, et en dépit des séquelles de son péroné brisé, Colette est une jeune femme de soixante ans, capable de mener plusieurs tâches à la fois. Elle s'occupe de son affaire de parfums et de fards, qui, le succès de curiosité passé, ne donne pas le résultat escompté. Elle est donc forcée de continuer ses tournées de conférences, et d'écrire, où, quand, et comment ? *La Chatte*. Mystère de la création qu'elle dévoile dans une lettre à Hélène Picard, le 1er mai 1933, « Mon Hélène, je sors de mon cauchemar, j'ai fini hier mon petit roman. Les dernières semaines m'ont été si dures que j'en ai honte. Couchée par hygiène, cloîtrée. Des journées (et des nuits) de onze heures de travail. Plus d'une fois, la semaine dernière, j'ai vu commencer le jour. Mon Dieu que le travail m'est malsain ! J'en sors, pour apprendre la mort d'Anna de Noailles. Cette puissante présence n'est plus ».

Pendant que Colette terminait *La Chatte*, Anna de Noailles finissait sa vie. Anna qui disait à Colette, « Vous n'écrivez que des chefs-d'œuvre » et « Tâchez de me faire comprendre comment on peut vivre sans l'amour ! » Et qui aimait à répéter inlassablement, et comme pour s'en convaincre, « J'aurais été inutile mais irremplaçable ». Anna se plaisait à faire retentir sa voix dans les lointaines galaxies. Colette se contentait de parler aux bêtes et aux plantes. Leurs différences les unissaient. Et elles avaient le même amour de l'amour.

Colette aurait bien été en peine d'expliquer à Anna, et quoi qu'elle en ait dit dans *La Naissance du jour*, comment on peut vivre sans amour ! Elle n'a jamais vécu sans amour, et à ce jour, moins que jamais. Cette jeune femme de soixante ans est aimée par un homme de quarante-deux ans, comme peu de femmes de son âge peuvent se vanter de l'être. En témoigne cette lettre écrite par Maurice, en 1933, pendant l'une de leurs séparations, et dans laquelle il évoque les moments passés à la Treille muscate, « *Quelle douce existence nous avons menée. Mais enfin me disent les gens, à quoi passez-vous vos journées là-bas ?* [...] *Au fait, chou chère, maintenant que j'y réfléchis, que faisions-nous de nos longues journées ? J'ai bien envie de retourner là-bas pour éclaircir ce mystère qui me trouble : que faisions-nous de nos journées ? Et ne penses-tu pas que tout devrait être organisé pour que puissent jouir d'un loisir parfait des gens comme nous qui sommes si occupés, quand nous ne faisons rien, de ne rien faire, qu'il ne nous reste pas un moment pour faire quelque chose.* [...] *Que nous avions le cœur gros, hier, toi et moi, et que nous sommes mal faits pour nous séparer. Quel esclavage que cette liberté que j'ai en ce moment* ».

Dans chaque lettre de Maurice revient ce tendre

refrain, *« Pourvu que nous soyons nous deux et que nous ne voyions personne »* que Colette reprend à son compte. Tous deux en font la règle de leur vie amoureuse. Le délire des sens n'a pas cessé comme en témoigne aussi cette autre lettre du « petit adorateur » qui s'apprête à rejoindre son idole dans l'une des villes où elle officie, *« Depuis que je me suis fixé une date de départ, il me semble que je remonte vers la lumière.* [...] *Je t'amène un collégien en délire. Attends-toi au pire. Incroyablement à toi »*. Pour cacher son trouble, Colette joue, à son tour, à la collégienne et envoie une lettre en forme de coup de téléphone, *« Allô, allô ? Tu as bien dormi ? Bonjour. Excessivement bonjour. Qu'est-ce qu'on fait dans la suite du temps ? »*

Qu'est-ce qu'on fait ? On s'occupe, main dans la main, de cette affaire des parfums qui donne plus de soucis que de profits. En un sens, Colette avait vu juste, en créant cette affaire, elle a enrichi sa connaissance du paysage humain et engrangé de nouvelles amitiés. À celle de Renée Hamon, le Petit Corsaire, s'ajoute celle d'Yvonne Brochard qui, par hasard, assiste à Nantes, au théâtre Graslin, à une conférence de Colette, le 3 février 1933, « Confidences d'auteur ». Conquise, Yvonne écrit à la conférencière qui répond. Une correspondance s'engage, une amitié naît qui s'étend à la compagne d'Yvonne Brochard, Thérèse Sourisse, avec qui Yvonne a fondé une exploitation agricole. Comme Renée Hamon avait été baptisée le Petit Corsaire, Yvonne et Thérèse sont baptisées « les Petites Fermières ».

Avec le Petit Corsaire, celle qui fut la Vagabonde a l'illusion de goûter au grand large. Avec les Petites Fermières, celle qui fut Minet-Chéri renoue avec la fraîcheur, et les produits, de la province. Le grand large et la province sont alors inaccessibles à Colette qui est, plus que jamais, rivée à son écritoire. Elle accepte, à la demande du fils de son ami Henri de Rothschild, Philippe, d'écrire les dialogues de *Lac aux dames*, le roman de Vicky Baum dont Marc Allégret va faire un film.

Colette en profite pour caser sa fille comme deuxième assistante d'Allégret. En cette intervention, en apparence innocente, Colette n'est pas fâchée de contrer Henry de Jouvenel qui, venant d'être nommé ambassadeur de France à Rome, exige la présence de sa fille à ses côtés. Indépendante comme sa mère, Mlle de Jouvenel a refusé cette invitation qui ressemblait trop à une sommation. Fureur du père qui dure peu, il aime trop cette rebelle de dix-neuf ans qui veut vivre sa vie comme elle l'entend, ne faisant en cela que suivre l'exemple de ses parents. Mlle de Jouvenel préfère les studios aux salons des ambassades, Henry s'incline, et donne sa bénédiction, bon gré mal gré...

Les dialogues de *Lac aux dames* terminés, « un vrai marathon », Colette s'accorde un juste repos à la Treille muscate. Elle nage tant qu'elle peut en compagnie de Natalie Barney qui nage mieux qu'elle, la dépasse souvent, et s'écrie : « Colette, tu n'avances pas », « Mais Natalie, où veux-tu que j'aille ? » répond paisiblement la tritonne, entre deux brasses.

En septembre 1933, *La Chatte* paraît chez Grasset. À cause du titre et de son auteur, on pourrait en déduire hâtivement qu'il s'agit là d'une histoire de chats, encore une ! Il n'en est rien. C'est une tragédie intimiste, avec une action simple et rapide, Alain aime sa chatte, Saha, et la préfère à sa jeune épouse, Camille, qu'il finit par quitter parce qu'elle a voulu, par jalousie, tuer Saha.

Alain, le héros de *La Chatte* devrait être aussi connu que Chéri. Il ne l'est pas, et c'est dommage. Pourtant avec Alain, Colette a créé un type, celui de l'homme-enfant, le précurseur de ces hommes-enfants qui abonderont dans les années 60, dans la vie comme dans la littérature, et dont on trouve de nombreuses traces dans, par exemple, le *Journal* d'Anaïs Nin.

Anna de Noailles n'est plus là pour donner le signal des applaudissements. Mais d'autres la remplacent, comme Paul Reboux, dans *Paris-Soir* : « L'ouvrage est court. Il se lit vite. Mais pourrait-on se plaindre si l'on se trouvait en présence de la Carmen de Mérimée ou de l'Yvette de Maupassant ? *La Chatte* est de cette veine. C'est un morceau de premier ordre. C'est un chef-d'œuvre aux proportions réduites. [...] Disons tout simplement : une œuvre de Colette. Cela suffit ».

Le succès de *La Chatte* ne parvient pas à combler le gouffre financier de l'affaire des parfums et des fards que Colette et Maurice liquident du mieux qu'ils peuvent. Maurice essaye de gagner sa vie en débutant dans le journalisme. Pour l'encourager, Colette y revient, en assumant, à partir d'octobre, la critique dramatique hebdomadaire du *Journal*. Comme sa vue est mauvaise, elle s'arme d'une paire de jumelles noires pour mieux observer le jeu des acteurs et c'est sous le titre, *La Jumelle noire*, qu'elle réunira ses chroniques. Elle n'avait été critique dramatique à *La Revue de Paris* que trois mois. Elle le sera jusqu'en 1938 au *Journal*. Il est vrai que le *Journal* paye mieux que *La Revue*.

Dans ses critiques dramatiques, comme dans ses romans ou ses nouvelles, Colette apporte cette touche inimitable qui apparaît dès le premier paragraphe de sa première chronique du 8 octobre 1933, dans laquelle elle rend compte de *Maria* d'Alfred Savoir aux Ambassadeurs, et de *Milmort* de Paul Demassy, à l'Œuvre : « Quant à Maria, l'héroïne de M. Savoir, elle rencontre sur la scène des Ambassadeurs, ce monstre frais, sanguinaire, attendrissant et dénué de scrupules : une jeune fille ».

Cette définition de la jeune fille pourrait s'appliquer à Camille, dans *La Chatte*, et, aussi, à quelques autres demoiselles de l'entourage de l'auteur...

Entre deux critiques de théâtre, Colette se met à écrire *Duo*. On se demande s'il faut prendre, au pied de la lettre, son aveu à Moreno, « J'ai horreur d'écrire ». Elle cède quotidiennement à cette « horreur » sans laquelle, en fin de compte, elle ne pourrait pas vivre...

Début 1934, Colette se voit nommée « princesse des lettres » par le journal *Minerve* qui a organisé « un référendum des princesses ». Elle a pour compagnes Cécile Sorel, princesse du théâtre, Marie Curie, princesse de la science, et, à titre posthume, Anna de Noailles, princesse des poètes.

C'est à partir de ce référendum, ou à partir de cette époque, que l'on entend de plus en plus parler de « notre grande Colette ». Grandeur qui suscite de chétives contrefaçons : on aura une Colette girondine, une Colette provençale, une Colette normande. Aucune n'arrive à la cheville de l'original. Colette, elle, se considère comme une éternelle apprentie qui ne cesse jamais d'apprendre. Et c'est en restant cette éternelle apprentie qu'elle devient un maître.

Tant de maîtrise et de grandeur n'empêchent pas Colette de souffrir, toujours début 1934, d'une affreuse névrite, « Depuis un mois et plus, je suis forcée de soigner une névrite (bras droit, épaule, dos droit) qui m'embête sérieusement, [...] Des piqûres n'ont rien donné. Demain je commence la diathermie ».

Comme quoi, on peut être princesse des lettres et souffrir autant que le commun des mortels ! Colette en a pleinement conscience et c'est peut-être cela même qui l'empêche de croire à sa propre grandeur, et aux illusions de la gloire. « Vous n'aimez pas la gloire » lui disait Anna de Noailles. Non, Colette n'aime pas la gloire. Il y a tant de choses plus intéressantes à aimer, ou à écrire, comme ce texte qu'elle compose pour le programme du bal des Petits Lits Blancs du 6 février 1934. C'est le bal-événement de l'année, placé « sous le haut patronage » d'Albert Lebrun, président de la République, et se déroulant à l'Opéra, « obligeamment prêté par M. Rouché, son directeur ». Tout ce que Paris compte d'artistes renommés y participe : Serge Lifar, Yvette Chauviré, Madeleine Ozeray, Dranem, Michel Simon, Arletty, Jean-Pierre Aumont, Josette Day, Jeanne Boitel,

Renée Saint-Cyr, Mistinguett, Jo Bouillon, Florelle, Suzy Prim, Jules Berry, Gaby Morlay, Claude Dauphin et tant d'autres...

Le texte de Colette, illustré par quatre dessins de Mariette Lydis, se termine par cet appel : « Dieu merci, le cœur nous bondit encore à l'appel de l'enfant. Chaque année, le jour du grand bal, tout Paris est debout, prêt à servir. [...] Voulez-vous que je vous chante le grand air de *La Tosca* ? ». Mais ce 6 février 1934, Colette ne chantera pas le grand air de *La Tosca*. Dans les rues de Paris, on entendra une tout autre musique...

Chapitre 45

Troisième mariage et troisième jeunesse (3 avril 1935)

Le 6 février 1934, Paris est en proie à une émeute sanglante. On dénombre seize morts et cinq cent seize blessés parmi les manifestants qui, de droite comme de gauche, et pour une fois unis, sont venus protester contre la corruption du régime, et ont essayé d'envahir la Chambre des députés où siègent Édouard Daladier et les membres de son gouvernement.

Du haut du Claridge, Colette est aux premières loges pour observer les mouvements d'une foule qui, des Champs-Élysées, descend bruyamment vers la Concorde. L'émeute terminée, elle en établit le bilan : « Ils ont tout démoli en bas. Et nous avons pu pendant les nuits contempler des autos, des bancs et des kiosques en flammes, et des charges d'agents à pied ».

Un seul remède à l'émeute, et à la névrite qui continue à la faire souffrir, la Treille muscate où Colette se réfugie fin février. Elle y travaille simultanément à son prochain roman, *Duo*, et au scénario du film, *Divine*, que s'apprête à tourner Max

Ophüls. Sur intervention de sa scénariste, Ophüls prend comme assistante Mlle de Jouvenel. Les relations entre la mère et la fille sont au beau fixe. La première n'a plus qu'un seul reproche à adresser à la seconde : la laisser sans nouvelle quand elle s'absente. À quoi Mlle de Jouvenel répond qu'il est difficile, voire impossible, d'écrire à un écrivain aussi célèbre que l'est sa mère. Laquelle hausse les épaules et lève au ciel ses beaux yeux pers, « Il n'y a pas eu de plus beaux yeux au monde ni qui mieux savaient voir » selon Maurice Goudeket.

En juillet 1934, Ferenczi publie le premier volume de *La Jumelle noire* qui réunit les chroniques théâtrales parues depuis un an dans *Le Journal*. L'éclectisme, et le flair, de Colette s'y donnent libre cours. Elle y rend aussi bien compte de *La Machine infernale* de Jean Cocteau que des *Temps difficiles* d'Édouard Bourdet ou de *L'Amour gai* de Steve Passeur.

Dans cette première année de *La Jumelle noire*, il y a *La Joueuse* de Madeleine de Zogheb qui serait tombée dans un oubli complet si Colette n'avait pris soin de nous en résumer, avec toute la malice dont elle est capable, le troisième acte. Voici le début de ce résumé : « Le troisième acte est celui du nègre. Je ne sais pas très bien pourquoi une femme qui désire gravir les brûlants sommets de la perversité aboutit toujours au nègre... » Après avoir éreinté Mme de Zogheb en ayant l'air de la couvrir de fleurs, Colette s'en prend à l'interprète principale, Mlle Binder, qui « mime la volupté à grands frais de souffles et de tortillements. Et comme elle est d'une minceur extrême, j'évoquais, en la regardant, le lévrier qui avait avalé vivante une anguille ». On aura compris, en lisant ces extraits, que les lecteurs du *Journal* attendaient, chaque semaine, avec une impatience non dissimulée, cette chronique de Colette qui ne ménageait pas sa peine, « Cette chronique dramatique me prend un temps, me donne un mal incroyables ».

Duo paraît d'abord en feuilleton dans *Marianne*,

puis chez Ferenczi en novembre. Paul Géraldy propose d'en faire l'adaptation théâtrale. Colette accepte, prévenant charitablement son ami : « Je te souhaite de réussir là où j'ai échoué ». Ainsi encouragé, Géraldy se met aussitôt au travail, pendant qu'Edmond Jaloux, fidèle à son admiration pour Colette, célèbre les vertus de ce *Duo*, et « la grande vertu » de son auteur qui a su garder « sa prise directe sur la vie ».

Début mars 1935, Colette et Maurice Goudeket quittent le Claridge, trop onéreux pour eux, malgré le rabais consenti, et qui est en train de faire faillite, pour s'en aller juste en face, au 33 avenue des Champs-Élysées, à l'immeuble Marignan que l'on vient de construire. Nouveau déménagement qui fait dire à Colette : « Je ne dépasse guère la vérité en disant que je nouai mes meubles dans une serpillière et que je sautai par-dessus l'avenue des Champs-Élysées, où le côté impair me reçut dans un huitième étage, tout crème à la vanille et épingles à cheveux. Il était juste que j'allasse goûter, comme par provocation [...] la décrépitude foudroyante qui frappe certaines constructions rapidement élevées, et que j'en fusse punie ».

Colette énumère les « punitions » qui la frappent, à peine installée, les murs se lézardent dès que les portes claquent, la salle de bains est propice à d'imprévisibles inondations et le premier orage brise les vitres. Bref, Colette essuie les plâtres, à tous les sens que peut avoir cette expression.

Consternés, Maurice, Pauline, la Chatte et le chien, qui ont suivi leur maîtresse en sa dernière migration, se demandent si ce nouveau caprice va durer longtemps. Car Colette, habile à changer le mal en bien, a décrété que la vue qu'elle a de son huitième étage est incomparable et console de tout.

Faisant contre mauvaise fortune bon cœur, Colette, à la mi-mars, vante les mérites de son

« nid d'aigle » à Hélène Picard, « Quand, Hélène, quand peux-tu venir ? Tu verras tout le dessus de la ville. [...]. Les Belges m'ont donné à leur Académie le fauteuil d'Anna de Noailles. Bien ! Mais je pense déjà avec une peur verdâtre à la séance, au discours de réception, qui est en janvier ».

En effet, le 9 mars 1935, Colette a été élue par l'Académie royale de langue et littérature françaises de Belgique. Les académiciens belges l'emportent sur les académiciens français qui refusent d'admettre Colette dans leurs rangs parce qu'elle est une femme. Il faudra attendre l'élection de Marguerite Yourcenar en 1980 pour mettre fin à un tel préjugé.

La consécration de l'Académie belge a été précédée par une autre qui a autant touché Colette. Le 15 février, les *Nouvelles littéraires* ont annoncé la création des *Amis de Colette* qui se proposent de publier les notes, les brouillons, les inédits de l'écrivain. Parmi ces *Amis*, Jean Giraudoux, Paul Morand, François Mauriac, Pierre Brisson, Édouard Herriot. Le premier à souscrire est le président de la République, Albert Lebrun.

Cette double consécration, élection à l'Académie belge et fondation des *Amis de Colette*, fait-elle soudainement prendre conscience à l'intéressée qu'elle est en train de devenir une institution, et qu'elle doit donner l'exemple, en étant irréprochable dans sa vie publique comme dans sa vie privée ? N'est-il pas temps de mettre fin à ce « concubinage notoire », comme diraient les hommes de loi, qu'elle forme avec Maurice Goudeket ? Si on les traite comme un couple, si on ne les invite jamais l'un sans l'autre, Colette n'est pas pour autant la légitime Mme Maurice Goudeket. Elle est une divorcée, ce qui, en 1935, continue à être synonyme de déclassée.

À l'immeuble Marignan, comme au Claridge, Colette et Maurice, soucieux de respecter les convenances, occupent des appartements voisins, mais séparés. Tout cela est ridicule. Au ridicule risque de s'ajouter un désagrément puisque Colette, pour *Le*

Journal, et Maurice pour *La République*, sont invités au premier voyage inaugural du *Normandie* où, couple non marié, ils seront mis chacun dans une cabine différente, et située, peut-être, à un étage différent. Et ce sera pire aux États-Unis, à New York où les couples illégitimes ne peuvent partager la même chambre d'hôtel. Alors que faire pour mettre fin à ces inconvénients ? Se marier, comme ils le décident d'un commun accord ! Voilà exactement dix ans que Colette et Maurice vivent ensemble, dix ans d'entente parfaite, il est donc temps de « régulariser » et de mettre fin à ces très longues fiançailles.

Le 3 avril 1935, à 11 heures du matin, à la mairie du VIIIe arrondissement, Colette et Maurice Goudeket sont légalement unis pour le meilleur et pour le pire. Colette a soixante-deux ans, et Maurice, quarante-six. Ce troisième mariage est célébré avec autant de discrétion que le premier. Même les proches amis n'en seront informés que l'événement accompli, « À propos, nous nous sommes mariés, Maurice et moi, depuis une dizaine de jours ».

Il ne reste plus à M. et à Mme Maurice Goudeket qu'à considérer l'escapade à New York comme un voyage de noces, une nouvelle lune de miel. Avec ce troisième mariage, Colette est certaine de connaître, comme Mme Prune, l'héroïne de Pierre Loti, une troisième jeunesse.

Chapitre 46

Un voyage, un mariage, un divorce, une mort et un discours (mai 1935-avril 1936)

Le 29 mai 1935, M. et Mme Maurice Goudeket s'embarquent au Havre pour la première traversée de l'Atlantique par le paquebot *Normandie*. Sont également invités des étoiles du journalisme, des vedettes de cinéma ou du music-hall, des personnalités diverses. Dès qu'elle est montée dans le train, à la gare de Saint-Lazare, Colette fait sensation parmi ces blasés en brandissant un panier à provisions, rempli d'œufs durs et de poulet froid, qu'elle distribue généreusement à qui en veut. Sacha Guitry avait quand même vu juste : il y a de la paysanne en Colette, elle ne s'embarque jamais sans provisions ! Encouragée en cela par cette autre paysanne qu'est Pauline, laquelle a veillé personnellement à ce que sa vénérée patronne ne souffre pas de la faim pendant ce voyage. Pauline ne connaît que trop le cri matinal du grand écrivain, « Pauliiine, qu'est-ce qu'on mange aujourd'hui ? » Aussi, c'est à Pauline que Colette envoie, le 30 mai, sa première lettre :

« Ma chère Pauline, nous avons fait jusqu'à présent une traversée merveilleuse. Mais nous ne sommes pas encore à lundi, jour de notre arrivée.

J'ai bien fait de ne pas emmener nos bêtes ! Ici, il y a un chenil que je n'ai même pas été voir, car deux ou trois pauvres chiens y gémissent.

La table, comme la nourriture, est sans défaut.

La vie s'organise, mais le bateau est beaucoup trop grand et trop haut, on s'y perd, et on s'y fatigue malgré les ascenseurs. Mais quel luxe ! Tout est doré – trop doré à mon goût. Tout le monde est d'une amabilité extrême. Je reçois des fleurs et des fleurs. »

On remarquera le soin que prend Colette à s'adapter à chacun de ses correspondants. À Pauline, elle ne parle que de ce qui peut intéresser Pauline, la nourriture, les bêtes, et le luxe de ce *Normandie* qui, depuis des mois, s'étale dans les magazines nationaux et étrangers. Avec Luc-Albert Moreau et Hélène Jourdan-Morhange qui ont été ses témoins lors de son dernier, et récent, mariage, elle transforme cette « amabilité extrême » en une appréciation moins élogieuse : « emmerdeurs à bâbord et à tribord ».

Le 3 juin, les nouveaux mariés débarquent à New York. Les journalistes se ruent vers Colette qui ne cache pas sa surprise. Elle savait, comme l'avait affirmé son confrère américain, le romancier Louis Bromfield, qu'elle était connue par « des milliers de lecteurs qui ne l'ont jamais vue, à la fois à Paris, à Londres et à New York, puisque le cachet de son charme et de sa personne se retrouve sur tout ce qu'elle écrit ». Mais celle que Bromfield avait présentée comme « la plus française des écrivains » ne comprend pas une telle ruée. Ou plutôt finit par comprendre que ce n'est pas vers l'auteur de *Chéri* et de *Sido* que se pressent les reporters, mais simplement vers l'écrivain aux pieds nus et aux ongles peints. En effet, depuis sa fracture du péroné, Colette ne supporte plus les chaussures et porte des sandales de cuir, en hiver comme en été, des sandales faites sur mesure par un cordonnier de Saint-Tropez.

Le lendemain, Colette et ses pieds nus font la « une » des journaux new-yorkais, avec questions et réponses en gros caractères, « Pourquoi avez-vous les pieds nus ? », « Parce que cela m'est plus commode pour marcher ». Comme quoi, tout est relatif. L'auteur de l'une des œuvres les plus importantes du siècle retient l'attention parce qu'elle a les pieds nus...

Dès qu'elle est installée dans sa suite du Warldorf Astoria, Colette réclame, selon son habitude, des cartes postales qu'elle envoie à ses proches comme autant de bulletins d'émerveillement.

New York appartient à ces villes, comme Bénarès ou Venise, que l'on aime, ou que l'on déteste, immédiatement. Dès le premier instant, M. et Mme Goudeket aiment New York et s'y comportent comme de jeunes mariés en goguette arrivant de l'Arkansas ou du Wisconsin, ils montent au sommet de l'Empire State, traînent dans Harlem, flânent dans Central Park et finissent leur périple dans un endroit cher à Colette, la maison-mère des stylos Parker, sa marque préférée. Cette maison est située dans un quartier lointain et Maurice rechigne un peu devant une aussi longue course en taxi, objectant que l'on trouve les mêmes stylos à Paris. « Oui, mais ici, ils sont plus frais » répond, péremptoire, Colette. Elle a trouvé l'argument pour convaincre, et amuser, M. Goudeket qui reconnaît que, avec madame, il ne s'ennuie jamais !

Colette revient en France, le 13 juin, pour apprendre, ô surprise, que sa fille, soucieuse peut-être de suivre le récent exemple maternel, se marie. Mlle de Jouvenel est plus que majeure, elle a vingt-deux ans, elle met ses parents devant le fait accompli, ou plutôt, devant le prétendant qu'elle a choisi, le docteur Adrien Dausse, un jeune médecin barbu, dodu, et qui se vante d'arriver vierge au mariage.

Mme Maurice Goudeket et M. Henry de Jouvenel s'efforcent de cacher leur déception, voire leur inquiétude. De toutes façons, cela fait douze ans maintenant que Colette et Henry ne se sont plus vus, et ne communiquent plus que par personne interposée. La future Mme Dausse souhaite de grandes noces campagnardes à Castel-Novel. Qu'il en soit fait selon sa volonté. Colette donne sa bénédiction. Elle a compris que sa présence, en un tel jour, n'est pas souhaitée par les Jouvenel. Henry remercie poliment son ex-épouse pour sa compréhension.

Un peu peinée d'être ainsi tenue à l'écart, Colette se retire à la Treille muscate d'où elle écrit à Misz Marchand, « M'aimes-tu en belle-mère ? » On ose espérer que Misz n'a pas trop tardé à répondre à cette question. Quelques semaines après ce mariage, Mme Adrien Dausse quitte son mari et exige le divorce, fin septembre. Le 8 octobre, Colette confie à Hélène Picard : « Ma fille s'est mariée le 11 août dernier. Elle divorce. Motif sans réplique : horreur physique. On ne discute pas ça, n'est-ce pas, mon Hélène ? N'en parle pas ». Mais dans le petit monde parisien et corrézien, on en parle beaucoup et on ne s'étonne guère de voir divorcer la fille d'une femme qui a déjà divorcé deux fois. Ce même petit monde sait bien que, comme sa mère, Mlle de Jouvenel est une femme à femmes. Il n'y a que le Tout-Lesbos pour se réjouir d'une telle hérédité, et de ce divorce qui ramène la brebis égarée au bercail de Gomorrhe où elle restera jusqu'à son dernier soupir.

Colette se contente d'accueillir, d'écouter, de réconforter sa fille, et de la persuader que la perte d'un mari, comme le docteur Dausse, est absolument réparable. Mlle de Jouvenel en convient, d'autant qu'elle subit une autre perte, et irréparable celle-là, son père qu'elle aimait, admirait, et préférait peut-être à sa mère, meurt subitement le 5 octobre, en sortant du Salon de l'Automobile. Il est terrassé par une embolie en pleine rue, et non pendant un entretien galant dans les bosquets des Champs-

Élysées, comme certains l'ont prétendu. En apprenant ce décès, Colette en aurait demandé la cause. « Il est mort du cœur » lui aurait-on répondu. « Sans blague ? Il avait un cœur ? » aurait froidement répondu l'ex-baronne de Jouvenel. Cette brève, et révélatrice, oraison funèbre prononcée, Colette s'emploie à consoler sa fille, « Elle est allée avec ses frères à Castel-Novel pour l'enterrement. Espère qu'elle ne s'enrhumera pas. Le rhume est le fruit quasi obligatoire de toutes les obsèques ».

Le rhume, avec l'ail, compte parmi les obsessions majeures de Colette. Elle craint toujours que son troisième époux ou sa fille unique ne s'enrhument, sachant trop les ennuis que cela provoque, elle qui est souvent enrhumée et dont les rhumes dégénèrent en bronchite.

Si Colette n'accorde guère de temps au décès de son deuxième mari, de celui qui fut sa « Sultane », c'est qu'elle est en train de régler ses comptes au premier, à Willy, dans *Mes apprentissages* qu'elle termine et qui paraît, en feuilleton, de fin octobre à la mi-décembre, dans *Marianne*.

Au sommet de sa gloire littéraire et de son bonheur conjugal, Colette montre qu'elle n'a rien oublié de ses malheurs passés, ni pardonné à celui qu'elle considère comme l'artisan de ses infortunes de jeune femme. Mais s'est-elle bien rendu compte que sa vengeance immortalisait Henry Gauthier-Villars, comme sa piété filiale avait immortalisé Sido ? Sans le portrait qu'elle en dresse dans *Mes apprentissages,* qui se souviendrait encore de Willy ? Elle le ressuscite avec une telle précision, une telle abondance de détails, qu'on finit par avoir l'impression d'avoir personnellement connu cet homme amateur de grande musique, de petits fruits verts et de calembours... Oui, Willy nous devient aussi présent que Sido. Et ce n'est pas la seule présence qui naît entre les pages de *Mes apprentissages*. La Belle Otero, Polaire et Jean Lorrain, pour ne citer que ces trois-là, sont, à jamais, sauvés de l'oubli par le génie de Colette.

Le 21 janvier 1936, à la veille même de son soixante-troisième anniversaire, Colette et son génie reçoivent une consécration officielle. Colette est promue commandeur de la Légion d'honneur. Elle ne savoure pas pleinement cette promotion, occupée qu'elle est à peiner durement sur son discours, en forme d'hommage, à Anna de Noailles.

Autant que les enterrements, Colette déteste les discours. Celui qu'elle prononce le 4 avril, à Bruxelles, à l'Académie royale, fait regretter qu'elle n'en ait pas composé davantage. Ce n'est plus un discours, c'est quelque chose de musical, le rythme de chaque phrase donne envie de battre la mesure, et, à travers la voix de Colette, c'est la voix d'Anna de Noailles que l'on croit entendre, « sa voix de bronze et d'argent qu'elle forçait parfois »...

Une ovation salue la fin du discours. Chacun se plaît à féliciter son auteur, en robe noire, très stricte. La reine des Belges s'entretient longuement avec Colette qui, le lendemain de la réception, est invitée à l'ambassade de France pour un déjeuner donné en son honneur. Ah, elle en a fait du chemin la danseuse nue qui, autrefois, en cette même Bruxelles, avait été forcée de mettre un maillot pour dissimuler sa nudité et qui maintenant ne montre plus que la nudité de ses pieds, et la perfection de son style.

Chapitre 47

Colette, critique de théâtre (avril 1936-décembre 1937)

La réception à l'Académie royale de Belgique a épuisé Colette qui, à la mi-avril 1936, part séjourner à la Treille muscate, pour y reprendre des forces. Elle n'aime guère les mondanités prolongées, et parfois, la petite sauvage qu'elle était à Saint-Sauveur, courant les bois et les collines, refait surface...

À la Treille muscate, au printemps, l'académicienne se laisse aller à une crise de « sauvagerie » et d'« insociabilité », comme elle dit, et qu'elle met à profit pour commencer à rédiger une longue nouvelle, *Bella-Vista*. Après *Mes apprentissages* où elle évoquait ses années Willy, la première phrase de *Bella-Vista*, « C'est folie de croire que les périodes vides d'amour sont les blancs d'une existence de femme », pourrait laisser croire qu'elle poursuit son autobiographie. Il n'en est rien. Certes, Colette se met en scène et utilise un épisode de sa vie, quand, voilà treize ans, elle avait acheté la Treille muscate et que, pendant les travaux, elle avait logé dans cet hôtel qu'elle nomme Bella-Vista, précisant que « il y a en France autant de Bella-Vista et de Vista-Bella que de Montigny ». Inutile cependant de chercher sa trace ou celles de ses deux propriétaires, Mme Suzanne et Mme Ruby qui ont l'air d'être l'un de ces couples de femmes comme la Côte d'Azur en abrite beaucoup. Ce n'est qu'une apparence, et tout l'art de Colette consiste à nous conduire à l'insolite surprise finale.

Pour ce séjour à la Treille muscate, Colette qui sait combien les printemps méditerranéens peuvent être froids, a mis dans ses bagages ce qui convient à une expédition polaire : pantalon de gros tricot, quatre pull-overs, écharpe de laine, imperméable doublé de tartan. Elle apporte aussi le demi-kilo de papier bleu nécessaire à l'élaboration de *Bella-Vista*.

De son écritoire, elle observe l'éclosion du printemps, « Que de fleurs ! [...] le jardin n'est que roses, rouges, roses, blanches, jaunes, thé, et même il y en a une verte. [...] Suis-je assez fleurie ? » Hélas, elle doit abandonner ses roses pour reprendre sa critique théâtrale à Paris. Elle y rend compte, entre autres, de *Bolivar* de Jules Supervielle à la Comédie-Française, de *La Vie est si courte* de Léopold Marchand, au théâtre Pigalle et de la revue dont Cécile Sorel est la vedette à l'Alcazar. Pendant un entracte, Colette rejoint Sorel à qui elle demande : « Tu n'es donc jamais fatiguée ? », « Fatiguée ? Non. Comment veux-tu ?... Regarde, si c'est beau... » répond Sorel.

Colette ne cache pas son faible, un « fort faible » comme aurait dit Louise de Vilmorin, pour les lutteuses, les gagneuses, les femmes qui ignorent la fatigue et repoussent les ravages du temps. Comme Sorel ne quitte jamais la scène, Colette ne quitte pas non plus sa table de travail, allant d'un livre à l'autre, sans répit, ni repos, oublieuse des jours qui passent et ne trouvant même pas le temps de vieillir. Elle termine sa troisième année de critique théâtrale par la revue de l'A. B. C, le 28 juin 1936, où elle remarque un débutant, Jacques Tati, « [...] cet étonnant artiste qui a inventé [...] d'être ensemble le joueur, la balle et la raquette ».

Il faudra, un jour, dresser la liste de ces débutants et de ces débutantes que Colette, avec son flair de sourcière, ou de sorcière, a su découvrir et mettre en valeur, de Jacques Tati à Edwige Feuillère, de Lucienne Bogaert à Christian Bérard en qui elle voit « un décorateur-né » qui sait user « d'un certain blanc funeste, soleil familier des cauchemars ». Les acteurs, les actrices, les décorateurs, les metteurs en scène, qui reçoivent les louanges, ou les blâmes, de Colette, savent en tirer profit. Par ses conseils, Colette contribue puissamment à la prodigieuse éclosion théâtrale des années 30 qui voit, en une seule saison, se créer des pièces de Jean Giraudoux, Jean Cocteau et Jean Desbordes, pour ne citer que ces trois Jean-là...

Bella-Vista paraît en feuilleton dans *Gringoire*. Son auteur prévient Hélène Picard de cette publication, dans une lettre datée du 15 septembre où l'on trouve aussi l'écho des malheurs du temps, « L'affreuse époque sacrifie à la fois les ouvriers âgés et les apprentis ». Ne dirait-on pas que cette dernière phrase a été écrite aujourd'hui même ? Il est rare que Colette, dans sa correspondance, s'attarde sur les maux de son époque, sur cette crise qui n'en finit pas, sur le chômage en France, la guerre civile en Espagne, ou la montée du nazisme en Allemagne. Une fois, une seule, elle dira à Renée Hamon ce qu'elle pense d'Hitler, « Un monsieur végétarien qui ne mange que des flocons d'avoine à midi et parfois un œuf le soir... Un monsieur qui ne fait pas l'amour, même pas avec les hommes... » On le voit, Hitler ne jouit pas de la considération de Colette qui le qualifie de « belle comédienne ». Elle est fidèle à son opinion sur la politique qu'elle proclamait, déjà, quand elle était baronne de Jouvenel, « La politique ? de l'opéra. » comme elle est fidèle à son admiration pour Natalie Barney à qui elle écrit : « Tu es une sur-Natalie ! [...] Souvent je pense que dans les grandes choses comme dans les petites, rien ne m'est venu que de bon, par toi. Que tu es rare ! »

Prise par ses multiples amours, Natalie Barney n'a guère le temps de rendre visite à Colette qui, au huitième étage de l'immeuble Marignan, mène l'existence austère des forçats de la plume. Elle écrit, elle écrit, et Maurice aussi, « Maurice [...] dirige et rédige, avec les frères Kessel, un hebdomadaire qui s'appelle *Confessions* ». Colette est vouée à avoir des époux journalistes ! Ses trois époux, Willy, Jouvenel, Goudeket, le furent avec des fortunes diverses. Cela permet à Colette de tout partager avec ses hommes, y compris leur travail.

En décembre 1937, Ferenczi publie *Bella-Vista*, augmenté de trois autres nouvelles, *Gribiche*, *Le Rendez-vous*, et *Le Sieur Binard*. Le sujet de *Gribiche*, c'est l'avortement. *Le Rendez-vous* évoque une passion très marocaine, et *Le Sieur Binard*, un inceste campagnard. Ces histoires déconcertent Edmond Jaloux qui, admirateur inconditionnel de Colette, ne sait pas comment en rendre compte et se contente de prudentes généralités comme « On sait avec quel art Mme Colette excelle à peindre des figures troubles » et de rendre, une fois de plus, hommage au « ravissement de ce style incomparable ». Colette ne s'y trompe pas et dans sa lettre de remerciement, fin décembre, se moque gentiment du critique qu'elle invite à venir la voir « dans une quinzaine », au Palais-Royal. Car cette Bourguignonne, quand elle veut quelque chose, y met l'obstination que l'on prête aux Bretonnes. Colette va enfin avoir au Palais-Royal, l'appartement, l'étage noble qu'elle convoitait depuis qu'elle y avait occupé, en 1927, un entresol. Dix ans, il aura fallu exactement dix ans d'attente pour atteindre ce paradis du Palais-Royal.

Chapitre 48

Un écrivain à toutes les sauces
(janvier-novembre 1938)

Colette qualifie de « modeste miracle » son retour au Palais-Royal, au 9 rue de Beaujolais, début janvier 1938. Quand on sait avec quelle attention Colette choisissait ses adjectifs, on peut se demander si, pour une fois, la seule dans son œuvre, elle ne s'est pas trompée de qualificatif ! Ce miracle n'a rien de « modeste », il est grand et peut être considéré comme le fruit de deux hasards.

Premier hasard. Après l'avoir refusée par deux fois, Colette accorde à *Paris-Midi* une interview dans laquelle elle déclare que l'unique endroit où elle aurait vraiment envie de vivre à Paris, et où elle a déjà vécu, c'est le Palais-Royal. La sédentaire Colette qui a joué les nomades à travers les arrondissements parisiens se dit prête à planter définitivement sa tente sous les arbres du Palais-Royal.

Deuxième hasard. M. Quinson lit cet article et prévient Mme Goudeket qu'il quitte l'appartement qu'elle espérait tant occuper. Madame bondit sur l'occasion, sans hésiter un instant, bénissant le ciel, *Paris-Midi*, et M. Quinson.

Pour son retour au Palais-Royal, Colette est reconnue, fêtée comme une reine, reçoit des cadeaux de bon voisinage, bouquets de fleurs et crêpes farcies. Sagement, elle se conforme aux usages et coutumes qui gouvernent ce petit village au cœur de la grande ville.

Le Palais-Royal, c'est la province à Paris. La parisienne Colette qui n'a jamais renié ses racines bourguignonnes, sent qu'elle va s'épanouir là, encore une fois. Reine en son Palais, elle distribue ses sourires et ses saluts à la libraire, à la crêpière, et aux péripatéticiennes qui exercent leur métier à l'ombre des colonnes. « Tu n'as aucune idée comme ils sont gentils dans ce quartier ! La province, mon Petit, la province ! » déclare Colette à Renée Hamon qui, dans son journal intime, à la date du 15 janvier 1938, rend compte de sa visite au Palais-Royal. Elle y a trouvé Colette, enveloppée dans un vaste peignoir puce, terminant de déjeuner en compagnie de Maurice, et dévorant, comme dessert, les chocolats reçus pour le nouvel an.

Colette fait admirer au Petit Corsaire sa table à écrire offerte par un ami antiquaire, ses papiers peints pleins d'oiseaux et de fleurs, ses rideaux ivoire et vert. « Le tout très 1830, très Sido » , apprécie Renée à qui Colette lit un éreintement de *Bella-Vista* et de son auteur, dans *La Revue des lectures* de l'abbé Bethléem, « On la sent vivre dans cette atmosphère de mauvaises mœurs, non pas comme un poisson dans l'eau, mais comme un ver dans la boue ». Commentaire de l'intéressée : « Décidément, les catholiques ne m'aiment pas ! » C'est vrai que les catholiques tiennent alors Claudine, la Vagabonde, Léa, la Dame en Blanc comme autant d'incarnations du péché, et leur auteur, pour la pire des pécheresses, celle par qui tant de scandales sont arrivés. Ceux qui succombent à la tentation de lire *Chéri* ou *Ces Plaisirs...* s'en confessent et doivent accomplir la pénitence correspondant à leur faute.

Cette rigueur des catholiques à son égard

n'empêche pas Colette d'entrer en sa soixante-cinquième année dans une complète euphorie. Si l'on avait demandé à l'auteur de *Bella-Vista* de prendre sa retraite à soixante-cinq ans, elle aurait ri au nez de l'insolent qui aurait osé lui proposer une telle absurdité ! Elle ne veut pas gâcher un seul instant de sa précieuse soixantaine, elle sent qu'elle est en train de vivre le meilleur de sa vie, en compagnie du meilleur des compagnons, Maurice. Elle mesure les dons qu'elle a reçus, et ceux qu'elle reçoit encore, se gardant bien de les gaspiller. Elle fuit les vampires, les snobs, les réceptions mondaines où, quand il lui arrive de se montrer, elle se comporte « comme un jardinier maussade, que l'on aurait arraché de force à son travail », rapporte Violet Trefusis [1].

Car elle travaille plus que jamais, composant roman et articles. Elle écrit la suite de *Duo*, *Le Toutounier*. Elle cesse sa collaboration au *Journal*, cinq années de chronique théâtrale, cinq années de *Jumelle noire*, cela suffit ! Mais ne lâchant jamais la proie pour l'ombre, avant de publier sa dernière chronique le 5 juin, elle avait négocié sa collaboration avec *Paris-Soir*, où elle avait débuté, sans perdre de temps, le 6 juin, par un article au titre fracassant : « La mariée dit : je suis morte ».

Début juin, alors qu'elle débute à *Paris-Soir*, Colette doit se porter au chevet de sa fille que le professeur Mondor vient d'opérer de l'appendicite. Mlle de Jouvenel se remet rapidement de cette opération. Elle loue une maison dans le voisinage de la Treille muscate où elle va rejoindre sa mère, en juillet. En fin de visite, il arrive à Mlle de Jouvenel de piller le réfrigérateur de la Treille. Si Colette, amusée, laisse emporter par sa fille les nourritures mises au frais, elle ne supporte plus d'être la proie des curieux qui, non seulement la suivent pas à pas quand elle fait ses courses à Saint-Tropez, mais encore viennent la relancer jusqu'à la Treille muscate, demandant dédicaces et entrevues impromptues. Maurice, avec

1. Dans son livre de souvenirs, *Prélude au désastre*, Salvy, 1997.

courtoisie, et Pauline, avec hargne, s'efforcent d'éloigner ces importuns, sans toujours y parvenir. Colette a farouchement besoin d'une inviolable retraite. Si elle doit saluer, à Saint-Tropez, des gens à qui elle ne dirait pas bonjour à Paris, autant quitter Saint-Tropez ! À la fin de l'été, sa décision est prise. Elle met en vente la Treille muscate et en fait part au Petit Corsaire, « Je ne veux pas retourner dans le Midi l'été. J'ai une terrible envie de Bretagne. Envoie-moi des documents sur l'hôtel où tu es si bien [...] Est-ce près de la mer ? Une plage baignable ? Des rochers, du sable ? Pas de T. S. F ? »

C'est justement par la T. S. F, autrement dit, par la radio, qu'Hitler vomit ses menaces de guerre qui enfièvrent Paris et la France. On mobilise partiellement quand, dans la nuit du 29 au 30 septembre 1938, interviennent les accords de Munich qui font croire à la terre entière que la paix vient d'être sauvée. La peur demeure quand même d'une invasion-éclair des Allemands que ne contiendrait peut-être pas la fameuse ligne en béton créée par André Maginot.

Considérée comme un précieux bien national, Colette est priée de se mettre à l'abri et s'y refuse. « Tu comprends, Petit Corsaire, tous autour de moi, veulent que je file » confie-t-elle à Renée Hamon. Même Mlle de Jouvenel s'en mêle qui conseille à sa mère de se réfugier à Castel-Novel qui, à la mort d'Henry, est devenue la propriété de la troisième baronne de Jouvenel. Réponse acide de Colette, « Pourquoi ne pas faire venir aussi les autres ex-femmes de Jouvenel ? » Cela en ferait du monde...

Chacun, y compris Colette, pratique la stratégie de l'autruche et refuse de voir le danger. On continue à ignorer l'imminence d'une guerre que les accords de Munich n'ont fait que retarder. On se passionne, à Paris, pour la première exposition internationale du surréalisme, pour le film de Marcel Carné, *Quai des brumes*, avec Michèle Morgan et Jean Gabin et pour les chansons de Charles Trenet.

Colette compose les paroles d'une chanson, « Mon Âne », que Michel Emer met en musique et que chante Tino Rossi.

Le 10 octobre, Colette assiste au théâtre Saint-Georges à la création de *Duo*, la pièce que Paul Géraldy a tirée de son roman, avec pour interprètes, dans les rôles principaux, Valentine Tessier, Sylvie, Henri Rollan et Jacques Baumer. Dans *Paris-Soir* du 11 octobre, Colette confesse, à propos de ses interprètes : « Je suis un peu jalouse de leur entente comme de leur antagonisme éphémère. Que puis-je pour eux ? Rien. De les avoir vus tous si vivants et actifs, j'ai beau me dire que j'ai écrit le roman, cela ne me suffit plus... »

Le 17 octobre, Colette avoue, avec la soumission d'une débutante – on croit rêver – que « *Paris-Soir* veut me mettre à toutes les sauces. Non seulement je dois aller à Fez en novembre pour les audiences d'un extraordinaire procès criminel, mais il me faudra faire un reportage d'été, – mettons juin, – et qui durerait un mois en France ».

Le projet de reportage en France n'aura pas de suite, mais en novembre, Colette se rend au Maroc, en compagnie de Maurice, qui, lui, y va pour *Match*, afin de rendre compte du procès d'Oum-El-Hassem, une prostituée accusée de divers meurtres. Après avoir longtemps vendu son corps, Oum-El-Hassem vend le corps des autres, filles ou garçons, qu'elle séquestre, ou fait assassiner. Elle n'est que mépris pour ses accusateurs, et pour leur verdict, quinze ans de travaux forcés. Pendant les révoltes de 1912 et 1925, elle avait protégé, et même sauvé, des Français. Ce que tout le monde a oublié, sauf Colette, « C'est sa belle gorge, ce sont ses bras croisés qui barrent la route à l'émeute. [...] Retenons qu'elle avait juré, sur sa vie, de ne se donner jamais qu'à des militaires de notre armée. Si, comme elle l'affirme, elle a tenu parole, elle n'aura goûté de l'existence que ce qui lui donnait du prix : la domination, la camaraderie des camps, un certain ordre de violences qu'elle estimait vénielles, et un idéal personnel de l'amour ».

En lisant de telles lignes, on ne peut que louer *Paris-Soir* d'avoir mis « à toutes les sauces », Colette qui, elle, n'a pas le temps de se promener dans Fez, et de profiter de son climat, « Le climat est une merveille. Mais ce ne sont pas les treize heures du tribunal, hier, qui pouvaient nous le faire goûter ». Enfin, motif supplémentaire d'allégresse à Fez, elle a rencontré « trois chats parlant français ». Et de déplorer l'absence de la Chatte qui se serait certainement réjouie d'avoir une conversation avec des matous marocains aussi instruits...

Chapitre 49

Adieu Treille muscate, bonjour le Parc (été 1939)

Colette a transformé son appartement du Palais-Royal en un observatoire idéal d'où elle suit le mouvement des nuages, le vent dans les arbres, les enfants qui jouent, le genre humain qui défile. À quoi bon voyager ? Avec Renée Hamon, elle a le voyage à domicile et croit flâner dans la brousse des Hébrides, cueillir des orchidées dans la jungle d'Angkor, ou dans les jardins de Peradenyia. Colette presse le Petit Corsaire d'écrire ses récits de voyage. « Je ne sais pas quoi mettre dans un livre » se défend Renée. « Moi non plus, rassure-toi » répond Colette pour l'encourager.

Comme Colette, Renée aime les hommes et les femmes. Amoureuse d'une Belle qui a toutes les qualités, le Petit Corsaire annonce triomphalement qu'elle a décidé d'être fidèle à Colette qui réplique, « Tu n'es pas plus fidèle que moi. Tu es monogame comme moi ! Tu es fidèle le temps que tu aimes, car tu ne peux te partager. Je connais ça. Quand j'avais envie de..., il me fallait liquider d'abord l'autre chose. Je ne pouvais faire l'amour avec un autre être tant que l'ancien existait. Tu n'as pas de double commande ! » Grâce à Renée Hamon, et à son journal intime, on peut avoir une idée de ce que pouvait être un dialogue avec Colette...

En décembre 1938, Colette veut passer Noël avec son Petit Corsaire qui habite en Bretagne, à Auray. Elle rêve de revoir Belle-Île et la journaliste impénitente qui est en elle se réjouit de trouver un sujet de reportage pour *Paris-Soir* : l'éducation des petites sourdes-muettes et des petites aveugles par les religieuses d'Auray. Hélas, à la veille du départ, un froid de Sibérie s'abat sur Paris. La neige rend les routes impraticables et bloque les trains. Colette doit se résigner à renoncer à un plaisir qu'elle s'était promis.

Fin janvier 1939, le départ pour Auray est possible, voire nécessaire, « La vieille Souci, la crépusculaire Chatte, Maurice et Colette ont bien besoin de changer d'air ». La chienne Souci et la Chatte Dernière vieillissent inexorablement, sont souvent malades et, par mimétisme, Colette avoue leur ressembler, « Moi aussi, je suis toute moche, et lourde, et âgée de cent un ans ».

Le 7 février, les Goudeket et leur suite animale arrivent à Auray et y font « un bien joli séjour ». Colette en rapporte un article pour *Paris-Soir*, et qui a pour titre : « Ici les sourdes-muettes parlent, ici les aveugles voient ».

Le dimanche 19 février, c'est le drame. La Chatte, la Chatte dernière, la Chatte de *La Chatte*, meurt. Cette chatte des Chartreux avait treize ans et elle était, d'après son inconsolable maîtresse, « toujours aussi amoureuse ».

Exactement un mois plus tard, le dimanche 19 mars, la chienne Souci meurt à son tour. La chatte et la chienne sont mortes de vieillesse. Elles ne quittaient pratiquement jamais Colette qui ne concevait pas son existence sans ses deux fidèles suivantes.

Maurice, Pauline, Moune, le Petit Corsaire essaient, vainement, de consoler l'inconsolable qui ne veut plus entendre parler de chat, ni de chien, et ne trouve de véritable consolation que dans l'évocation de cette Chatte incomparable et irremplaçable. « Quand je cesserai de chanter la Chatte Dernière, c'est que je serai devenue muette sur toutes choses » confesse-t-elle. Et elle ajoute, pour justifier son chagrin, « Il n'est pas, en amour, de petit objet ».

Dérivatif à ce double drame, Colette doit assurer pour *Paris-Soir* le procès de Weidman qui sera condamné à mort par la cour d'assises de Versailles, le 2 avril, et veiller à la parution du *Toutounier* chez Ferenczi. Dans *Le Toutounier*, on retrouve Alice, l'héroïne de *Duo*, qui, veuve récente, vient se réfugier chez ses sœurs, Hermine, Colombe et Bizoute. Ce harem fraternel a coutume de se rassembler sur un vaste canapé-lit anglais, baptisé le Toutounier, mot que Colette aura certainement tiré du surnom dont elle avait affublé Luc-Albert Moreau, le Toutounet. Les répliques échangées par ces odalisques parisiennes en font d'authentiques porte-parole de Colette qui persiste à affirmer que, dans la vie, il n'y a pas que l'amour qui compte. Ces filles « pauvres et dédaigneuses » disent à l'amour : « Pousse-toi un peu, mon vieux, fais-toi petit... Avant toi, il y a la faim, la férocité et le besoin de rire ». Dans ses livres, Colette aura beaucoup prêché pour remettre l'amour à sa place. Mais, dans sa vie, elle n'aura guère donné l'exemple et aura laissé l'amour prendre la première place.

En cette année 1939, après la disparition de la Chatte Dernière et de Souci, Colette est affectée par deux autres morts, celle en avril de Claude Chauvière et celle en octobre de Polaire réduite à écrire ses Mémoires pour subsister. Entre-temps, Mme Goudeket a vendu la Treille muscate à l'acteur Charles Vanel et acheté le Parc, à Méré, près de Montfort-l'Amaury.

À soixante-six ans, Colette décide de commencer une nouvelle vie au Parc, acheté en un moment de frénésie qui ressemble fort à un accès de « diguedigue ». Un dimanche soir, en rentrant des Mesnuls où elle avait passé la journée en compagnie de Moune et du Toutounet, Colette voit une petite maison nantie d'un grand jardin et offrant un mur entièrement recouvert par une glycine. Le tout portant cette annonce magique, « À vendre ». Colette qui a tant répété que l'on ne vit pas à l'ombre d'une pergola, fût-elle chargée de roses ou de glycines, veut cette glycine, de suite, et quel que soit le prix exigé par son propriétaire. Envoyé en ambassadeur, Maurice revient triomphant. L'affaire est faite. Adieu Treille muscate, bonjour le Parc.

Tant d'émotions diverses méritent une compensation, voire une récompense. En mai, Colette et Maurice vont se reposer au château d'Alizay, une hostellerie près de Rouen. En fait de repos, Colette travaille à son prochain livre, *Chambre d'hôtel*, et Maurice à une série d'articles sur les grands hommes de la France, de Bernard Palissy à Pasteur, en passant par Descartes, Pascal et Ampère.

Colette se réjouit que leur vie soit « d'une parfaite austérité ». La règle, et le travail, guérissent de tout. Mais il est certain que les petits voyages, les changements de décor, aident aussi Colette à combler l'absence de cette Chatte en qui elle avait, peut-être, trouvé son double animal. Le 16 mai, elle change sa peine en une plainte qui se veut comique et qu'elle adresse à Moune, « Une seule chatte nous manque, et tout est déserté ». C'est à se demander si la mort de la Chatte Dernière n'aura pas affecté Colette plus que les autres morts qu'elle avait eu à déplorer jusque-là. En tout cas, sa peine apporte un démenti formel à Jean Cocteau et à Mlle de Jouvenel qui prétendaient que l'auteur des *Douze Dialogues de bêtes* n'aimait pas les bêtes [1] !

Colette se réfugie ensuite, en juillet, au Grand Hôtel de la Pointe des Pois, à Camaret-sur-Mer. On dirait qu'elle cherche à fuir son appartement du

---

1. Cf. *Le Passé défini* de Jean Cocteau, Gallimard, tome III, page 62, « Colette de Jouvenel et moi nous avouons avoir fait la même découverte. Sa mère n'a jamais aimé les bêtes ».

Palais-Royal où le fantôme de la Chatte Dernière n'est que trop présent. Pour cette Chatte, elle est prête à croire en cette autre vie en laquelle elle ne croit guère : « Peut-être qu'ils m'attendent encore, tous ceux que je n'ai pas déçus pendant leur vie trop brève. Peut-être que devant une porte inconnaissable, ils patientent sachant que je viendrai à mon tour ». Ce « ils » désigne les chats et les chiens qui l'ont aimée et qu'elle a aimés.

En août, elle est à Dieppe, à l'hôtel Métropole, et rend compte de son séjour à Hélène Picard, « Tant de baigneurs humbles, tant de vieilles dames anglaises, [...] c'est un repos pourvu qu'on ne le prolonge pas. [...] Quand je me rapproche des plages qui nous ont vues ensemble, je me demande comment je peux me passer de toi ». Ces plages, ce sont, bien entendu, celles de Rozven. Le passé rattrape parfois Colette si attentive à vivre le présent, même si ce présent est chargé de menaces de guerre, comme en cet été 1939, aussi chaud que l'été 1914. La France profite de ce beau temps, prend de paisibles vacances et refuse de croire à une guerre voulue par ce fou d'Hitler qui multiplie les provocations. Fin août, il faut bien se rendre à l'évidence : la guerre est inévitable.

En quelques heures, Dieppe se vide, « Plus de vieilles dames anglaises, plus de vieux Anglais rouges ni d'enfants roux tachés de rousseur. C'est mieux ainsi. Maurice, qui a cinquante ans, n'a pas encore reçu d'ordre d'affectation. Je voudrais aller à Paris, il me supplie de n'en rien faire et d'attendre ici. Mais je voudrais tant aller à Paris, même si je devais le quitter plus tard ».

Ce que veut Colette... Maurice y consent. M. et Mme Goudeket décident de rentrer à Paris, en auto, avant que la panique n'encombre les routes. Le 27 août, ils arrivent au Palais-Royal où règne une paix tellement habituelle qu'elle semble éternelle.

Chapitre 50

Un hérisson dans la « drôle de guerre » (été 1939-hiver 1940)

L'année 1939 qui a vu mourir, à un mois d'intervalle, la Chatte Dernière et la chienne Souci, ne peut être qu'une mauvaise année, une année noire, une année néfaste. C'est ce que pense, et dit, Colette quand, le 3 septembre, le Palais-Royal retentit à 17 heures, de la déclaration de guerre de la France et de l'Angleterre à l'Allemagne. Triste journée.

Heureusement, Maurice qui a cinquante ans n'est pas mobilisable et s'en attriste, si Colette s'en réjouit. À soixante-six ans, elle n'a plus envie de jouer les odalisques de Verdun. Bien que la politique l'ennuie toujours autant, elle n'est pas sans savoir que les juifs sont persécutés en Allemagne. Sa traductrice, l'Autrichienne Erna Redtenbacher, a dû fuir les nazis, comme tant d'autres de ses congénères. Mais cela ne se voit qu'en Allemagne et c'est impossible en France, estime Colette. De toutes façons, Maurice, s'il est juif, s'est comporté comme un héros pendant la Grande Guerre. Il a obtenu récemment la nationalité française. On ne peut pas rêver Français plus français que Maurice Goudeket.

Donc, Maurice ne risque rien, son épouse en est persuadée. Sa belle assurance refuse d'être troublée par le départ précipité de quelques-unes de ses amies.

La déclaration de guerre disperse le Tout-Lesbos aux quatre vents. Violet Trefusis, Winnie de Polignac regagnent l'Angleterre. Liane de Pougy est déjà réfugiée en Suisse. La sœur de Natalie Barney, Laura Dreyfus-Barney, qui a épousé un Israélite, retourne en Amérique et presse Natalie de la suivre. L'Amazone préfère suivre Romaine Brooks en Italie pour y passer la fin de l'été. Elle y passera l'été, et bien d'autres saisons, jusqu'à son retour à Paris en 1946.

Face à ces départs, et à ce que l'on appelle déjà « la drôle de guerre », Colette, se souvenant des restrictions qu'elle a connues de 1914 à 1918, a le réflexe de la fourmi : elle amasse des provisions. D'accord avec Pauline qui approuve, et seconde, ce réflexe, la cuisine ressemble bientôt à une succursale de Hediard et la cave est remplie de charbon à ras bord. Colette, prévoyante, bat le rappel de ses amis vivant à la campagne comme les Petites Fermières, ou André et Yvonne Lecerf, qui exploitent une propriété dans le Lot.

La guerre peut venir, les provisions sont prêtes. En septembre 1939, Colette s'offre le luxe d'ironiser, « Quel beau temps ! Presque aussi beau qu'en 1914 ! » Les grandes catastrophes s'accompagnent toujours de beau temps. Autant profiter de ce beau temps, à Paris, « Je n'ai pas d'étonnement à constater que Paris est, en guerre, le seul pays habitable. Toute la province a le cafard ».

Pour prouver que Paris, et Colette, n'ont pas le cafard, elle établit pour Misz Marchand, la chronique tragi-comique du Palais-Royal, « Ma petite province du Palais-Royal a toujours son charme et souvent son comique. Nous sommes un peu chefs de popote pour ce qui reste dans la maison. La concierge mourait de faim, dans le sens le plus exact du mot, 800 F par an, pas de mari, pas de chômage et sourde. C'est à la voir défaillir que nous l'avons su.

Depuis un mois nous la nourrissons [...] Bien entendu, il y a aussi des histoires de chats à recueillir ».

Les Parisiens subissent des alertes et doivent descendre dans les caves. Colette s'y refuse. « Le danger en cave est affreux, le danger chez soi n'est que du danger » constate-t-elle avec satisfaction. Elle s'extasie aussi sur les efforts de Maurice qui multiplie les collaborations à des journaux aussi divers que *Match* et *Marie-Claire*, « C'est un bon compagnon. Peut-être méritait-il mieux que de vivre avec un gros hérisson ».

Le « gros hérisson » et son compagnon travaillent ensemble à la radio, à Paris-Mondial, dont les émissions sont diffusées, comme son nom l'indique, dans le monde entier. À cause du décalage horaire, Colette doit prendre le micro bien après minuit. Nuit blanche pour l'Éternelle Apprentie qui ne s'en plaint pas, au contraire, elle se plaît dans l'atmosphère de franche camaraderie qui règne dans les studios, et aime le retour à la maison, à travers des rues désertes que n'éclairent plus les réverbères. La Ville-Lumière s'est changée en Ville-Ténèbres pour ne pas servir de cible, la nuit, à de possibles bombardements.

Colette et Maurice ne peuvent plus aller à Méré où leur résidence secondaire a été réquisitionnée pour des soldats. Pour oublier cette affreuse année 1939, Colette se met à la tapisserie. Elle y excelle vite, et reproduit les fleurs qu'elle préfère. Elle rejoint en ce salutaire dérivatif une héroïne de Balzac qu'elle a citée, à plusieurs reprises, dans son œuvre, Philomène de Watteville. Elle est brusquement arrachée à sa tapisserie par Léo, son frère, le « vieux sylphe » qui habite une banlieue lointaine où il a eu un malaise, « il faut que j'évacue mon frère, pas commode ». Colette réussit quand même à « évacuer » son frère dans l'Yonne, chez l'une de leurs nièces. Léo représente pour sa sœur la mémoire vivante de Saint-Sauveur où il est toujours resté par l'esprit et par le cœur, faisant semblant de vivre ailleurs. Il arrivait parfois, sans prévenir, au Palais-Royal, toujours bien accueilli par Colette, par Maurice, et par Pauline qui lui coupait les cheveux. D'après Germaine Beaumont, Léo était « très, très bizarre ». Enfin, le voilà casé, à Bléneau. C'est un souci en moins pour Colette qui commence à s'inquiéter sérieusement de sa hanche droite dont elle souffre de plus en plus.

Cette épicurienne a beau, on s'en souvient, se comporter en stoïcienne vis-à-vis de la souffrance et la traiter par le mépris, elle doit constater qu'elle marche avec peine. Elle a cependant la satisfaction de constater que son état de santé alarme sa fille. Mlle de Jouvenel s'occupe d'une association « qui fait partir femmes et enfants » et passe en coup de vent au Palais-Royal prendre des nouvelles. Il semblerait que la mère et la fille qui s'aimaient et s'admiraient, n'ont jamais su trouver un juste accord. Chacune mettait l'autre mal à l'aise. Pour Colette, la ressemblance de sa fille avec Henry de Jouvenel était à la limite du supportable. Pour Mlle de Jouvenel, être la fille d'un monument des lettres françaises n'était pas facile non plus...

Épuisée par les souffrances causées par sa hanche droite et par l'habituelle bronchite qui l'affecte chaque hiver, Colette séjourne, à partir du 20 février 1940, à l'hôtel Ruhl, à Nice, en compagnie de sa fille et de Moune, « Je me demande si ce pays, ce climat, cette ville, sont faits pour qu'on y oublie complètement la guerre, ou bien si par un contraste violent sont propres à vous la rappeler ».

Le 12 mars, à la veille de son retour à Paris, Colette annonce à Misz Marchand : « Mon vieux frère a quitté la vie jeudi dernier. [...] Ma nièce Geneviève ne m'a pas envoyé de dépêche, mais une lettre, car elle me savait souffrante, et sa lettre me persuade qu'il est mort sans aucune lutte et sans le savoir. N'en parle pas ».

On notera ce « n'en parle pas » dont Colette

accompagne chaque mort qui la frappe vraiment. Il ne faut pas parler de la mort de Sido, ni de celle de Léo. Elle a pris l'habitude de souffrir en silence et de s'isoler derrière son rempart de papier bleu. Elle termine *Chambre d'hôtel* et envisage de commencer ensuite *Journal à rebours*. Quoi qu'il arrive, Colette est persuadée qu'elle trouvera toujours de quoi écrire, un stylo, une feuille de papier, une table et une lampe. Elle est même prête à sacrifier la table et à écrire sur ses genoux...

Chapitre 51

L'exil à Curemonte
(été 1940)

Au retour de Nice, à la mi-mars, Colette récupère la maison de Méré qu'elle arrache à un détachement de soldats marocains. Comme elle le fait judicieusement observer à l'adjoint au maire que Maurice Goudeket est allé chercher, les villas inoccupées ne manquent pas dans les alentours, et l'on peut y loger ces Marocains dont certains ont la gale. Elle, Mme Goudeket, habite sa maison. Les autorités militaires et civiles n'ont qu'à s'incliner devant ce qui n'est qu'une demi-vérité. Colette n'occupe le Parc que pendant les fins de semaine. Pour échapper à une nouvelle réquisition, elle décide de s'y installer, et d'y attendre la fin de cette « drôle de guerre », et surtout la floraison de la glycine. Comme Sido attendait la floraison de son cactus, sa fille ne veut pas manquer celle de sa glycine.

Elle compte bien que Maurice vienne la rejoindre chaque soir. Le Parc est récupéré. Il était temps. D'autant que *Marie-Claire* a décidé, en ces temps troublés, d'offrir à son public le spectacle de la paix et du bonheur, c'est-à-dire Colette en fermière à

Méré, et d'y consacrer un numéro complet. Même pour quelqu'un d'aussi célèbre que l'auteur de *Chéri*, c'est une consécration. *Marie-Claire* est à son apogée, atteint le million d'exemplaires, et a fourni le refrain, gentiment satirique, d'une chanson qui est sur toutes les lèvres : « Elle lisait *Marie-Claire* avec tendresse, avec ferveur, le journal le plus sincère et le plus tentateur ».

Dans ce numéro spécial, « Colette vous parle », l'écrivain réalise la prouesse de traiter, avec la même perfection, toutes les rubriques : mode, « J'aime avant tout la simplicité », cuisine, « Bœuf bourguignon et meurette bourguignonne », rangement, « Des armoires ? Je n'en ai pas ! Mais je trouve de la place pour tout », secrets de beauté, « Lait de concombres et crème de pétales de roses », secrets de séduction, « De l'imperturbable santé dépend l'interminable beauté ». Elle consacre une page aux problèmes du jour, « Huit mois écoulés, les femmes n'en sont qu'à leur premier printemps de guerre » et deux pages au sujet qui prime les autres, l'amour, « Pourquoi donc associer à l'amour l'idée de la folie ? Aimer d'amour est, sinon raisonnable, tout au moins inéluctable ». Deux pages aussi, de photos montrant les activités de Colette, à Méré, « Je suis restée une paysanne [...] Et, entre le sécateur et le stylo, je n'hésite pas un instant ».

Tout cela paraît le 24 mai 1940, à la veille de la débâcle. Car le 10 mai, la « drôle de guerre » s'est terminée et la vraie commence. Les adversaires qui s'observaient depuis septembre 1939, et dont aucun n'était vraiment prêt militairement, vont enfin pouvoir mesurer leurs forces. L'initiative en revient à Hitler qui, ce 10 mai, a lancé ses hordes dans les Flandres. La Belgique est envahie et se rend le 28 mai. Bruxelles tombée, la route de Paris est libre, et il n'y a plus qu'à avancer. Les Allemands avancent avec une rapidité dévastatrice, balayant toute résistance, provoquant une panique générale qui jette la France sur les routes de l'exode.

Le gouvernement quitte Paris pour Bordeaux. Le 3 juin, la région parisienne subit son premier grand bombardement. Paris se vide aussitôt, chacun essayant de fuir, d'attraper le dernier train, d'avoir une place dans une auto, ou même de partir à bicyclette ou à pied.

L'une des rares personnes à refuser de fuir ainsi, c'est Colette qui, malgré les supplications de Maurice et les prières de Pauline, ne veut pas croire qu'un village aussi paisible que Méré puisse être ravagé par la guerre, alors que la glycine est enfin en fleurs. On n'abandonne pas le spectacle d'une glycine en fleurs pour courir les routes, et dans quelles conditions ! Colette a toujours, même dans les pires situations, le souci de son confort.

Le 11 juin, Maurice revient de Paris. Il est attristé et abattu. Il n'y a plus personne à *Paris-Soir* qui a cessé de paraître, ni à *Marie-Claire*, ni à *Match*. Les journaux et les magazines, comme le gouvernement, se sont repliés vers le Sud. Des fumées s'élèvent des bâtiments officiels où l'on brûle les archives, brasiers qui présagent peut-être d'autres incendies.

Maurice qui a combattu les Allemands sait de quoi ils sont capables. Leur arrivée à Paris est imminente. Ils y entrent le 14 juin, provoquant une nouvelle débandade à laquelle Colette ne croira que si elle la voit de ses propres yeux. Maurice entraîne son incrédule épouse sur une route où coule déjà le flot des réfugiés. Colette n'oubliera pas cette vision dont elle fera le début de son *Journal à rebours*, « Dépassés les chars à bœufs, les fourragères, les grosses autos masquées de poussière, les brouettes et les chars à bancs, [...] la France glissant sur elle-même [...] ». Devant une telle réalité, Colette cède et se résigne à partir. Le 12 juin, elle abandonne sa maison de Méré, sa glycine en fleurs et la forêt toute proche. Elle monte dans l'auto aux côtés de Maurice. Pauline est à l'arrière, avec les bagages et les bidons d'essence. Pauline résume la situation d'un « Ah ! on n'aurait jamais dû les laisser entrer ». Et c'est la fuite vers Curemonte où Mlle de Jouvenel est installée et a fait savoir à sa mère et à son beau-père qu'elle était prête à les recevoir.

Curemonte qui avait été la propriété de Robert de Jouvenel, puis d'Henry, appartient maintenant au frère de Bertrand, Renaud, et à sa femme, Arlette. Ils vendront Curemonte à Mlle de Jouvenel en novembre 1940. Donc, c'est la presque propriétaire de Curemonte qui accueille Colette, Maurice et Pauline.

Le pittoresque de Curemonte ne fait pas oublier son extrême vétusté, son inconfort – les lieux d'aisance sont à l'extérieur – ni son isolement. Pas de journaux, plus de courrier, rien, le désert, le néant ! La France pourrait être victorieuse et Colette n'en saurait rien ! Elle ne décolère pas et s'efforce d'être aimable avec son mari, sa fille, sa gouvernante. Elle déverse sa rage dans des lettres à Moune, au Petit Corsaire et à Léo Marchand, « Cher Léo, depuis que nous avons dû partir, poussés dans le dos et venir dans cette ruine où ma fille habite la partie habitable, nous sommes dans un tombeau verdoyant où rien ne parvient ».

À Curemonte, le beurre manque. Quand on sait la place que tient le beurre dans l'alimentation de Colette, on peut mesurer sa consternation. Même à Verdun, elle avait réussi à avoir du beurre ! Et l'ail qu'elle croque allègrement, quotidiennement, en compagnie de Maurice, est inconnu à Curemonte. Colette reprend, pour Germaine Beaumont, la litanie de ses lamentations : « Pas d'essence, pas de poste, ni de télégraphe, ni de téléphone, ni de beurre, ni de passants. Mais une pluie incessante et le froid. Ma fille est une charmante compagne ».

C'est à se demander ce qui affecte le plus Colette, manque de beurre ou manque de nouvelles ? Les premières nouvelles qui arrivent sont mauvaises. Sa traductrice autrichienne, Erna Redtenbacher, s'est suicidée. Elle n'a pas supporté de voir la France envahie par ces nazis qu'elle avait fuis, et a entraîné dans la mort, son amie, Christiane. « Deux cœurs purs » estime Colette que ce double suicide affecte.

À cette mauvaise nouvelle, s'ajoutent l'annonce de l'Armistice avec l'Allemagne, le 22 juin, et la prise de pouvoir, le 11 juillet, par le maréchal Pétain. Tout cela rend encore plus insupportable à Colette son exil à Curemonte. Cédant à sa passion des cartes postales, elle a fini par en dénicher un lot représentant le château en ruines où elle loge et qu'elle accompagne immanquablement de cette mention, « Tout ceci est éventré, sans plancher, envahi de végétation et dangereusement ruiné ». Il faut être Mlle de Jouvenel pour se plaire là ! Mme Goudeket ne s'y plaît pas, et à une amie qui la presse de rester là, à l'abri, elle répond vertement : « Rester à Curemonte ? Plutôt crever ! » Et à Moune, « Passer l'hiver ici, moi qui y compte les heures ? Tu veux rire ! »

La patience ne compte pas parmi les vertus majeures de Mme Goudeket qui ronge son frein et se demande comment échapper à cette prison. En attendant un départ rendu momentanément impossible par la pénurie d'essence, Colette trompe son ennui en reprenant le chemin de son écritoire, « Au bout d'une longue route, je n'ai pas prévu que j'allais si loin pour buter [...] contre une table à écrire ». L'épouvantable défaite de la France n'est pas une raison suffisante pour s'arrêter d'écrire. Elle compose son *Journal à rebours* dans lequel elle évoque son frère récemment décédé, les hirondelles qui sont les véritables maîtresses de Curemonte, et les divers dangers qui guettent les réfugiés, « Danger de nous retrouver tels qu'en vérité nous voici, pourvus de peu de linge, de peu d'argent, [...]. Danger de percevoir que nous sommes vieillis, intelligents, tristes, étrangers à la sérénité qui nous entoure ».

Chacun se garde de geindre, réservant ses plaintes pour la correspondance, et envoyant les lettres comme autant de bouteilles à la mer. Parviendront-elles à leurs destinataires, et ceux-ci sont-ils encore en vie ? Dans les désordres de l'exode, parents ou amis se sont perdus et se cherchent.

Pour couronner le tout, Colette souffre d'arthrite, et l'humidité causée par des pluies incessantes réveille un point de pleurésie, provoquant un peu de fièvre. Chacun s'ingénie à soigner la malade, Mlle de Jouvenel, la première, qui s'empresse et dit à sa mère : « Tu me promets d'appeler si tu te sens plus mal, si tu as besoin de quelque chose ? Ou bien de taper du poing à la cloison qui est mince ? » « Mon Dieu, ma fille, que tu ressembles à ton père ! » répond l'ex-Mme de Jouvenel. Propos « risqué », Colette en convient... Il est vraiment temps de quitter Curemonte.

Dès que la fièvre s'en est allée, Colette, Maurice et Pauline tentent, par deux fois, de s'échapper, mais doivent y renoncer par manque d'essence. Une troisième tentative réussit. Le trio regagne, en août, Lyon où les grands quotidiens et hebdomadaires français ont trouvé refuge et se sont regroupés. Car la France est maintenant coupée en deux. Une ligne de démarcation vient d'être établie par les Allemands, séparant la France occupée de la France non occupée, les « nonos », comme on les appelle. C'est bien désagréable, mais mieux vaut subir ce désagrément que prolonger l'exil à Curemonte. Et puis, de Lyon, il sera certainement facile de regagner Paris que Colette regrette tant, « Que ne suis-je restée à Paris... Mais Maurice était trop inquiet pour moi ».

Chapitre 52

Une ingénue de soixante-huit ans (1941)

Lyon semble être, en août 1940, un autre Paris. Édouard Herriot qui compte parmi les amis et admirateurs de Colette en est encore le maire, et l'on y croise, dans ses rues, des Parisiens connus qui se sont réfugiés sur les bords du Rhône.

À Lyon, il y a des journaux, à Lyon, il y a du courrier, à Lyon, il y a du beurre et de l'ail. Colette a l'impression de ressusciter. La joie de n'être plus à Curemonte l'emporte sur tout. Elle retrouve sa santé, son entrain, sa force de création. Elle besogne pour *Candide* et « pense » à son futur roman, *Julie de Carneilhan*. Est-ce son retour à Curemonte où elle était venue en excursion quand elle était baronne de Jouvenel ? Est-ce l'incroyable ressemblance de sa fille avec son père ? Elle fera du mari de Julie, Herbert d'Espivant, un frère jumeau d'Henry de Jouvenel, et de Marianne, l'épouse d'Herbert, un condensé des épouses d'Henry. Il n'est pas jusqu'au beau-fils d'Herbert, l'adolescent Toni, qui ne rappelle, par certains traits, le beau-fils de Colette, Bertrand de

Jouvenel. Tout le monde est là, personne ne manque à l'appel !

Quand elle ne travaille pas pour *Candide* ou à *Julie*, Colette ne perd pas de vue son idée fixe : retourner à Paris. Comme pour fuir Curemonte, trois tentatives seront nécessaires pour quitter Lyon. La première échoue, « À Chalon, on a demandé à Maurice s'il était israélite. Hélas, j'ai épousé un honnête homme, il a répondu oui ». La deuxième aussi. Un soldat allemand accuse Colette et Pauline d'être juives. Goudeket, n'y tenant plus, proteste et affirme que le seul juif du trio, c'est lui. Enfin, la troisième tentative est la bonne. Grâce au consul de Suède à Lyon qui fournit les papiers nécessaires pour passer sans encombre, le 11 septembre, Colette, Maurice et Pauline retrouvent la capitale, et leur Palais-Royal.

11 juin 1940-11 septembre 1940. Cela fait exactement trois mois que les Goudeket ont quitté Paris et c'est comme si trois siècles étaient passés. Paris est méconnaissable, avec des drapeaux à croix gammée signalant les établissements et les hôtels réquisitionnés par les Allemands. Tout est changé.

Le 3 octobre tombent de Vichy, où le maréchal Pétain s'est installé avec son gouvernement, les premiers décrets antijuifs parmi lesquels il est interdit à un Israélite de travailler pour la presse, la radio, le théâtre et le cinéma. Maurice ne peut plus écrire pour *Match* ou pour *Marie-Claire*, ni composer des pièces de théâtre ou des scénarios. Maurice qui a toujours aimé les beaux livres se lance dans leur commerce. Il achète, et revend, avec succès, des livres rares, et parvient ainsi à gagner sa vie. Ses efforts attendrissent Colette qui publie maintenant ses chroniques dans un mensuel, sans couleur politique aucune, *L'Officiel de la couture*.

L'un des éditeurs de Colette, Ferenczi, juif, a dû quitter Paris. C'est donc à Fayard qu'elle donne *Chambre d'hôtel* qui paraît en novembre. Deux longues nouvelles composent cet ouvrage, *Chambre d'hôtel* et *Lune de pluie*. *Chambre d'hôtel* commence par ces deux phrases, « Ce n'est pas à la longue que j'ai pris l'habitude de me méfier des gens insignifiants. D'instinct, je leur reprochai toujours de s'attacher au passant robuste, comme fait l'anatife... » qui irritent Lucie Delarue-Mardrus. Lucie accuse leur auteur de pédantisme et de vouloir « épater » son public par l'emploi du mot « anatife ». Réponse de l'accusée : « J'adore que tu me reprennes ». Suit une chronique de la vie quotidienne : « Je brûle mon charbon de l'an dernier. Quand il sera brûlé... Rien ne peut faire que les fenêtres du Palais-Royal ferment bien. La vie ici est une petite vie. Maurice est chômeur ». On sait ce que cache ce « chômage » de Maurice, depuis le 3 octobre...

Noël 1940 et le jour de l'an 1941 sont des journées lugubres pour les Parisiens qui manquent de tout. Paris est sous la neige, on se réchauffe comme on peut, on mange ce qu'on a.

Humiliée, offensée, brisée, la France se tait. Colette imite ce silence qu'elle interrompt pour couvrir de bénédictions les Petites Fermières et le Petit Corsaire qui lui envoient des colis. Elle se met, comme les autres, à ce qu'elle nomme drôlement « l'école du rutabaga ». C'est à peu près le seul légume que l'on trouve avec une relative abondance sur les marchés et que l'on accommode à toutes les sauces. Face à cette disette, et au froid, de l'hiver 1940, Colette répète : « Ma vie est vide et vide je la veux ». Heureusement, peuplant ce vide, il y a Maurice, « Maurice est sans défaut. Maurice est toujours la sagesse même ».

Mme Goudeket ne peut plus aller à Méré, ou aux Mesnuls voir Moune et le Toutounet. La rareté de l'essence, l'incertitude des transports, la crainte des rafles rendent les déplacements difficiles et incertains. Quand on quitte sa maison, on ne sait pas quand on y reviendra, ni si l'on y reviendra. Des gens disparaissent, sans laisser de trace...

Aux Petites Fermières, Yvonne et Thérèse,

Colette avoue : « On mène une petite vie préoccupée par la rareté des vivres ». La rareté des œufs fait soupirer Colette alors que l'on vient de mettre au point l'omelette sans œufs, le vin sans raisin, le sucre sans sucre. C'est le triomphe du succédané.

Pour rompre la monotonie des jours, Colette déjeune avec Élisabeth de Gramont, dîne chez Marie-Louise Bousquet avec Charles de Bestégui, revoit son ancienne rivale, et toujours amie, Germaine Patat, et rend visite à Jean Cocteau qui vient de s'installer au Palais-Royal, au 36 rue de Montpensier. Il y habite un appartement assez semblable à celui qu'y occupait Colette dans les années 30. « Et c'est chaud avec rien, à cause des plafonds bas » s'émerveille Mme Goudeket qui regrette, un instant, d'être à l'étage noble, plus difficile à chauffer, avec ses plafonds trop hauts.

En Jean Cocteau, Colette croit retrouver les bravades, et le panache, de Jean Lorrain. Comme Lorrain, Cocteau aime les blonds aux yeux bleus et ne s'en cache pas. Sa liaison avec l'acteur Jean Marais défraie la chronique. Ce qui laisse indifférente Colette qui se réjouit de voisiner avec quelqu'un que Maurice avait pour voisin sur les bancs du lycée Condorcet. L'amitié n'aveugle pas complètement Colette et quand elle voit Jean Marais en Néron dans *Britannicus*, aux Bouffes-Parisiens, elle applaudit du bout des doigts, et chuchote à l'oreille de Moune, « On ne compose pas un personnage avec de la poudre d'or rouge, une draperie, et des convulsions tétaniques ».

Début janvier 1941, Colette, comme Maurice, se retrouve au chômage. La rédaction du *Petit Parisien* a démissionné devant la décision de ses patrons de se soumettre aux directives des Allemands. Le *Petit Parisien* continuera à paraître, avec d'autres collaborateurs plus... collaborateurs ! Colette, incurable ingénue de soixante-huit ans, continue à y publier des textes sur la broderie ancienne, les bêtes, la laine, les sabots, sujets qui n'ont aucune implication politique. Il faut bien vivre, et, à partir de janvier 1941, Colette exige de payer les colis des Petites Fermières. Pauline en recueille les papiers d'emballage et les cartons, introuvables à l'époque, et les renvoie soigneusement, ponctuellement pour servir à envelopper d'autres paquets.

En mars 1941, Colette publie *Journal à rebours* chez Fayard. Ce qu'elle gagne avec ce livre ne suffit pas à la délivrer de ses soucis d'argent. Elle doit encore 35 000 F d'impôts et 40 000 F pour l'achat de Méré qu'elle décide, d'accord avec Maurice, de mettre en vente, puisque, de toutes façons, on ne peut plus y aller. À la difficulté des transports, s'ajoute pour Colette une difficulté de marcher de plus en plus grande. Un traitement par rayons X n'a donné aucun résultat. En juin, stoïque et courageuse, elle prend le premier métro pour aller se promener au Bois d'où elle revient exténuée, et soufflant, « Maurice pense que j'ai toujours mes beaux cinquante ans ». Elle confie aux Petites Fermières , « Dieu que c'est embêtant de vieillir ». Après tout, Colette n'a que soixante-huit ans.

Les Petites Fermières, Yvonne et Thérèse, deviennent alors des personnages importants dans la vie de Colette. Ces deux Pomone prodiguent les œufs, les pommes de terre, le beurre, le lard, l'ail. À chaque colis reçu, Colette cesse d'être païenne et murmure : « Ce n'est pas moi qui nierai la Providence ». Elle lance à ses deux amies ce compliment qui a dû les enchanter, « Mes petites filles, qui êtes en même temps mes petites mères ».

Après avoir perdu quatre kilos et demi dans une crise d'entérite, Colette s'écrie : « Si j'étais une femme à la mode, j'éclaterais en action de grâce ». En ces temps de guerre et d'épreuves, tout le monde emploie le langage des mystiques, y compris Colette, puisque tout est miracle, et le principal miracle est de trouver, chaque jour, de quoi se nourrir. Le pain quotidien est noir, gluant et rationné. « Que de propos alimentaires, c'est la chanson de Paris » rapporte

Colette à ses deux provinciales. Les fleurs ne manquent pas, mais ne sont pas, hélas, comestibles. « Un hortensia et un géranium me tiennent compagnie » assure Colette que ses amis fleurissent avec une telle abondance qu'elle en conclut : « J'ai l'air d'une Fête-Dieu ».

Privilège de l'âge, Colette parvient à obtenir, après force démarches, un demi-litre de lait par jour. Le lait, la viande, sont distribués parcimonieusement en échange de tickets d'alimentation. On trouve lait, viande, et autres denrées, en abondance et à des prix exorbitants, au marché noir. Colette, quand elle peut, achète et paye le prix exigé. « Ventre affamé n'a point d'oreilles », elle ne refuse plus aucune invitation et se retrouve ainsi à la table, très abondante, de Florence Jay-Gould [1], une milliardaire américaine qui reçoit, dans son superbe appartement de l'avenue Malakoff, des résistants comme Jean Paulhan et des officiers allemands comme Ernst Jünger. « Déjeuné hier chez Florence Gould [...] Atmosphère électrique d'ailleurs. Maurice s'est mis soudain à être imprudemment magnifique, et il n'y eut plus de conversation qu'entre lui et l'Allemand. Le silence tout autour ».

Quand Florence invite Colette à de moins somptueuses agapes, à prendre simplement le thé, Colette répond invariablement, et sûre que son souhait sera accompli, « Oui, si tu remplaces le thé par du vin de Bourgogne et les petits gâteaux par du camembert ». M. et Mme Goudeket se rendent chez Mrs. Jay-Gould à vélo, ce vélo qui est alors le grand moyen de locomotion des Parisiens et des Parisiennes.

L'été arrive. Il n'est plus question, en cet été 1941, de se rendre sur la Côte d'Azur, ou en Bretagne. Colette réussit à s'échapper pour une cure à Ax-les-Thermes, dans l'Ariège. À Marguerite Moreno, qui, elle, s'est repliée à Touzac, dans sa propriété, La Source bleue, Colette rend compte de son séjour,

---

1. Cf. *Florence et Louise les Magnifiques (Florence Jay-Gould et Louise de Vilmorin)* de Jean Chalon, Le Rocher, 1987.

« Nous avons dû loger chez l'habitant. Auprès de toi, une pareille cure me serait une joie de vingt et un jours ! » À son retour à Paris, elle corrige les épreuves de *Julie de Carneilhan* qui paraît en feuilleton dans *Gringoire*.

Colette qui se plaisait à répéter, « Moi qui ne blesse jamais personne », blesse, volontairement ou non, sa propre fille qui ne reconnaît que trop Henry de Jouvenel en Herbert d'Espivant. Mlle de Jouvenel s'en plaint au docteur Marthe Lamy qui, plus tard, me rapportera ces plaintes, « Ma mère a fait une mauvaise action ». Il semblerait bien que c'est à partir de la parution de *Julie de Carneilhan* que les relations entre mère et fille se sont détériorées. Mlle de Jouvenel s'éloigne de Mme Goudeket qui s'en plaint. De plus en plus, revient ce refrain dans sa correspondance, « Je suis sans nouvelle de ma fille ».

En octobre, Colette vend le Parc, et publie aux Armes de France, *Ces Plaisirs* dont elle change le titre en *Le Pur et l'Impur*, « S'il me fallait justifier un tel changement, je ne trouverais qu'un goût vif des sonorités cristallines, une certaine antipathie pour les points de suspension bornant un titre inachevé – des raisons, en somme, de fort peu d'importance ».

Ce changement de titre passe complètement inaperçu. Il est vrai que, en cet automne 1941, la France a d'autres soucis. La situation entre occupants et occupés se dégrade. Les juifs de Paris sont inquiets sur leur sort. Julien Cain a été destitué de son poste de directeur de la Bibliothèque nationale, et arrêté, tout simplement parce qu'il est juif. Colette et Maurice cachent l'un à l'autre, du mieux qu'ils peuvent, leur crainte respective. Il est difficile de garder son ingénuité en ces temps où le Mal semble triompher du Bien !

Chapitre 53

« On est venu arrêter Maurice » (12 décembre 1941)

Les juifs célèbres, comme Tristan Bernard, pensaient que leur renommée les mettrait hors d'atteinte des persécutions nazies. « On n'arrête pas quelqu'un dont le nom est dans le dictionnaire » répétait Tristan Bernard, inlassablement, comme pour bien s'en persuader. Il sera arrêté en 1943 comme le sera, en 1944, Max Jacob.

Sans être aussi célèbre que Tristan Bernard ou Max Jacob, Maurice Goudeket est l'époux d'une femme en vue et personne, à Paris, n'ignore qu'il est juif. Colette a beau affirmer hautement « Je passe mes guerres à Paris », elle se demande s'il n'aurait pas mieux valu, pour la sécurité de Maurice, rester dans ce trou perdu de Curemonte, ou se perdre dans l'anonymat de la province, essayer de se fondre dans la masse. Ce qu'elle s'efforce de faire en refusant de signer des pétitions qui pourraient attirer l'attention de l'ennemi sur la signataire, donc sur son époux. Tant de prudence ne sert à rien. Le 12 décembre 1941, à six heures trente du matin, on sonne, Pauline va ouvrir, ce sont des Allemands qui, courtoisement, l'informent du motif de leur visite. Pauline se précipite dans la chambre de Maurice Goudeket, et dit : « Monsieur, ce sont des Allemands qui viennent arrêter monsieur ».

Les Allemands autorisent Maurice à emporter une petite valise avec quelques effets. Pendant qu'il s'habille et prépare sa valise, il charge Pauline d'aller prévenir madame. Ce qu'elle fait aussitôt : « Madame, ce sont des Allemands qui viennent arrêter monsieur ». Est-ce un cauchemar? Colette se demande si elle dort encore ou si elle est vraiment réveillée. Mais Maurice est encore là qui se veut rassurant. Tous deux font assaut de courage et de dignité. Pas un geste de désespoir, pas une larme. Colette et Maurice échangent un sourire et un baiser rapide, très rapide afin d'éviter une possible faiblesse. « Ne t'inquiète pas, tout ira bien » dit Maurice. « Va » dit simplement Colette qui veille à employer un mot bref afin de n'être pas trahie par un tremblement de la voix. Madame donne une tape amicale à l'épaule de monsieur qui part encadré par les Allemands, comme s'il était un criminel.

Quand elle retrouve ses esprits et sa voix, Colette prend son téléphone et annonce à ses proches : « On a arrêté Maurice ». Elle ne sait pas où on l'emmène et reste huit jours sans le savoir. « Jusque-là, je n'ai pas su ce qu'était qu'attendre » avouera-t-elle, plus tard. Mais elle ne fait pas qu'attendre. Elle ne serait plus Colette si elle ne tentait pas tout ce qui est humainement possible au monde pour sauver son meilleur ami. Elle remue le ciel et la terre, elle frappe à toutes les portes. Aux Petites Fermières qui sont croyantes, elle demande « Tâchez d'émouvoir le ciel. J'essaie de remuer cette terre insensible ».

Au bout de huit jours, Colette reçoit le prix de ses efforts, elle apprend que Maurice n'a pas quitté la France, il est interné à Compiègne, avec mille autres juifs qui ont été arrêtés en même temps que lui, à Paris et dans la région parisienne. Elle écrit alors à Hélène Picard, « Un libéré âgé a pu me dire que

Maurice était en bon état moral et physique. Paille par terre pour coucher. Trente-six par baraquement. Tous courageux ». Hélas, comme elle le précise à Renée Hamon, toute communication avec le prisonnier est « impossible ».

Impossible est un adjectif qu'ignore Colette qui continue à assiéger ses relations dont certaines, comme Sacha Guitry, ont facilement accès auprès des autorités allemandes. Elle reçoit des promesses d'appui et attend. Son monde s'est écroulé et sa croyance la plus chère, la règle guérit de tout, ne sert plus à rien. Elle ne peut plus écrire que des lettres. La mort de Sido n'avait pas interrompu la tâche quotidienne d'écrivain que Colette s'imposait, « J'écris tous les jours, sauf maladie ou dégoût péremptoire ». La disparition de Maurice l'interrompt. Pour ne pas devenir folle d'attente et d'anxiété, elle occupe ses mains à faire de la tapisserie. Point par point, elle vient à bout d'une fleur, puis d'une autre. Elle a bientôt de quoi recouvrir un fauteuil.

Début janvier 1942, Colette reçoit les premiers messages de Maurice, petits bouts de papier sur lesquels sont inscrites des demandes de nourriture. Du pain, réclame Maurice. On meurt de faim dans le camp de Compiègne.

Un écrivain libéré de cet enfer, sur promesse de collaborer, veut donner des preuves immédiates de sa collaboration en sollicitant Colette : elle doit persuader son époux de fournir aux Allemands les renseignements qu'il obtiendrait de ses compagnons d'infortune. En échange de quoi, Maurice aurait droit à un traitement de faveur. Sans hésiter une seconde, la fille du Capitaine répond : « Je refuse ». Son interlocuteur insiste. Sa proposition n'a pas dû être bien comprise, un choix n'est pas possible, c'est l'acceptation ou la mort de Maurice. « Eh bien je choisis la mort » répond Colette, plus fille du Capitaine que jamais. « Pas sans consulter votre mari, je pense ? », « Nous choisissons la mort » réplique-t-elle, en insistant sur ce « nous ». C'est un échec de la collaboration et l'intermédiaire se retire.

On comprend que Colette – elle aura soixante-neuf ans le 23 janvier 1942 –, soit aux limites de ses forces et demande à ses amis de ne pas venir la voir. Elle préfère rester seule, à tendre sa volonté, et à éviter les scènes d'attendrissement. Le 11 janvier, elle avoue aux Petites Fermières : « J'étais si démolie hier et avant-hier et aujourd'hui, que j'ai vécu couchée et grelottant malgré moi. Ce soir je suis mieux et j'ai bien mangé. Je ne veux pas flancher. Pauline me soigne bien. Mes amis (j'ai endigué leur flot) sont parfaits. Mais qui peut quelque chose, tant que Maurice sera malheureux ? » Eh oui, vraiment, personne ne peut rien pour Colette tant que Maurice sera interné, et dans quelles conditions ! Elle ne sait plus à quel saint se vouer, elle, la païenne, l'incrédule, est prête à porter une médaille bénie et à faire une neuvaine à Notre-Dame-des-Victoires si cela pouvait provoquer la libération de Maurice. Elle a été – partiellement – rassurée par un coup de téléphone, « Votre mari va bien », et on a raccroché.

Le 1er février, Colette est informée que Maurice sera libéré le lendemain. Le 2 février, elle attend, et c'est la neige qui vient à la place de Maurice, recouvrant Paris et les jardins du Palais-Royal. Encore un jour d'attente déçue, encore un. Cela ne finira donc jamais ? Le 3 février, elle constate : « Je suis un peu à bout de persistance, de crédulité, de sagesse. [...] Cette impossibilité de correspondre avec Maurice est la pire privation ».

Le 6 février, Maurice est enfin libéré et revient au 9 rue de Beaujolais. Il sonne. C'est Pauline qui ouvre. Madame n'est pas là. Madame est chez le coiffeur. On va téléphoner à madame. En proie à la terrible allégresse qui la submerge, Colette se demande si, en ce 6 février, elle ne va pas défaillir, elle qui, depuis le 12 décembre dernier, n'a donné aucun signe de faiblesse. Elle ne défaille pas et vient se jeter dans les bras de Maurice ou de ce qu'il en reste, « Il est vert et pèse cinquante-six kilos – amaigrissement de douze kilos en deux mois juste ». Il est vert, il est maigre, mais il est là, le cauchemar s'achève. Maurice est revenu, ce n'est pas un songe, c'est une réalité due certainement à deux principales interventions, ou aux efforts conjugués, d'Otto Abetz, ambassadeur d'Allemagne à Paris, et de José-Maria Sert, ambassadeur du général Franco auprès du Saint-Siège. Abetz a pour épouse une Française, Suzanne, grande admiratrice de Colette, et Sert a pour épouse Misia, grande amie de Colette. Suzanne et Misia ont certainement leur part dans cette libération. Bref, peu importe à qui l'on doit exactement ce miracle, ce qui compte par-dessus tout, c'est que Maurice ait échappé à la déportation.

Le soulagement de Colette est tel qu'elle annonce à ses amis : « Me voilà guérie de tout ! » Elle reprend sa plume pour envoyer des bulletins de victoires à Hélène Picard, à Marguerite Moreno, à Moune, au Petit Corsaire et aux Petites Fermières. Pour bien montrer que sa victoire est complète et qu'elle est « guérie de tout », elle reprend, quotidiennement, le chemin de son écritoire et compose le récit de ses déménagements à travers Paris, ce sera *Trois, six, neuf...*

Pendant ce temps, Maurice mange. « Il ne fait que manger et se laver », rapporte Colette enchantée de voir son époux se livrer à d'aussi passionnantes occupations. Entre un bain et une collation, Maurice, qui est la courtoisie même, écrit aux amis qui ont soutenu son épouse pendant qu'il était interné. À Renée Hamon, il adresse ce message de reconnaissance : « Tu penses bien que j'ai très envie de revoir les vrais amis. C'est cela, rentrer dans la vie normale. J'ai retrouvé ma compagne, portant sur elle les signes de ces mauvais jours mais digne d'elle-même, n'ayant pas fait une faute, n'ayant failli ni à la vie ni à l'amour ».

Colette et Maurice n'ont failli, ni à la vie, ni à l'amour. Ils ont échappé au pire. Pour combien de temps ? À chaque coup de sonnette, Colette sursaute maintenant et se demande si Pauline ne va pas venir lui annoncer, « Madame, ce sont des Allemands qui viennent arrêter monsieur ».

Chapitre 54

Le port de l'étoile jaune (février-juin 1942)

Le 19 février 1942, Colette écrit à Hélène Picard : « Je découvre que je suis moulue de fatigue depuis que Maurice est revenu. [...] Il a passé huit semaines dans un monde sans autres couleurs que le gris et le blanc sales ». Elle contemple l'œuvre, très colorée, qu'elle a accomplie pendant ces huit semaines, son fauteuil en tapisserie, « dessin 1840 », avec une admiration non dissimulée, allant jusqu'à dire : « J'avais une carrière ! Le métier d'écrivain l'a tuée ».

Où trouverait-elle le temps de se livrer à l'un de ses passe-temps favori ? Donnant l'exemple d'une fécondité exemplaire, elle ne cesse pratiquement pas d'écrire. En mars, elle publie dans le *Petit Parisien*, *Décor sans personnages* qui deviendra *Trois, six, neuf...*, compose une préface au catalogue de l'exposition *Les Fleurs et les Fruits depuis le Romantisme*, et divers textes de publicité. Elle entreprend d'écrire une longue nouvelle, *Gigi*, qui se passe au temps des équipages, et des courtisanes comme Caroline Otero ou Liane de Pougy. On peut ranger Liane parmi les muses de Colette. On se souvient que Léa de Lonval devait beaucoup à Liane. Deux personnages de *Gigi* lui doivent également beaucoup : Liane d'Exelmans, jeune hétaïre habile à rater ses suicides, comme le faisait Mlle de Pougy à ses débuts, et tante Alicia, courtisane à la retraite qui, comme Liane devenue princesse Georges Ghika, peut compter sur de belles rentes et de beaux bijoux.

Dans cette résurrection du passé et de la Belle Époque, Colette puise l'oubli du présent, et de ses laideurs, les lois antisémites, les articles appelant à la délation, les arrestations arbitraires. Si elle est moins menacée que Maurice, Colette ne se fait aucune illusion sur son propre cas, elle sait qu'elle n'est pas en odeur de sainteté auprès du nouveau régime dont la devise est « Travail, famille, patrie ». En ces temps de vertu affichée, on ne peut pas dire que la vie, et l'œuvre, de Colette plaident en faveur de ces bonnes mœurs que Vichy veut remettre à l'honneur. C'est ce que vient rappeler à Mme Goudeket une certaine Georgette Mayer qui lui a adressé, par lettre, ce rappel à l'ordre, « Nous en avons assez de votre littérature de décadence. Nous ne voulons plus de ces *Claudine*, de ces *Ingénue Libertine*, nous ne voulons plus des œuvres frelatées d'autrefois. [...] Tout ça, c'est de l'art juif ! Grâce au Ciel, la Révolution nationale change tout cela ! » Autrement dit, Claudine, Minne, Léa, la Vagabonde, toutes, avec leur auteur, au pilori !

Maurice aussi est au pilori puisqu'il doit porter « l'étoile jaune » que, le 28 mai 1942, l'administration allemande en France rend obligatoire aux juifs de ce pays. Aveuglement volontaire ou non, Colette ne semble pas saisir toute la gravité de cet édit mortel, « La question de l'étoile se développe dans une atmosphère excellente. Seuls ceux qui ne voudraient pas la porter s'exposent à des désagréments ». Et de préciser que Maurice portera son étoile « le plus coquettement possible » grâce aux bons soins de Pauline qui coud au revers de la veste et du pardessus cette étoile de tissu jaune désignant celui qui la porte comme juif. On aurait aimé avoir l'opinion de Maurice sur le port de cette étoile... En tout cas, l'étau se resserre autour des juifs, célèbres ou non. Quelqu'un qui comprend parfaitement la gravité de la situation, c'est Mme Léo Marchand, juive polonaise. Pour éviter les désagréments que sa qualité de juive pourrait susciter à Léo, Misz se suicide. Sa mort, le 27 juillet, plonge Léo dans un désespoir intense, et Colette, pour une fois, ne cache pas sa peine, « Je suis toute vide et molle parce que ma très chère Miche, [...] a quitté volontairement la vie. [...] Un être si pur, si écarté de tout ce qui est laid ».

Comme en sa qualité de juif, Maurice ne peut pratiquement plus exercer aucune activité, Colette doit multiplier les siennes et gagner la vie de ce couple sur lequel les habitants du Palais-Royal veillent. Des voisins ont offert des caches, et une voisine, chaste célibataire, a même proposé à Maurice de venir partager son lit et de se faire passer pour son mari, si les Allemands... Tant de générosité, d'ingéniosité et de bonne volonté ne suffisent pas à effacer la crainte d'une nouvelle arrestation. À cela, Colette ajoute le souci de sa santé qui, lentement, se détériore. Elle marche difficilement, douloureusement. Divers traitements n'ont donné aucun résultat. Elle a pour médecin principal le docteur Marthe Lamy, dont elle dit que « c'est un chic type », éloge suprême dans sa bouche. Marthe est l'amie d'un autre médecin, le docteur Paulette Gauthier-Villars, nièce de Willy. Paulette est la seule personne à Paris à appeler Colette, « tante Colette », comme elle l'a toujours fait depuis qu'elle était enfant.

Tante Colette a rompu avec son autre nièce, Geneviève, la fille d'Achille, à cause d'un différend survenu lors du partage des biens laissés par Léo dont l'héritage s'élevait à 18 000 francs. Une misère dont Colette ne veut plus entendre parler. Mais de quoi parler alors ? Et avec qui ? Marguerite Moreno est à Rome où elle tourne un film. Hélène Picard, prisonnière de ses rhumatismes, ne quitte plus la rue d'Alleray. Et Colette se plaint de la rareté des visites de Germaine Beaumont. À ces plaintes, elle ajoute son admiration pour le dernier roman de Germaine, *Du côté d'où viendra le jour*, qui paraît chez Plon, « À partir du déjeuner, plus rien n'a existé que ton livre pour moi. Mon enfant, comme tu montes droit. Comme tu te sers de ces grandes choses, auxquelles j'ose à peine toucher, et encore en me tortillant d'un air gêné, comme tu es naturelle avec l'amour, Dieu, la foi, la douleur ».

Ah, si la fille d'Annie de Pène venait plus souvent, elles se moqueraient ensemble des misères du temps ! Colette feint de s'en amuser en découpant les annonces d'échange qui paraissent dans les journaux comme « donnerais timbres contre volaille » ou « chaussettes, état de neuf, extra contre nature ».

Tout s'échange et se troque. Les malheurs du temps rendent les Français ingénieux et inventifs. On vit sous le système « D », c'est-à-dire, le système de la débrouille. Il n'y a plus d'essence ? On invente le vélo-taxi. Les femmes n'ont plus de bas à se mettre ? Elles se colorent les jambes avec de la teinture d'iode pour donner l'illusion du bas de soie.

Dans *De ma fenêtre* qui paraît aux Armes de France en mai 1942, Colette reflète exactement son époque. La douleur a encore accentué l'acuité de son regard, et presque immobilisée par l'arthrite, elle observe, de sa fenêtre, les jeunes gens venus au Palais-Royal, déjeuner de peu, « une baguette de pain, fourrée ou non, de viande ». Ceux qui n'ont rien à manger remplacent la baguette par un livre. Jamais la France n'a autant lu qu'en ces années 40, anthologies de poésie, romans du siècle dernier, tout est bon pour oublier la faim et le froid. Colette donne des recettes pour combattre l'une et l'autre. Recueil de recettes pour survivre, physiquement et moralement, *De ma fenêtre* est un manuel du bien-vivre dans une mauvaise époque.

Maurice est le premier à bénéficier de cet enseignement de survie. Fin juillet, il quitte Paris, trop dangereux pour ceux de sa race. D'accord avec Colette qui préfère une absence temporaire à une absence qui risquerait fort d'être définitive, il se réfugie en zone non-occupée dans le Midi, à Saint-Tropez, chez des voisins de la Treille muscate, Julio et Vera Van der Henst qui avaient été les témoins de son mariage, voilà des siècles, le 3 avril 1935, quand la France était encore libre et heureuse...

Chapitre 55

L'absence est le pire des maux (été 1942)

Quand Maurice avait été libéré, en février 1942, Colette s'était déclarée « guérie de tout ». Maurice est le meilleur remède à ces maux qui l'accablaient, et qui l'accablent encore, soit en même temps, soit en se succédant à un rythme véritablement infernal : bronchites à répétition, entérite, arthrite. Stoïquement, Colette suit les prescriptions du docteur Marthe Lamy qui devient alors un personnage important dans sa vie, comme le prouvent les dédicaces qui accompagnent le don de ses œuvres, *« Pour mon docteur Marthe Lamy qui me sauve la vie une fois par semaine au moins et que j'aime de tout mon cœur »* ou *« Pour Marthe, mon défenseur, pour ma très chère Marthe, que j'aime assez pour oublier sa science... J'en suis là, ayant franchi les étapes d'une connaissance et d'une affection qui ne sauraient aller plus haut »*. Et puis, ce bref billet, gentiment taquin, accompagnant la photo d'un homme en houppelande, *« Marthe, chère Marthe, Maurice assure que cet homme en houppelande vous plaira. Ce n'est pas mon type ! Que de vices je découvre en vous ! Mais je vous aime si fort que je vous pardonne* ».

Colette essaie, sans grand résultat, toutes sortes de traitements qui la forcent à se déplacer dans Paris, tantôt avec l'auto que Misia Sert lui prête aimablement, tantôt en vélo-taxi dans lesquels Colette ne voit que des « brouettes inconfortables ». Mais à la guerre comme à la guerre, c'est le cas de le dire...

Maurice parti dans le Midi, et elle précise aux Petites Fermières qu'il l'a quittée « à contrecœur », elle se trouve en tête à tête avec ses malaises, et sa solitude. « Je suis si peu sociable » avoue-t-elle volontiers, se plaisant même à pratiquer « une sorte d'ascétisme qui consiste à me défendre de ce que j'aime ». Chaque jour, elle écrit à Maurice, ou plutôt, pour déjouer une possible surveillance, au docteur Julio Van der Henst, de brèves cartes interzones dans lesquelles tout ce qui ne concerne pas la famille, la santé ou le temps qu'il fait, est soigneusement effacé par la censure.

Chaque jour, Maurice qui signe Julio et vouvoie Colette, lui écrit aussi. Ils se sont promis l'un à l'autre, comme des amoureux de vingt ans – Colette en a soixante-neuf et Maurice cinquante-trois – de s'écrire chaque jour. Ils tiennent scrupuleusement leur promesse. Ainsi, s'ils restent sans nouvelles, c'est la faute de la poste ou de la censure, mais, en aucun cas, le silence ne peut être attribué à l'un d'entre eux. Fidèle à son rôle d'ange gardien, Maurice recommande à Colette de bien veiller à régler ses impôts, voilà qui ne risque pas d'être censuré, et raconte qu'il est allé prendre le café à la Treille muscate, avec son nouveau propriétaire, l'acteur Charles Vanel, « *Il y a aussi tous les meubles de la Treille, hélas, qui m'ont inspiré quelque mélancolie* ». Quand il reçoit une copie de *Gigi* que Colette termine en septembre, il a ce commentaire : « *Je suis un peu vexé que les enfants nés hors de ma présence vous viennent si bien. C'est du costaud, bien carré, bien dépouillé, bravo, ma très chère* ».

Rassuré, autant que possible, sur le sort de Maurice et sur sa relative sécurité, Colette s'inquiète pour sa fille dont elle souligne « le manque de compétence et de persévérance ». Ne songe-t-elle pas à fonder une revue ? On ne peut pas laisser seul un Jouvenel pendant un quart d'heure, sans qu'il songe à fonder une revue, décrète Colette. Heureusement, sa fille n'a pas d'argent et renonce à ce projet. Mlle de Jouvenel s'échappe parfois de Curemonte pour passer huit jours avec sa mère à qui elle tient compagnie en l'absence de Maurice. Toutes deux évitent soigneusement de parler de Julie de Carneilhan et d'Herbert d'Espivant...

D'autres visiteurs viennent parfois rompre la solitude de la recluse du Palais-Royal, Tonton qui est un ami de Marguerite Moreno et qui dirige le Liberty's Bar, ne passe jamais sans apporter, en cadeau, quelque nourriture terrestre, imité en cela par un jeune libraire, Richard Anacréon. On peut voir en Tonton et en Richard les descendants de ces jeunes gens frivoles et cancaniers dont Colette aimait la compagnie quand elle souffrait des absences de Willy. Ils offraient alors à Mme Willy des bouquets de violettes et des chocolats de chez Boissier. Ils offrent maintenant un morceau de beurre ou un gigot. En leur compagnie, Colette oublie, pour quelques moments, l'absence de Maurice, et se divertit de savoir qui couche avec qui, où, et comment, « Anacréon est venu hier nous raconter les folles histoires qui sont sa spécialité ». Les commérages de Sodome remplacent les potins de Lesbos rapportés, autrefois, par Natalie Barney qui, à l'abri en Italie, se manifeste fidèlement par des cartes soumises, elles aussi, à la censure et dans lesquelles il n'est plus question d'évoquer les bagatelles de Bilitis...

Il arrive à Mme Goudeket de se montrer plus « sociable » qu'elle ne le confesse, et de consentir à dîner, sans monsieur, hélas, avec Paul Morand, Édouard et Denise Bourdet, dîners qu'elle qualifie de « gentils », sans plus. Elle déjeune aussi avec Marthe Lamy, Paulette Gauthier-Villars, et la libraire Adrienne Monnier. Cette dernière, dans ses *Gazettes* [1], et à propos de ce déjeuner « qui fut un enchantement », présente Paulette et Marthe comme des « princesses de la science », « Paulette est professeur agrégé à la faculté de médecine » et Marthe, « excellent docteur gynécologue, est chef de laboratoire ». Elle décrit ensuite Colette comme « une femme qui a horreur d'être dérangée ». Examinant la main de l'écrivain, Adrienne trouve qu'elle a « un pouce de chef de pirate ». « C'est vrai, je suis terriblement violente, j'ai souvent eu envie de tuer » admet Mme Goudeket.

Peu après ce déjeuner, Colette découvre, avec horreur et consternation, que son compte en banque est bloqué parce qu'elle est « conjointe de juif ». Démarches pour débloquer. Fausse alerte. Les « petits directeurs » de la banque, « qui au vrai ne sont que de simples employés de la succursale », précise Colette, ont voulu faire du zèle, et « lécher les bottes de l'occupant qui, en l'espèce, ne leur avait rien imposé du tout ». Ils sont, hélas, plus nombreux que l'on ne croit les Français qui, pendant ces années noires, ont multiplié ces preuves de zèle, pratiquant la délation pour se faire bien voir d'un occupant qui succombait sous le flot des lettres de dénonciation...

En avril, Colette suit un traitement, encore un, à base de piqûres de soufre et d'iode qui la transforment, dit-elle, « en feu de cheminée ». Et puis un autre qu'elle doit suspendre, « Mon traitement épuisant est interrompu, pour cause de brûlures par rayons X. J'en suis bien aise. Mais j'ai le ventre de toutes les couleurs, surtout rouge et noir. Une stendhalienne se réjouirait ! »

Voilà trois ans qu'elle n'a plus quitté Paris, elle

1. Mercure de France, 1961.

est guettée par l'anémie, ce qui alarme Maurice, *« Le moindre grincement dans notre entente m'est intolérable. Ruinez-vous en vélo-taxi. Vous avez l'absence parfaitement insupportable »*. Colette pourrait en dire autant de l'absence de Maurice. Et pourtant, elle ne peut que – égoïstement – se réjouir d'une telle absence quand elle apprend que les 16 et 17 juillet, à Paris, ont été arrêtés, et parqués, au Vélodrome d'Hiver, 13 000 juifs qui attendent là d'être déportés en Allemagne. Si Maurice avait été arrêté pendant cette rafle, Otto Abetz et José-Maria Sert n'auraient pas pu le sauver.

Le 8 novembre 1942, les Anglais et les Américains débarquent en Afrique du Nord. Le 11 novembre, les Allemands franchissent la ligne de démarcation pour occuper tout le territoire national et prévenir une autre tentative de débarquement allié sur nos côtes. La flotte française se saborde à Toulon. Maurice n'est plus en sécurité sur la Côte d'Azur où l'on commence à arrêter des juifs. Le 12 novembre, M. Goudeket écrit à son épouse : *« N'êtes-vous pas d'accord, ma très chère, que je n'avais plus rien à faire sur la Côte? Après un voyage sans encombre, mais déjà très encombré, me voici à Toulouse et j'irai voir dans quelques heures si la paix des champs chez les Lecerf est possible »*.

Maurice s'installe chez ses amis Lecerf qui habitent dans le Tarn, au Griffoulet, à Lisle-sur-Tarn. André Lecerf est un éminent graphologue dont Colette admire les travaux qu'elle évoquera dans *L'Étoile Vesper*. André Lecerf et son épouse Yvonne vivent dans une ferme isolée, loin du monde et de ses fureurs. Cachette idéale pour Maurice qui peut passer pour un valet de ferme, un peu trop distingué peut-être pour son emploi présumé, et qui dit s'acclimater au froid, et à une vie aussi rustique qu'inconfortable. Mais il reconnaît qu'il ne saurait *« pour le moment être mieux, ni plus à l'écart du remue-ménage »*. Il mange à sa faim, il est gavé de fromage à la crème et ne cache rien de sa béatitude à Colette, *« Les Lecerf me comblent de sollicitude et je ruisselle de crème fraîche »*. Voilà qui doit faire rêver longuement Colette, Maurice, son Maurice ruisselant de cette crème fraîche dont elle est tant privée. Le 30 novembre, Colette remercie les Lecerf et se réjouit de la bonne entente régnant entre Maurice et André, *« Que les deux hommes s'entendent bien, je n'en suis pas étonnée. On devrait pouvoir recruter sa famille uniquement au choix. Ces deux-là resteront frères. Et Yvonne que sera-t-elle ? Quelque chose comme ma filleule »*.

Le 1er décembre, comme il est question de faire entrer Colette à l'académie Goncourt, vainement cette fois-là, la candidate, malgré elle, prévient les Lecerf : *« On m'assure que l'académie Goncourt est dans tous ses états. Mais tout cela est si loin de moi. Comme de coutume, on prononce mon nom, uniquement pour embêter un ou deux candidats authentiques »*. À cette candidature à l'académie Goncourt, Colette préfère un colis de saucisses, de lentilles et d'ail envoyé par André et Yvonne, *« Rien de si bon que l'ail contre les humeurs noires »*.

Car l'humeur de Colette reste au noir fixe. Elle ne supporte plus d'être privée de Maurice, pas plus que Maurice ne supporte d'être privé de Colette. L'absence est vraiment le pire des maux, ils sont d'accord là-dessus. Et s'ils n'ont plus que quelques jours à vivre, autant les vivre ensemble ! Bravant toute prudence, Maurice revient à Paris début décembre 1942. On imagine la joie des retrouvailles. Le 8 décembre, sans tarder, Colette écrit à André et Yvonne Lecerf pour les remercier, *« Quelle surprise ce matin, chère Yvonne ! Je venais de me rendormir et la voix de Pauline n'atteignait que mon songe. Le voyageur reflète, dans toute sa personne, les soins qu'il a reçus de vous. Jamais je ne finirai de vous remercier dans mon cœur. Nous ne faisons que parler de vous »*.

Les Goudeket fêtent Noël en tête à tête. Il n'y a

rien pour célébrer cette fête, les magasins sont désespérément vides. Le 24 décembre 1942, Colette écrit à Marguerite Moreno, « Nous passons, Maurice et moi, des soirées qui pour ne faire presque aucun bruit, nous sont pourtant précieuses ».

À minuit, Maurice quitte Colette et s'en va dormir au dernier étage du 9 rue de Beaujolais, dans une chambre de bonne, d'où il ne redescend que le lendemain matin, après neuf heures. Comme Maurice a été arrêté à six heures du matin, M. et Mme Goudeket en ont déduit que les Allemands n'arrêtaient plus personne après cette heure fatidique, ou peu après, neuf heures étant l'extrême limite. Divine simplicité ou sublime inconscience, on ne sait pas. Mais la fortune se plaît à sourire aux audacieux et aux amoureux, ou à ceux qui, comme Colette et Maurice, sont audacieux et toujours amoureux.

Chapitre 56

La chasse à l'espérance (hiver 1943-hiver 1944)

Gigi paraît en feuilleton dans la revue *Présent* [1], et sous le titre, *L'Attardée*, puisque, pour sa mère, sa grand-mère et sa tante Alicia, Gigi n'est qu'une jeune fille attardée qui ne comprend rien, ou ne veut rien comprendre, au monde de la galanterie auquel sa famille la destine. En ces temps noirs, Colette suit l'exemple d'Alicia qui « aime mieux vivre sur un beau passé que sur un vilain présent ». Elle n'est pas la seule à se souvenir de la fin du siècle dernier, ou du début de notre siècle, quand la France était prospère et que le beurre de Normandie, l'ail de Provence se trouvaient, à profusion, sur le marché. On projette des films comme *Le Lit à colonnes*, *Douce*, *Le Mariage de Chiffon*, qui trahissent une nostalgie profonde d'un paradis à jamais perdu et qui remportent un immense succès auprès d'un public qui supporte d'être privé de tout, sauf de rêve...

---

1. La pénurie de papier est telle que *Gigi* ne sera publié en volume qu'en juin 1944, en Suisse.

La chasse à la nourriture, comme la chasse au rêve ou à l'espérance de jours meilleurs, constitue le nouveau sport des Parisiens. Quand des gens s'étonnent de voir Colette, « la grande Colette », s'abaisser à participer à un jury destiné à couronner des dessins d'enfants, elle répond simplement, « On est nourri ».

Une fois, j'ai rencontré Pauline qui m'a dit : « Madame écrivait mieux quand elle mangeait bien ». C'est à croire que, pendant la guerre, Colette n'a pas trop mal mangé puisqu'elle a composé des nouvelles comme *Gigi* ou *Le Képi*, qui en font l'égale d'un Mérimée ou d'un Maupassant.

Grâce aux Petites Fermières, à Renée Hamon, à Tonton et à quelques autres personnes, Colette n'est pas trop à plaindre. Pauline est là qui veille à ce que rien ne soit gaspillé, quitte à chapitrer sa maîtresse, « Une pièce de bœuf en rôti ? Madame veut rire ? Je ferai un bœuf miroton, ça fera plus de profit. »

Maurice aussi participe à cette chasse aux comestibles, et essaye d'aider à faire bouillir la marmite en continuant à vendre des livres anciens. Il est prudent, très prudent, il s'habille « en couleur de muraille », et « commence à savoir très bien planter des petits cierges sur le buisson de Notre-Dame-des-Victoires, notre voisine », comme le rapporte Colette à François Mauriac, le 9 avril 1943.

François Mauriac et Colette se fascinent mutuellement et se méfient l'un de l'autre. Le premier ne cache pas qu'il voudrait « convertir » la première qui se dit incroyante, et qui pourtant, elle l'avoue à Mauriac, souhaiterait retrouver le missel noir de son enfance. Sitôt exprimé, ce souhait devient réalité comme l'auteur de *Gigi* le rapporte à l'auteur de *Thérèse Desqueyroux* :

« Hier matin, on a déposé chez moi un paroissien noir, laid, usagé, [...] bref tel que je vous l'avais demandé. Et j'ai dit : « Comme Mauriac s'est dépêché ! » Mais un mot joint au livre me montra que le livre me venait d'une femme très malade, que je ne connais que par ses lettres. »

Il s'agit d'une princesse italienne, très mystique, la princesse Orbeliani qui a vu, en songe, Colette lui demander ce missel noir. Elle a inscrit sur la première page cette phrase de saint Jean, « ... car si notre cœur nous condamne, Dieu est plus grand que notre cœur ». Après quoi, elle a posé son stylo et elle est morte. Colette ne cache pas à Mauriac combien elle est troublée par ce don et par l'événement qui a suivi : « Maurice et moi nous sommes tout raides de cette histoire. [...] Depuis que j'ai ce livre, je n'ai pas manqué d'y lire, chaque jour, ce que je vous avais promis d'y lire. [...] Je me sens sauvage à beaucoup de choses, mais sans aucune mauvaise volonté, bien au contraire ».

Par son désir de retrouver le paroissien de son enfance, et par ses rencontres avec François Mauriac, a-t-elle voulu renouer avec une foi dont Sido l'avait détournée et dont elle n'avait gardé que les apparences, cierges à Notre-Dame-des-Victoires, et buis des Rameaux? En ces temps de ténèbres extrêmes, chacun est prêt à s'accrocher au moindre espoir de lumière...

Cette sérénité que pourrait lui donner la foi, Colette la trouve en Maurice, « Maurice est un brave compagnon et un compagnon brave qui s'arrange pour ne montrer que sa sérénité ». Mais quelle sérénité résisterait aux maux qui accablent Colette pendant l'automne 1943? « Je suis malade, figure-toi, depuis deux mois, de ce que je nommais une intoxication alimentaire. Mais nous savons maintenant ce que j'ai [...] j'ai... un protozoaire! Et un protozoaire tropical, s'il te plaît. Moi qui ai si peu voyagé! Il porte un nom de vaudeville : el señor Trichomonas », écrit Colette à Marguerite Moreno, le 21 septembre 1943. Pendant que le docteur Marthe Lamy s'efforce de déloger « el señor Trichomonas », elle confie son arthrose de la hanche au docteur Soulié de Morant qui la traite par l'acupuncture. À la troisième séance, elle éprouve un soulagement qui coïncide avec le plaisir de recevoir, enfin imprimé, le livre de Renée Hamon, *Amants de l'aventure* qui paraît chez Flammarion et qui lui est dédié, « À Colette, que j'admire et que je chéris, ce livre né de sa sévère indulgence ». Colette remercie ainsi : « Une belle dédicace, mon enfant, je n'en aurai jamais qui m'aille si profondément au cœur. [...] Ne te tourmente pas au sujet de ton livre : il est bien. Il est comme il doit être, il a, Dieu merci, les inégalités qui contribuent à lui bâtir une figure, une personnalité. Dirai-je qu'il te ressemble ? Oui, je le dirai, au risque de te donner de la vanité ».

Le Petit Corsaire n'aura pas eu le temps d'être vaniteuse, elle meurt le 26 octobre 1943. Comme d'habitude, Colette dissimule sa peine et rend hommage « à ce petit être qui a passé sans nuire à personne ». Et, comme d'habitude, elle noie son chagrin dans le travail. Ce sera, comme aurait dit Anna de Noailles, « encore un chef-d'œuvre », *L'Enfant malade*, une nouvelle qu'elle termine début 1944 et dont l'ultime paragraphe s'achève sur ces deux phrases porteuses d'espérance, « Un temps veut qu'on s'applique à vivre. Un temps vient de renoncer à mourir en plein vol ».

Pour son soixante et onzième anniversaire, Colette s'offre en cadeau cet *Enfant malade* qui est l'histoire d'une résurrection. À travers cet *Enfant malade*, c'est la France entière qui, elle aussi, espère sa guérison, sa résurrection, sa libération. La Libération, tout le monde en parle, tout le monde y croit et dessine les *V* de la Victoire sur les murs. Pourquoi la France ne serait-elle pas libérée puisque la Corse l'a été en octobre 1943, et que les Alliés progressent en Italie ?

Cet *Enfant malade*, c'est, pour Colette, sa manière à elle de fronder l'occupant. Qui oserait se souvenir encore qu'elle a publié quelques textes complètement apolitiques traitant, comme on l'a vu, de broderie ancienne ou de lainage, dans deux ou trois journaux qui ne cachaient pas leur penchant pour l'Allemagne ? Ces publications ont irrité certains résistants intransigeants, mais personne ne songerait maintenant à accuser la fille du Capitaine, l'épouse de Maurice Goudeket, l'auteur de *L'Enfant malade* d'avoir collaboré avec l'ennemi ! Ce serait à la fois grotesque et injurieux !

Chapitre 57

Un plafond d'avions et un major écossais (août 1944)

Au commencement de 1944, la Résistance multiplie les attentats contre les Allemands qui intensifient leurs attaques contre les maquis et accroissent les représailles de façon spectaculaire. L'exécution du groupe Manouchian est annoncée par des affiches rouges et noires qui tapissent les murs de Paris, effaçant les *V* d'une victoire encore incertaine.

La mort frappe partout, et même ceux qui possédaient le don de vivre pleinement, comme Jean Giraudoux qui meurt le 31 janvier. *Comœdia* demande dix lignes à Colette qui renâcle, « Je ne sais faire ni dix lignes, ni tout de suite », puis s'exécute, exprimant son regret de n'avoir pas connu davantage l'auteur de *Bella* qu'elle montre, « pleuré des siens, de la foule, de cent amis, et d'un seul chien ». Jean Cocteau a rapporté à Colette que, depuis la mort de son maître, le chien de Giraudoux était « mortellement triste ».

Après ce deuil littéraire, un deuil familial. Le frère de Maurice Goudeket meurt, « Maurice, très attaché à un frère amputé et fragile qu'il soutenait, ne montre à personne son chagrin ». Maurice avait baptisé son frère et sa belle-sœur « un ménage de perruches » parce qu'ils ne se quittaient jamais. Il va falloir maintenant veiller sur Mme veuve Goudeket...

En juin, Colette apprend le suicide de Missy de Morny, marquise de Belbeuf, qui avait un peu perdu la tête et la presque totalité de sa fortune. Colette n'avait plus vu Missy depuis deux ans, « Par un de ces caprices enfantins (quatre-vingt-un ans) qu'elle eut toujours, elle m'avait signifié qu'elle ne me verrait plus ».

La disparition de celle qui fut l'une des reines du Tout-Lesbos 1900 passe complètement inaperçue et n'est ressentie que par une douzaine de personnes qui l'accompagnent au cimetière, et parmi lesquelles se trouve Sacha Guitry qui a veillé à ce qu' « oncle Max » ait un enterrement décent. Ainsi passent les gloires du monde et du demi-monde.

Il est vrai que, en juin 1944, les Français ont d'autres sujets de chagrin que la mort de Missy ! Précédant cette vague de deuils, une série d'arrestations. Pierre Moreno, le neveu et compagnon de Marguerite, a été arrêté par la milice en février. À Touzac, Marguerite est anéantie et Colette ne sait que faire pour aider son amie. En désespoir de cause, elle annonce qu'elle va mettre un cierge à Notre-Dame-des-Victoires, « Je vais aller – je peux encore aller jusque-là – chez ma voisine Notre-Dame-des-Victoires, mettre un cierge pour ton absent. Si tu voyais ces affreux petits cierges noirâtres. Ils sont peut-être bons tout de même ». Ils doivent être bons, ces cierges de guerre, puisque peu après, Pierre est libéré et prend le maquis où il est rejoint par Renaud de Jouvenel « qui habite et dirige très bien Castel-Novel ». À Curemonte son exemple est imité par sa demi-sœur, « Cette enfant de trente ans est pleine de choses qui te plairaient. Elle ramasse chats et chiens sans maîtres ». Comme sa grand-mère Sido, Mlle de Jouvenel a un faible pour les filles-mères et en a recueilli une qui a dix-neuf ans, et un bébé de six mois, à la surprise de Colette qui constate : « Cela ne tourne pas mal ! »

Depuis l'été 1940, Colette a gardé intacte son horreur de Curemonte. Et que sa fille, ses chats, ses chiens, et autres, continuent à habiter cette « énorme ruine » dépasse son entendement ! N'être plus à Curemonte l'aide à supporter la vie difficile de Paris, « Oui, nous habitons une ville impossible. Plus d'eau chaude, pas de lumière pendant treize heures, du matin au soir. Défense de... Interdiction de... Sous peine de... » note, le 1er mai, Colette que ces défenses et interdictions exaspèrent. Et voilà que les Van der Henst, Julio, Vera et leur fille, suivent tardivement l'exemple de Maurice et viennent se cacher à Paris. Ils ont fui Saint-Tropez où ils sont connus comme juifs. Ils ont « peu d'argent, pas de gîte, aucun meuble, peu de bagages ». Les Goudeket s'efforcent de résoudre les problèmes de leurs amis. Ils parviennent à loger le trio dans des chambres de bonnes du 9 rue de Beaujolais, en ce dernier étage, où Maurice lui-même passe ses nuits.

Toujours pour distraire Marguerite Moreno, inquiète du sort de Pierre au maquis, Colette tient la chronique du printemps 1944, « Paris est tout grouillant d'histoires, de bobards, de drames ». Alertes et bombardements se succèdent, « Il est midi et nous avons eu trois bombardements depuis 4 heures du matin » rapporte-t-elle, le 28 avril. De temps en temps, la chronique tourne au bulletin de santé, « Je souffre, souvent beaucoup, de mes jambes et hanche arthritique, c'est vrai. Mais je bénéficie de l'accoutumance permise aux infirmes qui ne s'habituent que trop vite à ne pas marcher ».

Le 9 mai, emmenée par une vieille amie « impotente au trois quart », dans une voiture traînée par un vieux cheval, Colette fait quelques pas au bois de Boulogne, « Un Bois désert, fleuri, si fleuri et si beau qu'on a bien du mal à le supporter ». Pendant cette promenade en des temps si troublés, Colette a certainement pensé au Bois de la Belle Époque avec ses Amazones auxquelles elle se mêlait parfois en compagnie de Natalie Barney qu'elle évoque ainsi : « [...] je l'ai vue aussi monter à cheval [...] et elle y est d'une perfection ravissante ».

La rumeur annonce l'imminent débarquement des Alliés en France, on avance des dates et des endroits, voyantes et mages sont assiégés. Le 6 juin 1944, les Alliés débarquent en Normandie. Ce qui n'interrompt pas le travail de Colette qui s'applique, pour un éditeur suisse, à changer *De ma fenêtre* en *Paris de ma fenêtre.* Le 7 juin, elle se dit « forcée de finir un assez gros travail. [...] Et puis, hier, l'excitation de ce débarquement... » Voilà, c'est tout. Colette, si douée pour profiter de tous ses sens, n'a pas le sens de l'Histoire. L'historique débarquement du 6 juin ne la détourne pas de son stylo, ni de sa feuille bleue. Son impassibilité fait songer à celle de saint Louis de Gonzague se livrant à son jeu préféré, la balle, et à qui l'on demandait : « Si l'on t'annonçait que tu vas mourir dans un moment, qu'est-ce que tu ferais ? », « Je continuerais à jouer de la balle ». Ainsi fait Colette. Le Palais-Royal peut être bombardé d'un moment à l'autre comme l'ont été le quartier de la Chapelle ou d'autres endroits de Paris. Colette le sait, et n'en continue pas moins tranquillement, héroïquement, à écrire, et à tenir sa chronique pour Moreno :

28 juin, « En peu de temps, la pénurie parisienne est devenue quelque chose de bien grave, et triste ».

24 juillet, « La chasse à la pitance bat son plein, le bœuf est toujours à 400 francs [1] le kilo et le beurre à 750 ».

6 août, « Nous vivons des jours tout enflés d'événements présents et futurs. [...] Ce matin, le ciel était un plafond d'avions. Que tout est étrange, et combien je ne veux pas mourir avant d'avoir tout vu ! »

Elle verra tout, Colette. Elle voit même revenir

1. L'équivalent d'un mois de salaire pour un ouvrier.

Maurice, qui, lors de la Libération de Paris, le 24 août, avait disparu pendant trois jours et deux nuits. Il avait quitté le Palais-Royal « pour voir », et avait dû se terrer dans le jardin des Tuileries en attendant que les combats cessent. Pendant ce temps, morte d'inquiétude, Colette le faisait rechercher parmi les morts. « Je t'avoue, Marguerite, que je l'ai accueilli par une bordée d'injures ». Mais les injures ont vite été effacées par le bonheur des retrouvailles.

Maurice retrouvé, Colette peut se laisser aller à la liesse d'une Libération dont elle doute encore. Elle affirme qu'elle n'y croira que lorsqu'elle verra devant elle, un major écossais, et en kilt. Maurice la prend au mot et réussit à ramener au Palais-Royal un major écossais, en kilt. Son épouse ne cache pas son étonnement, ni sa satisfaction. On retient le major à déjeuner. Et comme visiblement, le nom de Colette ne semble rien évoquer à l'invité, M. Goudeket précise en anglais, qu'il parle couramment, que madame est l'un des plus grands écrivains français. Pas troublé le moins du monde par une telle révélation, le major se contente de répondre poliment, « J'en parlerai à ma femme, c'est elle qui lit ».

Le 26 août, De Gaulle descend les Champs-Élysées en une marche véritablement triomphale. Invitée par José-Maria et Misia Sert à voir ce défilé depuis leur balcon, Colette n'en retiendra que les charcuteries d'Espagne et le vin de Champagne servis à profusion.

Après la liesse, ce sont les horreurs de la Libération qui commencent, les règlements de compte, les arrestations arbitraires, les femmes tondues sur les places publiques pour avoir couché avec des Allemands, et que l'on promène ensuite, demi-nues dans les rues, offertes aux crachats et aux injures d'une foule déchaînée. Dégoûtée, Colette détourne la tête, et se réfugie dans des rêves de ripaille, de bœuf mode et de harengs marinés. Avec la crainte de perdre Maurice, la nourriture aura été l'une des obsessions majeures de Colette pendant ces années noires qui se terminent enfin.

Chapitre 58

Madame Colette, de l'académie Goncourt (2 mai 1945)

Paris libéré, ses habitants connaissent les mêmes difficultés de ravitaillement que pendant les années d'occupation. Le bœuf miroton et les harengs marinés dont rêve Colette demeurent à l'état de songe. Elle en a vraiment assez des tomates et des pâtes que Pauline a beau présenter de toutes les façons mais qui restent quand même des pâtes et des tomates.

De passage à Paris, Pierre Moreno fait porter au 9 rue de Beaujolais un somptueux colis de pommes de terre qui est accueilli par des clameurs de joie, et des bénédictions, « Béni soit-il car le ravitaillement est incroyablement réduit ». Le 22 octobre 1944, Colette communique à Marguerite Moreno l'incroyable nouvelle : Mlle de Jouvenel a été élue maire de Curemonte, « Marguerite, tiens-toi bien, ma fille est maire ! Et Renaud adjoint à Brive. Ces deux sacrés maquisards, tu vois, tiennent le pays ».

On sent Colette partagée entre la satisfaction et l'exaspération. Certes, elle est comblée de voir Colette et Renaud de Jouvenel occuper des postes officiels, si minimes soient-ils. Mais pour la Parisienne du Palais-Royal, être maire de Curemonte est le comble du ridicule.

L'épuration bat son plein. Épuration sauvage avec arrestations promptement suivies d'exécutions sans autre forme de procès. Puis l'épuration s'organise et organise les procès de Robert Brasillach, Charles Maurras et autres écrivains qui ont montré trop d'ardeur à suivre les directives de l'ennemi. Début 1945, Colette confie à l'une de ses amies, Lucie Saglio, qu'elle trouve que les procès d'épuration contre les pétainistes, les lavalistes et autres collaborateurs, sont « dégueulasses ». Et d'ajouter, « J'emploie exprès ce mot ignoble ». Voilà qui constitue un nouveau sujet de désaccord avec sa fille qui s'est lancée, à l'exemple de ses parents, dans le journalisme et qui, dans des articles virulents, stigmatise le manque de sévérité des juges chargés de l'épuration. « Voyez-moi le ton de cette jouvenelle » commente Colette qui ne perd jamais une occasion de lancer une flèche contre la tribu Jouvenel, et de montrer son souverain mépris de créature libre et indépendante pour la politique, et les hommes qui y sont asservis.

Le 1er février 1945, Hélène Picard meurt à l'hôpital, « comme le plus romantique des poètes, elle meurt à l'hôpital, inconnue, méconnue, seule et muette ». Alertée, Colette envoie aussitôt un pneumatique qui arrive trop tard, Hélène n'a plus la force de l'ouvrir, « mon pneumatique arriva au moment où elle mourait, et elle est partie avec mon enveloppe bleue, fermée sous la main ».

Pendant les dix jours qui suivent, Colette ne s'occupe que d'Hélène Picard qui incarnait les années-*Matin* et les années-Rozven, et la rue d'Alleray où elle vivait au cinquième étage d'une maison dont le rez-de-chaussée abritait les amours de Bertrand de Jouvenel et de sa Phèdre d'Auteuil. Avant d'être emmenée à l'hôpital Saint-Jacques, Hélène, déformée par les rhumatismes, s'était écriée : « Si je savais que Colette me voit telle que je suis, je me suiciderais ».

Pour une fois, Colette ne rejette pas la mort, mais la considère et y puise son inspiration. Pendant dix jours, elle écrit, à la demande de *La Revue de Paris*, une étude sur Hélène Picard. De paragraphe en paragraphe, cette étude devient un magnifique portrait qui figurera dans *L'Étoile Vesper* et qui s'ouvre par trois vers de *Pour un mauvais garçon* que Colette se plaisait à citer :

> Il ne vous atteint pas, l'affreux cri des sirènes,
> Dans les bars de cristal, éclatants perroquets,
> Frivoles favoris des sombres capitaines.

Avec l'auteur de *Pour un mauvais garçon*, l'auteur de *Gigi* partageait des secrets, et une passion déclarée pour les cartes postales anciennes, abondant en festons, cœurs brodés, roses cachant en leur sein un couple d'amoureuses colombes dont les pattes sont liées par un ruban bleu où est inscrit en lettres dorées le mot « toujours ». Colette ne cache pas son admiration pour cette femme qui n'a vécu que pour, et par, la poésie. En 1937, sur un exemplaire de *Bella-Vista*, Colette avait inscrit cette dédicace qui, en février 1945, paraît prémonitoire : « Pour Hélène, quelque part là-haut en lui demandant un regard pour tous ces pauvres gens d'en bas et avec la fierté d'être son amie ».

Colette subit l'un des affreux privilèges de l'âge : celles qu'elle nommait « des amies de toujours » s'en vont, une à une. D'abord le Petit Corsaire, puis Missy, et maintenant Hélène Picard. À ces amies de toujours, succèdent d'autres qui le sont moins comme Simone Berriau, une riche et belle excentrique qui invite, début avril, les Goudeket à séjourner aux Salins d'Hyères où elle possède le domaine de Mauvanne. Mauvanne est une annexe du Tout-Paris et du Tout-Marrakech. Simone compte parmi ses conquêtes le Glaoui, pacha de Marrakech.

Dans *Belles Saisons* qui paraîtra en novembre 1945, Colette affirme : « Mes vacances ? C'est d'aller travailler ailleurs », et aussi, « La séparation est accomplie, le havre atteint, la grille refermée entre le genre humain et moi ». Une fois de plus, il ne faut pas prendre au pied de la lettre ce que Colette écrit. S'il est vrai que ses vacances à Mauvanne sont laborieuses, elle commence à y ébaucher *L'Étoile Vesper*, elle n'en a pas pour autant refermé la grille au genre humain, et se garderait bien de dire comme Natalie Barney, « Le genre humain est un genre que je déplore ». Au contraire, à Mauvanne, elle continue à s'intéresser avec passion aux passions des autres, et particulièrement à celles de son hôtesse. Femme de théâtre, Simone Berriau fait de sa vie, et de ses amours, un théâtre permanent. L'extravagance de ses chapeaux, l'originalité de ses tenues, sa verve populacière ne sont pas pour déplaire à Colette.

Simone est gourmande et veille à ce que sa table, à Paris comme aux Salins d'Hyères, soit la meilleure, bravant la pénurie et utilisant, à fond et sans scrupule, les ressources du marché noir. Un jour, elle revient avec un mouton qu'elle fait tuer sur-le-champ, dépecer, et changer en côtelettes et en gigots à l'ail comme Colette n'en avait plus mangé depuis le déluge qui s'abattit sur la France en juin 1940.

Du gigot à l'ail, du beau temps, une bonne compagnie, Colette se croit de retour au paradis, avec Maurice à ses côtés, et qui ne la quitte que le temps d'un bain rapide dans la mer toute proche. Là, Colette peut mettre en pratique ce qu'elle répétait à l'un de ses correspondants, « Le luxe, c'est d'aller lentement ».

Retour à Paris et aux affreuses réalités du temps. « Ma fille avait des amies à Buchenwald, elles ne sont pas, sauf une, encore revenues. Devant un café de la place des Ternes, il y a trois ou quatre jours, des rescapées sans regard et sans paroles relevaient leur robe et montraient leurs jambes dévorées, jusqu'en haut des cuisses, par les chiens du camp » raconte Colette à Moreno, le 23 avril.

Quelques jours plus tard, le 2 mai, Colette est élue à l'unanimité à l'académie Goncourt, au couvert de Jean de la Varende, démissionnaire. Pour le grand public, elle est désormais, « Mme Colette, de l'académie Goncourt ». Elle y est aussitôt comme chez elle, entourée d'amis fidèles comme Francis Carco ou d'admirateurs non moins fidèles comme André Billy, « Mes collègues, incroyablement jeunes, (Rosny 86, Descaves 84), ont été aussi gentils qu'il est possible de l'imaginer ».

Face à Rosny et à Descaves, Colette, avec ses soixante-douze printemps, se sent une « jeunette » qui reconnaît quand même qu'elle se fatigue vite de telles festivités, « Banquet (pour sept), photographes, interviews, – ces plaisirs ne sont pas de mon âge et ne l'ont jamais été. [...] N'empêche que ces trois jours, ma jambe aidant, m'ont été... disons fatigants ». On sent que Colette, consciente de sa nouvelle dignité d'académicienne Goncourt, se retient d'employer un adjectif plus sonore que ce « fatigant ». C'est peut-être par ce mot de Cambronne qu'elle se plaît à utiliser en petit comité qu'elle a vigoureusement salué, le 8 mai 1945, la reddition de l'Allemagne, la fin du cauchemar.

En juillet, Mme Colette se livre à l'inévitable, et ultime, volupté des personnes d'âge : faire son testament. Elle lègue à Maurice la moitié de ses droits d'auteur, et le droit de gérer ses biens littéraires, à condition que sa fille en soit informée. Si Mlle de Jouvenel contestait le testament de sa mère, Maurice le bien-aimé recevrait alors la totalité des droits d'auteur. En ce testament, Colette ne saurait exprimer plus clairement sa préférence pour celui dont elle ne cesse de chanter les louanges, « Maurice protège ma solitude », et à qui elle donne maintenant le titre de « meilleur ami ». Pour arriver à un tel résultat, et changer le meilleur amant en meilleur ami, Colette a strictement suivi les conseils qu'elle donnait aux lectrices de *Marie-Claire*, dans ce mémorable numéro du 24 mai 1940, « L'amour, miracle à vous rompre les os, catastrophe éblouissante, hôte impérieux, se change singulièrement quand il est établi dans un fragile logis terrestre, en une plante de serre qui craint le froid, le chaud et l'humidité. Acceptez-le pour tel. Moyennant quoi, il vous étonnera par sa longévité ».

Si Maurice, dans la force de l'âge – il a cinquante-six ans –, trompe parfois Colette, il ne la trahit jamais. Sa discrétion est telle, que personne ne sait, et surtout pas son épouse, qu'il entretient une liaison aussi charmante que secrète, avec une Belle Suédoise Très Distinguée dont il partage les faveurs avec un lord anglais. Car Colette est aussi jalouse à soixante-douze ans qu'à vingt. Heureusement, elle ne se doute de rien. Et quand elle a des soupçons, il ne s'agit jamais de la personne concernée...

Enchantée par son séjour printanier à Mauvanne, Colette y retourne en juillet-août. Elle y poursuit la rédaction de *L'Étoile Vesper*, pendant que Maurice travaille également à une pièce de théâtre, *Pas un mot à la reine-mère*, avec Yves Mirande qui compte parmi les amants de Simone Berriau. Maurice entreprend en même temps une tâche autrement importante, l'édition des œuvres complètes de Colette qui, dispersées chez différents éditeurs, seront réunies pour paraître de 1948 à 1950, chez Flammarion, sous la marque du « Fleuron ».

À Mauvanne, Colette dispose d'une chambre avec terrasse où elle peut se retirer pour écrire en paix et ne voir que les personnes qu'elle a envie de voir. Car l'impétueuse Simone engendre des tumultes qui font parfois aspirer Colette au silence et à la tranquillité, « Me croiras-tu si je te dis, ma Marguerite, que j'aimerais mieux être à Touzac ? Oui, tu me crois. Car ici nous ne sommes jamais moins de seize à table ». Comme Sido, Colette n'aime pas les tables encombrées par trop de convives.

1945 se termine pour Colette par deux plaisirs très différents : le mariage de la fidèle, de l'efficace,

Pauline et le triomphe de Marguerite Moreno dans *La Folle de Chaillot* de Jean Giraudoux, à l'Athénée.

En novembre, Pauline Vérine se marie avec Lucien Tissandier, « un très brave garçon qu'elle connaît (et ajourne !) depuis vingt ans, employé aux Halles (légumes) et très gentil. Très bien assortis comme âge et amitiés, ils ont l'air contents et ils cohabitent ici dans la chambre de Pauline ».

Pauline aime trop madame pour épouser quelqu'un qui n'aurait pas eu l'agrément de madame. Elle l'a, et, en plus, M. et Mme Goudeket se réjouissent d'être ses témoins. Ses noces tournent au festin de Baltazar, discret festin en ces temps de pénurie extrême, et qui a pour décor le fournil d'une boulangerie. Gigots de Charente, poulets de Corrèze, homards de Bretagne, beurre de Normandie, font l'émerveillement de Colette qui soupire : « Ô richesse clandestine de la France... »

En décembre, à la cinquième représentation de *La Folle de Chaillot*, Colette qui, empêchée par une trop vive crise d'arthrite n'a pu assister à la première, donne le signal des applaudissements. Le lendemain, elle écrit à l'héroïne, « La fin de la pièce comme tu la joues, nous prend le cœur. [...] C'est là que je m'assure de tes possibilités infinies, – que tu méconnais ! ». Ce triomphe de Moreno dans ce rôle est un peu celui de Colette qui avait toujours assuré son amie – qui n'y croyait pas – qu'elle avait un avenir dans les grands rôles comiques. Quand elle jouait Mme Peloux dans *Chéri*, Moreno aurait voulu interpréter Léa de Lonval. Malgré son immense amitié, Colette s'était toujours, sagement, opposée à ce changement de rôle.

L'enthousiasme provoqué par la performance de Moreno dure des centaines de représentations. De l'Athénée, l'artiste vient en voisine, visiter son amie qui ne bouge plus guère et qui l'interroge, « Toujours le triomphe, Marguerite ? » « Toujours. Entre les représentations, on m'apporte des enfants à bénir » répond Marguerite avec cette invention dans l'humour qui enchante Colette, et la distrait un peu des volumes innombrables qu'elle s'épuise à lire pour le prix Goncourt. Ah, ce n'est pas drôle tous les jours d'être Mme Colette de l'académie Goncourt ! Et Maurice qui est encore enrhumé...

Chapitre 59

Étoile de Vénus, chocolat suisse et retour de l'Amazone (1946-1947)

En janvier 1946, entrant en sa soixante-treizième année, Colette se fait encore des « illusions » comme elle le constate elle-même : elle croyait avoir terminé *L'Étoile Vesper*, elle s'aperçoit qu'il n'en est rien, et recommence courageusement son labeur, malgré une grippe qui la force à refuser une invitation envoyée par Pierre Gobion, l'un des directeurs des Galeries Lafayette, « *Cher ami, il faut donc qu'encore une fois, je renonce à ce qui m'eût été si agréable ? Je ne suis pas en état de voir demain, les magasins qu'a chantés Zola. [...] et je fais une figure longue, longue...* »

Colette croit que *L'Étoile Vesper* sera son dernier livre et confie à Maurice que, passé soixante-dix ans, les grandes forces créatrices s'épuisent. Elle contemple ce qu'elle a déjà composé et que son époux rassemble pour l'édition de ses œuvres complètes. Le spectacle de cette masse de pages l'accable. A-t-elle vraiment écrit tout ça ? Elle lit, relit, traque la faute, et, impitoyable, coupe ce qu'elle juge inutile. Elle est son plus sévère juge, et, parfois, saisie d'indulgence, elle dit à son meilleur ami, « Après tout, ce n'est pas si mal que ça ». Puis, le soir tombant, elle guette dans le ciel du Palais-Royal l'apparition de l'étoile du soir, l'Étoile Vesper, comme la nommait son père. Colette l'aperçoit rarement, « Elle est si souvent inaccessible à notre vue ».

En cette constellation qui apparaît quand le jour s'en va, Colette croit voir le symbole de son propre déclin. Mais comme elle n'est pas femme à s'apitoyer sur son sort, elle recense dans *L'Étoile Vesper* les trésors qui embellissent son immobilité forcée : présence de Maurice, art de dompter la souffrance, évocation de Lucie Delarue-Mardrus lui proposant des sujets de roman ou de Georges Wague qui avait, jadis, baptisé sa partenaire, « Madame quelle heure est-il ? » À cette question, Colette apporte, dans *L'Étoile Vesper*, une réponse nette, « Il est l'heure de comparaître ». Oui, mais devant qui ? Colette ne le dit pas, préférant évoquer ce qu'elle considère comme l'une des plus belles lettres d'amour, un billet qui tient en cette seule phrase, « La clef sera accrochée derrière le volet ».

L'Étoile Vesper qui paraît en juillet, en Suisse, aux éditions du Milieu du Monde, ce sont les mémoires de la Vagabonde assise et ce seront les seuls qu'elle écrira jamais, répugnant à l'autobiographie. Elle précise même qu'elle ne veut pas écrire une *Histoire de ma vie* comme l'a fait George Sand, « Comment diable s'arrangeait George Sand ? Cette robuste ouvrière des lettres trouvait moyen de finir un roman, d'en commencer un autre dans la même heure. [...] Puissamment, elle agença pêle-mêle son travail, ses chagrins guérissables et ses félicités limitées. Je n'aurais pas su en faire autant [...] ». Chaque fois que Colette parle de Sand, on a l'impression qu'elle parle d'elle-même. Car, sa vie durant, Colette, à l'exemple de Sand, n'a terminé un livre que pour en commencer immédiatement un autre.

Avant la parution de *L'Étoile Vesper*, elle séjourne en Suisse en mars-avril pour y subir un nouveau traitement très douloureux et qui ne donnera pas grand résultat. Mais Colette trouvera, au bord du lac Léman, l'inspiration de pages qu'elle intitulera *Genève 1946* dans son prochain ouvrage, *Le Fanal bleu*. Même à soixante-treize ans, Colette garde, quoi qu'elle en dise, ses facultés créatrices et ne termine *L'Étoile Vesper* que pour commencer *Le Fanal bleu* !

Pendant la guerre, la Suisse est restée un havre de paix, un pays de cocagne où coulaient encore des fontaines de lait et où se dressaient des montagnes de chocolat. Colette s'émerveille d'avoir, à portée de la main et à profusion, le chocolat, le lait, les gâteaux. Elle passe six semaines dans ce qui pourrait être un paradis suisse, n'était ce pénible traitement qu'il faut suivre dès sept heures du matin. Elle salue la naissance du jour en donnant à manger aux oiseaux, « Les passereaux, je pense, m'élèveront une statue ailestre ». Des oiseaux pour compagnons, et pour compagnes des fleurs apportées par Maurice, ou par des amis de passage. Elle reçoit les premières gentianes cueillies dans la montagne. Et voilà ce que le bleu de ces gentianes inspire à Colette, « L'azur intransigeant est leur seule beauté ; y a-t-il une raison pour qu'un bleu obscur nous trouve aussi sensibles ?... Vieilles évocations de firmament, mirages de mers, ce que nous tenons pour éternel est volontiers bleu ». Il faut être Colette pour voir en un simple bouquet de gentianes tout ce que le bleu peut contenir d'éternel. Sur sa couleur préférée, Colette a dit et écrit tout ce qu'il est humainement possible de dire et d'écrire.

Au retour de Suisse, Maurice s'aperçoit que son épouse se déplace avec une difficulté accrue qui la force à une immobilité quasi permanente, constatée par le docteur Marthe Lamy qui conseille une autre cure, sans attendre davantage. « Si vous tardez, vous serez forcée de faire le voyage en voiture-ambulance » dit Marthe à sa patiente. Les Goudeket se rendent précipitamment dans l'Isère, à Uriage, d'où Colette envoie ce bulletin de santé à Marguerite

Moreno, « Je souffre jour et nuit. Mais le docteur Roman – un type mieux que bien – me promet une amélioration en dépit de l'ancienneté du mal ».

Elle doit attendre deux mois pour connaître le résultat de cette cure, et pendant ces deux mois, interdiction de travailler. Le docteur Roman, dans son interdiction d'écrire, n'a pas inclus les lettres que cette infatigable épistolière continue à envoyer à ses amis, donnant aux uns des nouvelles des autres, « Bertrand de Jouvenel a perdu son fils de quatorze ans. Il en a un autre de trois mois. Pas de la même femme. De quel traditionalisme dans le désordre ne sont-ils pas capables, ces " enfants de la Sultane ! " »

On se souvient que Colette avait surnommé Henry de Jouvenel, « la Sultane ». Elle n'a jamais perdu de vue Bertrand et a suivi, de loin, son ascension d'économiste et d'écrivain. Mais ses livres, comme *L'Économie dirigée* ou *La Crise du capitalisme américain* ne passionnent guère Colette. Bertrand est définitivement relégué dans les placards du passé d'où émerge, le 24 mai 1946, Natalie Barney qui revient à Paris, après avoir confortablement, tranquillement, passé les années de guerre à Florence, chez Romaine Brooks. La joie des retrouvailles apaisées, Colette ne se lasse pas de voir et de revoir celle qui fut sa Flossie à qui elle écrit, le 5 décembre, « Mais viens me voir. Ma porte et mes bras te sont à toute heure ouverts. Ton calme visage ! L'ai-je jamais mieux aimé ? Je t'attends. Si Pauline, zélée, voulait ménager mon repos (qu'elle trouble mieux que personne), ne l'écoute pas, et passe ».

Pauline sait que Miss Barney ne dérange jamais et Maurice n'ignore pas que la présence de l'Amazone, plus Amazone que jamais, revitalise Colette qui remercie ainsi son amie pour sa venue, « [...] *Nous sommes des animaux fragiles. Espère que tu reviendras bientôt me voir. C'est une des interventions qui me sont le plus salutaires, puisque je n'en envisage pas de plus agréables. Je t'aime et je t'embrasse tendrement. Maurice est à tes pieds.* »

Les visites de Natalie Barney et d'autres amies chères comme Germaine Beaumont, les lectures intenses pour l'attribution du prix Goncourt, et la composition de textes brefs, empêchent la Vagabonde assise de trouver le temps long. Elle accueille son Étoile Vesper d'un « déjà », et non d'un « enfin ».

L'année 1947 débute sur la promesse d'un traitement-miracle que prodigue un médecin suisse, le docteur Menkès. Colette fait semblant d'y croire pour faire plaisir à Maurice. Deuxième séjour à Genève, et deuxième traitement qui ne donne guère plus de résultat que le premier, « Je souffre et je me repose ». Elle interrompt son repos pour composer un texte, *À propos de Madame Marneffe*. À la fin de sa vie, comme au début, Colette se retrouve avec ses balzaciennes « amies de toujours » comme Valérie Marneffe ou Philomène de Watteville. Que demander de plus ?

Chapitre 60

L'idole du Palais-Royal
(23 janvier 1948)

L'été 1947 a été l'un des plus chauds que le siècle ait connu. Tout se dessèche et brûle. Seuls les vignerons se réjouissent de cette canicule et prévoient une récolte exceptionnelle. Colette sait que, pour elle, les vendanges sont faites, et qu'elle n'ira plus jamais cueillir les raisins de la Treille muscate. Elle s'y résigne. C'est compter sans celui qu'elle nomme « mon irréprochable Maurice ». Le meilleur ami fait à son épouse la surprise de l'emmener en septembre, en Beaujolais où « une chaîne de bras » la transporte de l'auto au cellier. Elle voit les cuves débordantes et respire « l'âme du vin nouveau ». Dans une tasse d'argent, elle goûte à un vin de 1944, « Un 44 parfait, madame. Mais revenez goûter le 47 quand il sera temps ! Il n'aura rien à envier à celui-ci ». Grâce à la saveur de ce vin, Colette oublie son impotence et savoure ensuite une collation de jambon, saucisson et fromage. À ces plaisirs, s'ajoute celui du secret de cette escapade faite en cachette des médecins qui auraient formellement interdit une telle équipée.

Colette revient à Paris, enchantée de ses dernières

vendanges. Elle doit reconnaître que, somme toute et malgré son infirmité, l'été 47 est réussi, comme l'ont été nombre de ses étés, beaux étés de Rozven ou de la Treille muscate. Elle a même pu aller dîner à Versailles chez Lady Mendl, « Elle a quatre-vingt-onze ans, la minceur d'une fillette et ne se soutient plus guère qu'avec de l'alcool. [...] Et personne d'autre que nous deux et Pierre de Monaco, et la dame de compagnie toute en blanc ».

Bien qu'immobile, Colette n'arrête pas, « Depuis notre retour du brûlant Beaujolais, nous avons été pris par cela, par ceci, par rien, par tout ». Elle a été surtout prise par la vente des droits cinématographiques du *Blé en herbe*, « Que de paroles et d'intrusions dans ma petite chambre ! » Elle ne s'émeut pas davantage de cette vente et se réjouit davantage du nouveau succès de Marguerite Moreno qui dit, chaque soir, au Liberty's, toujours dirigé par Tonton, des vers de Victor Hugo, Verlaine et Baudelaire. À travers les paroles de Marguerite, Colette retrouve l'atmosphère du music-hall, « Ah ! Macolette (sic), je voudrais que ça ne finisse jamais ! Le cabaret, je le sais maintenant, c'est une chose unique. Songe donc, j'en suis à leur apprendre Verlaine. Ils ont absorbé Baudelaire comme une boisson inconnue. Si tu les voyais... Des types venus là pour le champagne et la rigolade... Qu'on ne me pousse pas, ou je les apprivoise à Mallarmé ! » L'actrice passe au Liberty's vers minuit, c'est trop tard pour Colette qui ne peut assister au triomphe quotidien de son amie. Pour compenser, Moreno vient souvent, au Palais-Royal, en fin d'après-midi, reprendre une conversation que l'absence n'interrompt même pas...

Ne pouvant pas rester longtemps sans écrire, quoi qu'elle en ait dit, Colette termine l'année 1947 en composant les premiers textes de *Pour un herbier*. C'est l'équivalent – végétal – des *Dialogues de bêtes*. Les fleurs y ont la parole et s'y expriment avec naturel. Le gardénia avoue que son parfum cause « la perdition des âmes et des corps ». La pivoine se contente de sentir le hanneton et l'adonide d'être chéri par sa concierge. Colette est aussi à l'aise avec les plantes qu'avec les animaux. Mot à mot, elle se bâtit un royaume coloré et odorant où elle croit encore courir les bois à la recherche du premier muguet ou de la première jacinthe, et se revoit, enfant fascinée par les cueilleuses d'herbes médicinales. Ève septuagénaire, elle recrée, avec *Pour un herbier*, un paradis à sa mesure où elle peut aller et venir, à sa guise, cueillant, en même temps et au mépris des saisons, la rose de mai et la rose de Noël. Au milieu de ces floraisons multiples, Colette ressemble à ces dames que l'on voit, accompagnées ou non, d'une licorne, sur ces tapisseries dites « mille fleurs ».

Un déluge de fleurs encore plus impressionnant s'abat sur l'auteur de *Pour un herbier* qui a soixante-quinze ans le 23 janvier 1948. Ce jour-là est suffisamment important pour que Colette en consigne le récit dans *Le Fanal bleu*. Le 28 janvier 1948, elle assiste à la pleine confirmation de sa gloire, elle est fêtée comme une héroïne nationale. Toute la presse à l'unisson célèbre les soixante-quinze printemps de Claudine, et notre grande Colette par-ci, et notre grande Colette par-là. À Paris, et dans le reste de la France, ses amis et dévots se déchaînent. Lettres, télégrammes, pneumatiques, cartes postales, affluent au 9 rue de Beaujolais qui est l'une de ces adresses que tout le monde connaît. La concierge est débordée. Le libraire Richard Anacréon envoie soixante-quinze roses, Philippe de Rothschild une bouteille de Mouton qui porte la date de naissance de Colette, et l'académie Goncourt, un rempart d'azalées rouges. À la radio, Marguerite Moreno lance des vœux de bon anniversaire qui tournent au vibrant hommage. Officiels ou anonymes, comme ce bouquet de perce-neige apporté par deux petites ouvrières qui s'enfuient sans dire leur nom, les témoignages de vénération se succèdent. Les proches de Colette ne sont pas en reste. Maurice offre un bracelet en or. Pauline, des fruits magnifiques accompagnés de ce commentaire, « Je n'aurais pas supporté que quelqu'un en donne à madame, de plus beaux, un jour pareil ». Mlle de Jouvenel apporte un rameau d'orchidée, d'une telle splendeur, que sa mère ne peut s'empêcher de remarquer, « Tu as vendu ta chemise, je parie, pour m'acheter cette branche ? ». « Oh ! non, maman, n'aie pas peur. Tu sais bien que je ne porte pas de chemise ».

Pour les Petites Fermières , l'idole du Palais-Royal dresse le bilan de cette mémorable, et faste, journée, « Mon soixante-quinzième anniversaire a été tellement fêté que je ne savais plus où donner de la tête. [...] La sonnette et Pauline étaient surmenées, et Maurice était radieux. Quant au courrier, un peu plus, et on engageait un facteur supplémentaire. Il ne me reste plus qu'une centaine de lettres à écrire ». Rançon d'une gloire dont Colette n'a pas conscience, attachée qu'elle est à son travail quotidien d'écrivain que ces festivités ont perturbé et retardé, « Je m'y remets, malgré ma jambe ». Le travail prime tout, et passe avant les exigences de la gloire à son zénith et de la grandissante infirmité...

Chapitre 61

L'art de souffrir
(été 1948)

Les fastes nationaux et familiaux du soixante-quinzième anniversaire terminés, Colette se remet paisiblement à sa tâche, la rédaction du *Fanal bleu*, « En attendant que je ne bouge plus, je ne bouge guère. Je me berce sur mon ancre, sous le fanal bleu, qui n'est rien d'autre qu'une forte lampe commerciale au bout de son long X extensible, bleue et juponnée de papier bleu ».

Ce fanal bleu brille dès le petit matin, ce qui fait dire à une voisine : « Ah ! Vous pouvez dire que vous ne l'économisez pas votre fanal bleu ! » Pourquoi l'économiserait-elle ? Depuis que M. Goudeket s'occupe de ses affaires, et « admirablement » selon Jean Cocteau, madame n'a plus de souci d'argent. Sans son ange gardien, cette insouciante aurait fini sur la paille. Elle ne l'ignore pas et ne perd pas une occasion de rendre hommage à son mari, « Maurice est si parfait ». Cette païenne estime qu'il faudrait « canoniser » Maurice.

Le fanal bleu est le fidèle compagnon de Colette,

son deuxième « meilleur ami ». Il éclaire ses travaux, ses joies et ses peines.

Ses travaux : elle écrit les dialogues de *Gigi*, le film que tourneront Jacqueline Audry et Pierre Laroche, avec Danièle Delorme dans le rôle-titre. Elle se livre aux corrections typographiques de ses œuvres complètes pour l'édition du Fleuron. Elle prend à témoin le fanal bleu de la « stupidité » d'un tel travail.

Ses joies : quotidiennes comme le café au lait servi par Pauline et que suit le dépouillement d'un abondant courrier qui la met souvent en joie et qui abonde en demandes saugrenues comme mettre en poèmes *La Maison de Claudine*, ou la lecture d'un roman de Germaine Beaumont, *La Roue d'infortune*, félicitant ainsi son auteur, « Maurice et moi nous nous réjouissons, tu es notre prodigieuse enfant ! »

Ses peines : au nombre de deux. La première, le 29 avril, le Toutounet, le mari de Moune, le peintre Luc-Albert Moreau meurt subitement, « Cet ami-là n'est pas remplaçable ». La deuxième peine est infiniment plus grande que la première, car il s'agit de la disparition d'une amie qui est encore plus irremplaçable que Luc-Albert Moreau : Marguerite Moreno. Sa disparition, le 14 juillet, plonge Colette dans un chagrin profond, elle perd une amie, et mieux qu'une amie, une confidente, une complice de plus de cinquante ans. Elle apprend la nouvelle par la radio, puis par une lettre de Pierre Moreno, « Notre Marguerite est morte ce matin à 4 h 30, après m'avoir lancé son amour et son angoisse dans un regard que je n'oublierai jamais ».

Le 15 juillet, Colette répond à Pierre, « Comme c'est triste, et comme elle était peu faite pour être morte ! » Comme Colette, Moreno était la vie même. Et Colette ne peut pas concevoir qu'elle ne soit plus là. Elle entreprend de la ressusciter aussitôt dans un portrait qui égale celui qu'elle avait composé pour Hélène Picard. Ce portrait sera publié par le *Figaro littéraire* du 11 septembre et sera repris dans *Le Fanal bleu*.

Pour cette mort, Colette reçoit autant de lettres de condoléances que si elle appartenait à la famille. Mais Marguerite appartenait à cette famille d'amis que l'on choisit, comme le souhaitait Sido. Il va falloir continuer à vivre sans Marguerite. Avec qui parlera-t-elle maintenant de Catulle Mendès, ou de Marcel Schwob, tous deux bien oubliés en 1948 ?

Dans les souffrances causées par l'arthrite, Colette voit un dérivatif à sa peine. « C'est une chance aussi que de souffrir les vives douleurs de l'arthrite, qui me distraient » confie-t-elle à Pierre Moreno. Colette aura porté l'art de souffrir à son plus haut degré de perfection. Cette éternelle apprentie apprend la souffrance comme elle a appris la nage, la conduite automobile ou la tapisserie.

Une distraction à sa peine et à ses souffrances, la visite d'un jeune Américain inconnu, un romancier débutant, auteur, pour le moment, d'un seul livre, *Les Domaines hantés*, Truman Capote. Elle consent à le recevoir sur intervention de Jean Cocteau et sur recommandation de Natalie Barney. Capote est, à sa façon, un personnage balzacien, Rastignac et Rubempré dans la même personne, mais un Rastignac et Rubempré de New York. Tout cela peut divertir Colette, et l'amuse en effet.

Dans *Les Chiens qui aboient* [1], Truman Capote a laissé une relation de sa visite à l'idole du Palais-Royal qu'il trouve « rougeaude et le cheveu crêpelé, de type presque africain. Des yeux de chat des faubourgs, obliques et bordés de khôl [...] Les lèvres, d'une minceur et d'une ductilité de fil d'acier, mais rehaussées d'écarlate comme celles d'une vraie fille des rues ».

À sa surprise d'être face à Colette, s'ajoute l'étonnement provoqué par le décor, rideaux de velours, parfums de rose et de tilleul, et cet amoncellement de « presse-papiers », de ces sulfures qui sont alors à la mode. Colette fait à Truman Capote, médusé et pour une fois muet, un cours sur ces sulfures qui

1. Gallimard, 1977.

n'est pas sans rappeler la leçon de bijoux que donne tante Alicia à Gigi. Colette termine son enseignement par un don inestimable : elle offre à son visiteur un Baccarat rarissime, « un sulfure de la taille environ d'une balle de base-ball » et qui porte un nom, la Rose blanche. Comme Truman Capote proteste qu'il ne peut recevoir un cadeau d'une telle valeur, et auquel sa propriétaire semble tenir, il s'attire cette réponse, « Mon petit, cela ne rime à rien d'offrir une chose si l'on n'y tient pas personnellement ». Tout Colette est dans cette réponse. Une Colette qui sait qu'elle est parvenue à l'âge où l'on n'engrange plus et où il faut commencer à se dépouiller. Ce faisant, elle éveille en Capote la passion des sulfures qui ne le quittera plus.

Chapitre 62

Rendez-vous à Monte-Carlo (février 1951)

À propos de la disparition de Marguerite Moreno qui continue à l'obséder, Colette écrit à Jean Cocteau, fin juillet 1948, « Je ne sais pas quand je m'habituerai à la mort de Moreno » et à Germaine Beaumont, le 3 septembre, « Sa définitive absence me tourmente ». La vie reprend pourtant au Palais-Royal, comme sur une île non pas déserte, mais surpeuplée. Tout le monde veut voir, approcher Colette. Maurice et Pauline doivent se changer en cerbères afin de préserver la tranquillité de l'écrivain qui passerait ses journées à recevoir des visiteurs dont la présence est plus ou moins souhaitée. Ils s'attirent ainsi de solides inimitiés et sont accusés de « séquestrer » Colette qui est la première à rire de ces calomnies. Pauline ne peut plus répondre « Madame n'est pas là » puisque le monde entier sait, par les photographes et les journalistes, que madame est là, amarrée à son lit qu'elle nomme son « radeau », avec pour phare, le fanal bleu.

Début 1949, les Goudeket achètent l'appartement du Palais-Royal qu'ils louaient jusqu'alors au marquis de Cuevas. Pour un million trois cent mille francs, ils deviennent propriétaires de cet appartement que Colette avait longtemps désiré et où elle se plaît tant.

Maurice a obtenu de l'administration des Beaux-Arts de remplacer les panneaux pleins des balustrades par des vitres afin que son épouse, allongée sur son « radeau » puisse profiter de la vue du jardin. Ce jardin du Palais-Royal semble symboliser tous les jardins qu'elle a eus, ou connus, jardin d'en haut et jardin d'en bas de Saint-Sauveur, jardin de Rozven, jardin de la Treille muscate, jardin de Méré, ou du Parc, jardins, jardins, Colette n'aura jamais vécu sans la tutélaire présence d'un jardin, de ses fleurs et de ses arbres.

À ce plaisir de la vue, s'en ajoute un autre, le voisinage du Grand Véfour, restaurant que Colette et Jean Cocteau considèrent comme leur cantine et où ils invitent les gens qu'ils n'ont pas envie de recevoir dans leur intimité. Au Véfour, Colette est gâtée, choyée par son patron, Raymond Oliver, qui l'étourdit par sa faconde méridionale, ses trouvailles culinaires. Ils ponctuent leurs propos de gourmets pointilleux en absorbant quelques gorgées du vin de Champagne que Colette préfère, le Pommery, que Chéri buvait aussi, « avant et après ! » Mais c'est la cuisine de Pauline que Colette aime par-dessus tout, et particulièrement sa poitrine de veau farcie aux épinards. Si l'on mourait de faim sur le radeau de la Méduse, sur le radeau de Colette, on risque surtout de périr par suralimentation ! Il n'est pas de souhait (gourmand) exprimé par la Vagabonde assise qui ne soit immédiatement exaucé par Maurice, Pauline, les Petites Fermières et autres amis qui unissent leurs efforts pour changer la prison en paradis. Même la reine Elisabeth de Belgique [1] est mise à contribution quand Colette veut boire de la *kriek-lambic*, une

1. La reine viendra, une fois, déjeuner au 9 rue de Beaujolais. On a, pour une circonstance aussi solennelle, engagé le maître d'hôtel du Grand Véfour à qui l'on a seriné qu'il devrait dire : « Sa Majesté est

bière populaire « capable d'enivrer des têtes plus solides que la mienne ». La reine envoie quelques bouteilles de ce « terrible compagnon » qui, « le jour de Noël aura sa place sur notre petite table ronde et c'est lui qui portera la santé de la reine Élisabeth. « Autorisez-le, madame, à tant d'honneur : il est si essentiellement belge ! »

Le 5 mai 1949, paraît chez Ferenczi *Le Fanal bleu*, dans lequel son auteur avoue, dès le début, « Je voulais que ce livre fût un journal. Mais je ne sais pas écrire un vrai journal, [...]. Choisir, noter ce qui fut marquant, garder l'insolite, éliminer le banal, ce n'est pas mon affaire puisque la plupart du temps, c'est l'ordinaire qui me pique et vivifie ». Elle termine son livre de souvenirs et de confidences par cet aveu qui efface ses griefs contre l'esclavage de l'écriture : « Avec humilité, je vais écrire encore. Il n'y a pas d'autre sort pour moi ». Mais le temps des grandes œuvres est terminé. Elle ne composera plus que des textes courts ou ne publiera que des ouvrages comportant des textes déjà écrits et que, « prosatrice économe », comme elle dit, elle rassemble dans *Autres bêtes* qui a paru en avril, ou dans *En pays connu* qui paraîtra en octobre, et dans lequel elle évoque des endroits qu'elle a aimés particulièrement, comme sa Bourgogne pauvre ou sa province de Paris, et des amis qu'elle a particulièrement chéris comme Anna de Noailles, Polaire, Luc-Albert Moreau ou d'autres qu'elle rencontrait plus rarement comme Léon-Paul Fargue, « Peut-être ne le reconnaîtrais-je pas, si je le rencontrais au clair du jour. Je n'ai vu Léon-Paul Fargue que la nuit ». Fargue assurait, au contraire, dans ses *Portraits de famille*, qu'il n'avait vu Colette que le jour, entourée de ses bêtes et de ses plantes, vibrante comme une rayonnante « reine des abeilles ». Qui croire ?

Le Fanal bleu, *Autres bêtes*, *En pays connu*, cela fait quand même trois livres en une seule année, et la

---

servie ». Intimidé par la reine, le maître d'hôtel se contente de bredouiller, « Et voilà, c'est servi ».

France éblouie admire la fécondité de son illustre septuagénaire qui, en septembre 1949, a été élue présidente de l'académie Goncourt. C'est donc pour répondre à la demande du public, ou de son public, que Colette accorde à un jeune journaliste, André Parinaud, des entretiens qui sont enregistrés par la Radiodiffusion française et diffusés en vingt-sept émissions du 20 février au 26 mai 1950. C'est un monument national qui parle et qui, oubliant qu'il est un monument, gambade allègrement dans son passé, esquivant les questions qui l'embarrassent avec un art consommé. Par exemple, quand Parinaud lui demande dans quel esprit elle a conçu *La Retraite sentimentale*, elle répond : « Je me garderai bien de m'en souvenir ».

Le 28 octobre 1949, au théâtre de la Madeleine, reprise de *Chéri*. C'est un triomphe pour ses interprètes, Valentine Tessier en Léa et Jean Marais en Chéri. Le triomphe se change en apothéose pour son auteur. Trop impotente pour venir saluer en scène, elle se fait représenter par Jean Cocteau qui déclare « Colette a parlé avec vérité et poésie, des hommes, des animaux, des plantes... Elle n'est entrée dans aucune école littéraire et elle les a toutes charmées... » Une ovation salue la fin de l'improvisation de Cocteau à qui Colette écrit le lendemain, « Cher Jean, qui m'a hier soir jetée à la foule, j'étais bien trop troublée pour te dire merci. Mais nous n'avons jamais eu besoin de beaucoup de paroles. Rien ne t'échappe de ce qui m'attache à toi, mon jeune frère qui en tout est mon aîné magiquement ». On ne saurait remercier avec plus de grâce...

Pendant des semaines et des semaines, le théâtre de la Madeleine affiche complet. On y emmène même des enfants qui ne sont pas en âge de comprendre grand-chose aux amours de Léa et de Chéri afin qu'ils puissent dire plus tard, « J'étais à la reprise de *Chéri* ».

Après avoir salué comme il se doit la performance des interprètes de *Chéri*, Colette rend un hommage mérité à Edwige Feuillère qui incarne, en 1950, sa Julie de Carneilhan, avec Pierre Brasseur en Herbert d'Espivant, dans un film de Jacques Manuel. Feuillère est alors l'une des reines du théâtre et du cinéma français, et se souvient, peut-être, que Colette avait perçu son talent naissant dans la reprise de *La Prisonnière* d'Édouard Bourdet, dans le *Journal* du 10 mars 1935, « Mlle Edwige Feuillère peut désormais compter sur elle-même et sur nous ».

À la fin de sa vie, Colette ne veut plus que le meilleur et n'a que le meilleur. Les interprètes de *Chéri*, comme ceux de *Julie de Carneilhan*, sont irréprochables. Ils ont bénéficié des conseils de l'auteur. Des répétitions ont parfois eu lieu dans l'appartement du Palais-Royal où Pauline, à l'exemple de Maurice, ne s'étonne plus de rien.

Colette, Maurice et Pauline, voilà la trinité la plus connue, et la plus révérée, dans le voisinage de Notre-Dame-des-Victoires. Le 4 avril 1950, Colette termine une lettre à Germaine Beaumont par cette phrase significative, « Saint Goudeket te baise les mains. Le pauvre, il a épousé une emmerdeuse ».

Le 13 mai, et toujours à Germaine, « Figure-toi que je vais partir, que nous allons partir pour... Monte-Carlo. [...] À Monte-Carlo est un médecin nommé Gibson, et voilà toute l'explication. Je souffre progressivement d'une si mordante manière que je n'en puis plus. (Ce n'est pas un bruit à répandre). Et je cède au vœu de Maurice. Des amis très gentils vont là-bas nous faciliter beaucoup de choses et le docteur Gibson lui-même se faire très doux ». N'empêche que ce traitement qu'applique le docteur Gibson et qu'elle suit de fin mai à la mi-juillet, est très dur et ne donne aucun résultat.

À Monte-Carlo, à l'hôtel de Paris, Colette est traitée avec les égards dus à une amie personnelle de Pierre de Monaco [1] qui l'a nommée présidente d'honneur du Conseil littéraire de la Principauté.

1. À propos de cette amitié, cf. *Colette et Monaco* de Jean des Cars, Éditions du Rocher, 1997.

Pierre de Polignac, devenu prince de Monaco par son mariage avec Charlotte de Monaco, est le père du prince Rainier qui, lui aussi, comble Colette de prévenances et de cadeaux, « Le prince Rainier m'envoie ce matin un objet composé de coquillages, de cactus, de sedums, qui est bien le plus étrange du monde et même de la Principauté ! »

Colette amarre son radeau au Rocher et profite des fleurs, du vent, de la mer, du soleil, « Le climat, comme le temps, est le meilleur du monde ». Même en ce qui concerne le temps, Colette ne veut plus que le meilleur.

À Monte-Carlo, Colette a trouvé son ultime prison et son dernier paradis. Prison du traitement, paradis de l'amitié. Avec le meilleur ami à ses côtés, « Maurice fait des prodiges pour ne pas me quitter », Colette reçoit ses amis qui séjournent, comme elle, sur la Côte d'Azur. Jean Cocteau et Jean Marais arrivent de Saint-Jean-Cap-Ferrat, Natalie Barney et Romaine Brooks viennent de Nice. Colette se délecte des derniers potins de Sodome et de Gomorrhe, terres pour lesquelles elle garde une tendresse particulière qu'elle ne dissimule pas.

L'année 1950 se termine avec la fin de la publication des œuvres complètes, au Fleuron-Flammarion. Maurice est content d'en avoir terminé avec cette entreprise, et Colette donc !

L'année 1951 commence par la création de l'académie du Disque. Colette figure parmi les membres fondateurs. Elle est vraiment devenue un personnage officiel. Mme Colette, de l'académie Goncourt et de l'académie du Disque, n'en a cure et garde sa vivacité pour conseiller à Germaine Beaumont de ne pas vieillir, avec cet argument frappant : « Tu es bien trop jeune pour vieillir ». Après tout, Germaine n'a que soixante et un ans, « Où sont mes beaux soixante ans », elle aura le temps de vieillir, demain ! Colette incrimine la vieillesse : « Mon Dieu que la vieillesse est donc un meuble inconfortable [1] ! Et le Goncourt, donc ! »

Coincée entre l'inconfort de ces deux « meubles », Colette aspire à une halte reposante, si brève soit-elle, et qu'elle trouve, le 23 janvier, jour même de son soixante-dix-huitième anniversaire, au théâtre de la Madeleine, pour la création de *La Seconde* avec Maria Casarès, Hélène Perdrière, André Luguet dans les rôles principaux. Succès assuré. De création de *La Seconde* en reprise de *Chéri*, Colette voit s'atténuer sa peur de manquer d'argent qui aura ravagé sa vie. La voilà enfin rentière, et rentière de son œuvre que l'on exploite partout. En fin de compte, et on ne l'a pas assez souligné, Colette, depuis la publication des *Claudine*, n'a connu qu'une suite ininterrompue de succès. Succès d'estime, succès de critique, succès de public. De quoi se plaint-elle ? Comme son amie Anna de Noailles, Colette pourrait dire « C'est vrai que je me suis beaucoup plainte ». Cette femme forte s'il en fut, avait tendance à se présenter en victime, victime des éditeurs, des hommes et de certaines femmes... Certes, elle ne se plaint pas quand elle apprend que, en Amérique, Anita Loos prépare une adaptation de *Gigi* pour Broadway. Mais qui sera Gigi ?

Comme tous les malades, Colette s'imagine que, en changeant de place, elle laissera son mal dans l'endroit qu'elle quitte. En février 1951, elle quitte donc Paris pour Monte-Carlo, et l'hôtel de Paris, où, justement, dans le hall, on tourne un film, *Rendez-vous à Monte-Carlo*. Colette regarde une très jeune actrice en train de jouer une scène et dit à Maurice, « Voilà notre Gigi pour l'Amérique. Ne cherchons pas ailleurs ». Cette débutante s'appelle Audrey Hepburn. Colette impose son choix. L'actrice n'oubliera jamais celle qui l'a lancée, gardant toujours la photo de l'écrivain ainsi dédicacée, « À

1. C'était aussi l'expression de Sido qui voyait la vieillesse comme « un meuble inconfortable ».

Audrey Hepburn, le trésor que j'ai trouvé sur la plage ».

Pendant l'été 1948, pendant leur tête à tête, Colette et Truman Capote ne pouvaient pas prévoir qu'ils auraient en commun Audrey Hepburn qui interpréta Gigi au théâtre, et Holly, l'héroïne du *Petit Déjeuner chez Tiffany*, traduit en français par Germaine Beaumont ! Ah, que le monde est petit...

Chapitre 63

Un ménage de perruches (février 1951-juillet 1952)

À Monte-Carlo, à l'hôtel de Paris, quand Colette traverse le hall pour aller au restaurant, elle est, une fois, discrètement applaudie par un groupe d'admirateurs anonymes. « Tu vois, on nous reconnaît parce que nous sommes déjà venus » dit-elle à Maurice qui rectifie : « Mais Colette, tu es célèbre ». Et Colette de rectifier à son tour avec son implacable bon sens, « Mais enfin, Maurice, si j'étais célèbre, ça se saurait ».

Pendant ce séjour, elle voit beaucoup Pierre de Monaco, et aussi Jean Cocteau qui, dans son journal [1], remarque le déclin physique de Colette, sa fatigue, une certaine surdité, « Je la trouve très mal, séparée du monde par ses oreilles et par sa fatigue. [...]. Elle se laisse vivre. Elle est presque contente de ce nuage qu'elle habite et qui la protège contre un monde cruel qui la dépasse et ne coïncide plus avec ses fleurs et ses animaux ».

Cocteau note aussi qu'elle « n'est plus présente

---

1. *Le Passé défini*, Gallimard, 1983-1989.

que dans le passé ». Or, le passé est présent à l'hôtel de Paris, avec ses cariatides dorées et ses draperies de velours, et son unique représentant de la Belle Époque, un survivant, comme Colette, Maurice de Rothschild qui fut l'un des très jeunes, et très minces, amants de Liane de Pougy. « Momo », comme l'appelait Liane, est maintenant devenu, toujours d'après Cocteau, « un éléphant ». Ces ravages du temps ne gênent pas Colette pour qui Monte-Carlo et son hôtel de Paris représentent le temps retrouvé, quand Marcel Proust insistait pour la rencontrer, « Ce serait si gentil de se voir »...

Le 13 mai, à la suite d'un malentendu comme Germaine Beaumont aimait en susciter, Colette écrit à l'irascible Germaine, « Ce que je dédiais à Annie de Pène, ne le sens-tu pas, chaleureux, sur toi ? [...] Mais comment peux-tu oublier, ou cesser de sentir, que je t'aime comme je n'aime personne ? »

Un peu plus tard, pour rassurer complètement Germaine sur son inaltérable amitié, Colette évoque celle qu'elle porte à Natalie Barney, « Oui, Natalie est une merveilleuse amie. Aussi n'ai-je pas changé d'avis et d'affection sur elle depuis un demi-siècle. Il y a eu Annie de Pène, il y a eu Natalie, il y a Rosine ». On se souvient que Germaine Beaumont signait du pseudonyme de Rosine ses billets dans *Le Matin*. Voilà Germaine, momentanément, rassérénée puisqu'elle est placée entre Annie et Natalie. C'est à Germaine que Colette confie ce qu'elle s'efforce de cacher : elle souffre sans répit, « Je souffre toujours beaucoup, et c'est bien monotone. La patience de Maurice est infinie. Je commence à connaître un peu mieux Monaco, non que je l'explore davantage, mais un infirme voit plus intelligemment. [...]Un hôtel, quand il est bon, c'est presque la merveille du monde. [...] Nos chambres du rez-de-chaussée comportent un petit jardin, une mer voisine et une chatte mauve très clair qui passe à midi juste pendant que je prends, comme on dit, l'air ».

Le jardin, la mer, la chatte, ce serait le bonheur

parfait si cette maudite arthrite la faisait moins souffrir, « Quelques-unes de mes nuits sont de véritables supplices. Je vais me mettre à l'aspirine ». Colette répugne à prendre un calmant et souvent, préfère souffrir, stoïquement. Elle essaie alors d'un remède jusqu'alors infaillible et qui est venu à bout de ses maux tant physiques que moraux : écrire. Elle n'y parvient pas. « C'est que je n'ai rien, plus rien, à dire, sans doute » lance à Moune celle qui se présentait, parfois, dédaigneusement, comme « une gratteuse de papier ».

La « gratteuse de papier » demeure quand même une infatigable épistolière, elle maintient sa correspondance avec Moune, les Petites Fermières, Natalie Barney, Germaine Beaumont et autres amies, sans oublier les lettres qu'elle envoie à sa fille et qui restent souvent sans réponse. Elle n'a de ses nouvelles que par des amis communs, « Ma fille est encore au Maroc, mais je ne le sais que par ouï-dire, la bougresse écrit si peu ». Quand Mlle de Jouvenel vient enfin voir sa mère, Colette ne cache pas sa satisfaction, « Ma fille m'apporte son gracieux visage, et sa pudique affection ». C'est à se demander, une fois de plus, si la mésentente que l'on a tant évoquée à propos de la mère et de la fille n'était pas due à l'excès de pudeur qui affligeait les deux, chacune cachant le sentiment qu'elle avait pour l'autre !

Quand Colette se plaint à Moune de ne plus pouvoir écrire, elle parvient quand même à composer les textes qui accompagnent le film, *Colette*, que lui consacre Yannick Bellon. Elle y évoque sa maison de Saint-Sauveur, celle des Monts-Boucons, le chalet de Passy, et son attachement final au Palais-Royal, « La pierre de Paris me tient... »

Colette est l'attraction majeure de ce Palais-Royal où l'on guette ses apparitions à la fenêtre. Et Colette salue ses fanatiques de la main, comme une reine salue son peuple. Sous ses fenêtres, chaque jour, se pressent des représentants de ses lecteurs et de ses lectrices, les femmes trompées, les garçons rêveurs, les filles ardentes. Cela forme un immense public, une vaste franc-maçonnerie qui ne jure que par Claudine, Léa, Sido. Aimer Colette, pendant ces années 50, c'est un signe de ralliement, ou de reconnaissance. Ses pairs, et ses contemporains, la reconnaissent comme l'un des génies du siècle. Un génie qui reste profondément ce qu'elle a toujours été, Colette, et qui, parfois, retourne à ses anciens divertissements. Elle s'amuse à maquiller, lors d'une visite, Mme Jean Delay dont elle rend le visage aussi « accueillant » que le visage des filles qui arpentent le trottoir autour de la Madeleine. Elle s'amuse aussi à écrire sur le livre d'or de son éditeur, Henri Flammarion, à propos de l'un de ses fils, Charles-Henri, *« À Charles-Henri qui est encore assez jeune, pour que je lui dise en plein visage que je le trouve si beau ».* Elle garde toujours son esprit d'à-propos qu'illustre cette dédicace à Jean Denoël, un nouvel ami qui est arrivé au Palais-Royal dans le sillage de Jean Cocteau qui le compte parmi ses intimes, *« Pour Jean Denoël. Eut-il jamais meilleure amie ? Oui, mais je suis la plus vieille ! »*

À l'exemple de Richard Anacréon ou de Tonton, Denoël avait, lui aussi, essayé d'atténuer les restrictions dont souffrait Colette par des cadeaux très alimentaires, ce qui lui avait valu le billet suivant, *« Cher ami, voilà un rôti de veau bien déguisé en " service que je vous rends " ! mais je reconnais quand même sa vraie figure de gentil cadeau. Vit-on jamais un jeune homme combler de dons une " dame d'âge " ? C'est le monde à l'envers. Cette époque est bien étrange et nous guérira de l'étonnement ».*

Face aux jeunes gens qu'elle reçoit, et même des jeunes gens prolongés comme Denoël qui a alors une cinquantaine d'années, Colette manifeste les coquetteries d'une Léa. En décembre 1951, elle écrit à Julien Green, « Si j'étais Julien Green, j'irais voir Colette ». Green accourt, vite conquis, « On ne peut la voir sans l'aimer », séduit par les grands yeux pers de son hôtesse, « Ses grands yeux sont les plus beaux yeux de femme que je connaisse, des yeux beaux comme ceux d'un animal, remplis d'âme jusqu'au bord, et de tristesse ». Cette tristesse que l'on remarquait déjà dans ses regards d'enfant, se retrouve, intacte, dans ses regards d'adulte qui, en 1952, entre dans sa soixante-dix-neuvième année.

Colette fête son anniversaire à Monte-Carlo où elle reste trois mois à suivre le même emploi du temps que pendant les séjours précédents : traitement, visites reçues, et repos. « Il n'est question que de repos », confesse-t-elle, dès son arrivée, à Natalie Barney dont elle réclame la venue, « Viens-tu ma très chère ? Que je serai contente. Et Maurice, ton respectueux ami, se réjouirait aussi. » Alors que Maurice ne plaît pas à toutes les amies de Colette et déplaît particulièrement à Germaine Beaumont, il a l'heur de plaire à l'Amazone qui chante ses mérites. Quand elles sont en tête à tête, Colette et Natalie ne se privent pas d'accuser leur chère Beaumont d'abuser de ce qu'elles nomment, en riant, « ses germainiades ».

Colette et Natalie Barney retrouvent les habitudes de la fin du siècle dernier qui voulaient que l'on passe l'hiver sur la Côte d'Azur, et le printemps à Paris. De retour à Paris, à la mi-mars, Colette demande à nouveau à Natalie de venir la voir, « Et viens me voir ! Tant que ce froid durera, j'ai du feu de bois dans ma chambre, et beaucoup de tendresse pour toi dans mon cœur ».

Natalie ne résiste pas à cet appel et vient pour constater que Colette, cédant une dernière fois à sa passion des déménagements, a quitté sa chambre pour occuper celle de Maurice qui s'est plié de bonne grâce à ce changement qui s'est passé « en famille » avec l'aide de Pauline et de son mari. La chambre qu'il abandonne pour occuper celle que laisse son épouse est plus petite, plus chaude, et surtout plus proche de la salle de bains où la Vagabonde se rend péniblement, en se traînant, et en se demandant, chaque fois, si elle y parviendra...

En juillet, à Deauville, Colette ne se déplace qu'en

fauteuil roulant. C'est Maurice qui pousse. M. et Mme Goudeket ne se quittent plus, comme le constate Cocteau, « Maurice me parle de Colette qui souffre nuit et jour et accepte cette souffrance parce qu'elle détermine un genre de vie où Maurice ne la laisse jamais seule. Elle préfère cette souffrance à une santé qui les séparerait, Colette allant d'un côté, Maurice de l'autre, alors que le rôle de garde-malade retient Maurice à la maison et forme un foyer ».

On se souvient que Maurice avait baptisé le foyer formé par son frère et sa belle-sœur, « un ménage de perruches » parce qu'ils ne se quittaient jamais. On pourrait en dire alors autant du ménage Goudeket où chacun est véritablement enchaîné à l'autre, oui, mais par la chaîne d'or de la tendresse. Car Goudeket, en hollandais, signifie « chaîne d'or ». Goude = or, ket = chaîne. Enchaînés et heureux de l'être, et sachant que les moments qu'ils ont encore à passer ensemble sont comptés. Ils ont le sentiment d'avoir vécu, et de vivre encore, l'un des plus extraordinaires romans d'amour du siècle.

Chapitre 64

Une pluie d'hommages et de médailles (automne 1952-automne 1953)

L'automne 1952 rend à Colette un regain d'activité : elle travaille avec Maurice à l'adaptation du *Ciel de lit* du Hollandais Jan de Hartog. Elle peut ainsi, pendant qu'elle adapte, oublier un peu son mal, « Ce mal d'arthrite auquel rien ne fait rien est bien curieux. [...] Je ne puis traverser sur mes pieds même une petite chambre. Maurice est un prodige de patience et de soin [...] »

Colette est devenue complètement dépendante de Maurice, et de Pauline. Elle s'habitue à sa dépendance comme elle s'accoutumait autrefois à la servitude des ateliers de Willy, ou à l'ennui de ces interminables banquets politiques chers à Henry de Jouvenel. Il faut savoir s'ennuyer. Mais Colette ne s'ennuie jamais. C'est le privilège de ceux dont la curiosité est inlassable. De son radeau, Colette joue les vigies, guette les proies pour son prix Goncourt. En 1951, elle a voté pour *Le Rivage des Syrtes* de Julien Gracq qui a obtenu le prix. Elle n'a pas caché cependant qu'elle aimait bien aussi un roman de Louise de Vilmorin, *Madame de* qui a remporté un grand succès de librairie. Louise est une intime de Jean Cocteau qui l'a surnommée « Radio-Loulette ». C'est Jean qui, à l'automne 1952, conduit Louise à Colette qui admire particulièrement l'un de ses poèmes, *À l'envers de ma porte*, que l'auteur récite sans trop se faire prier. Colette en récite à son tour les trois premiers vers qu'elle sait par cœur :

Ma peur bleue, ma groseille,
L'amour est une abeille
Qui me mange le cœur.

Dans les jours qui suivent cette visite, Colette se plaît à chantonner « Ma peur bleue, ma groseille », et à engager ses visiteurs à lire les poèmes de Louise de Vilmorin. Elle se croit revenue au temps d'Hélène Picard et de ses « frivoles favoris des sombres capitaines ».

Le 25 novembre, Léo Marchand meurt. Longtemps inconsolable de la mort de Misz, il ne s'était remarié qu'en 1950, et Colette avait accueilli sa nouvelle épouse Jacqueline Breitel, avec amitié. Une amitié légère qui, certes, n'avait rien à voir à celle, profonde, qui l'unissait à Misz. Entre les Goudeket et les Marchand, les relations s'étaient espacées, sans qu'ils se perdent complètement de vue. Colette reconnaissait volontiers ce que les adaptations théâtrales de *Chéri* et de *La Vagabonde* devaient à Marchand à qui elle écrivait encore, un peu avant sa mort, « Les quelques beaux jours qui viennent de passer ont fait de moi une excellente vieille dame de province ».

La vieille dame se prépare aux festivités qui vont saluer son quatre-vingtième anniversaire, le 23 janvier 1953. « Je suis une gracieuse jeune fille de 80 ans » écrit-elle à Georges Wague à qui elle donne cet alarmant bulletin de santé : « Aucune amélioration dans l'arthrite de mes deux jambes. L'acuité de la douleur est vraiment extraordinaire. Le Midi n'y a rien changé. Ce qui s'appelle rien. Mais ne crois pas que je sois sans curiosité, même pendant les heures les plus difficiles. Je ne croyais pas en arriver à cette curiosité physique. Est-elle tout entière physique ? »

En cette dernière interrogation, on croirait entendre un écho de « ces plaisirs que l'on nomme, à la légère, physiques... » En tout cas, comme on peut le constater, la curiosité de Colette est véritablement inlassable, s'exerçant autant sur les poèmes de Louise de Vilmorin que sur les souffrances engendrées par l'arthrite, ou sur le dernier livre publié par Renaud de Jouvenel qui n'oublie pas celle qui l'appelait « le Kid » et qui, maintenant, l'appelle « mon garçon », « Où donc es-tu mon garçon ? J'ai aujourd'hui un livre de toi, avec une dédicace tendre à laquelle j'ouvre tout crédit. Pourquoi ne serais-tu pas resté (pour moi) tendre ? Quand viens-tu me voir ? [...] Ma fille est depuis le début d'octobre à la Havane et à New York ce qui ne l'empêche pas d'ouvrir un petit magasin d'antiquités rue Bonaparte. Viens un jour. Je t'embrasse, [...] tu es resté beau garçon ? »

Par Renaud, Colette a régulièrement des nouvelles de la tribu Jouvenel, y compris de Bertrand. Nouvelles qu'elle n'ose pas toujours demander à sa fille, très susceptible en ce qui concerne sa famille paternelle. C'est pure curiosité, bien sûr, de la part de l'ex-baronne. Toujours la curiosité. Comme la bonne dame de Nohant, la bonne dame du Palais-Royal est curieuse de profession, et elle aurait pu faire imprimer sur sa carte de visite, « curieuse de tout ». Voilà, peut-être, le secret de sa longévité ?

Sa curiosité ne connaît pas de bornes et la porte à découvrir sans cesse des nouveautés dans le présent, ou même, dans le passé comme cette Ida Pfeiffer qui, au XIXe siècle, a fait le tour du monde, armée de son ombrelle et de ses préjugés. Cette nomade bourgeoise et distinguée en a ramené des récits de voyage dont les péripéties donnent à la Vagabonde immobilisée l'illusion du mouvement.

Le 26 janvier 1953, Colette quitte, à regret, Ida

Pfeiffer pour se voir remettre par M. Moatti, président du Conseil municipal, la grande médaille de la Ville de Paris. Ce n'est que justice. Qui a mieux chanté Paris que Colette, Paris en temps de paix, Paris en temps de guerre, Paris de sa fenêtre ?

Cette distinction a été précédée d'une autre, à laquelle Colette a été autant sensible. Le samedi 24 janvier, le *Figaro littéraire* publie un numéro entièrement consacré au quatre-vingtième anniversaire de Colette, avec des hommages venus d'outre-tombe comme ceux de Marcel Proust, André Gide, Paul Valéry, ou offerts par d'illustres vivants comme Paul Claudel ou François Mauriac. Les vivants et les morts joignent leurs voix pour répéter à l'unisson que la littérature française s'est enrichie d'un nouvel écrivain classique, Colette, qui ne pourra plus dire : « Si j'étais célèbre, ça se saurait ». Cela se sait et se proclame aux quatre vents.

Le directeur du *Figaro*, Pierre Brisson, a fait livrer, au 9 rue de Beaujolais, ce numéro avec une gerbe de roses qui a eu l'approbation de Pauline, « Ah, voilà les roses de M. Brisson ». Touchée, Colette envoie une lettre de remerciement qui se termine par les lignes suivantes : « Cher Pierre, je suis toujours alitée et je ne puis marcher. Un jour vous viendrez me voir. Je n'aurai pas honte devant vous, car j'ai beaucoup de cheveux et je sens bon, (le même parfum depuis 51 ans) [1]. »

Fidèle à ses amis, comme à son parfum, Colette est promue, le 30 mars, grand officier de la Légion d'honneur et c'est le ministre de l'Éducation nationale, André Marie, qui lui en remet les insignes. Un ministre de l'Éducation décorant l'auteur de *Claudine à l'école*, voilà qui doit amuser, là-haut où elle aura appris à pardonner les offenses, Mlle Olympe Terrain...

Le 27 mai, Colette reçoit, de la main même de l'ambassadeur des États-Unis en France, Douglas Dillon, venu en personne au 9 rue de Beaujolais, un

1. Il s'agit du *Jasmin de Corse* de Coty.

diplôme prouvant bien qu'elle a été élue membre honoraire de l'Institut national des arts et lettres de New York. L'annonce de cette distinction venue d'outre-Atlantique l'avait laissée assez incrédule, mais le diplôme est là, attestant la véracité de sa nomination qui lui rappelle son trop bref séjour à New York, sa lune de miel avec Maurice, en 1935.

Cette pluie de médailles, hommages, décorations, diplômes qui s'abat sur Colette inspire alors à Jean Cocteau ce constat qui a l'air d'un réquisitoire : « Vie de Colette. Scandale sur scandale. Puis tout bascule et elle passe au rang d'idole. Elle achève son existence de pantomimes, d'instituts de beauté, de vieilles lesbiennes dans une apothéose de respectabilité ».

Pour fuir cette pluie d'honneurs divers, Colette se réfugie à Deauville en juillet. Au Royal Hôtel, Colette loue la gentillesse des gens à son égard. Mais elle n'aime pas cette vie d'hôtel où « rien ne nous manque, tout nous fait défaut ». Cette remarque pointue montre bien que Colette n'a pas perdu son sens critique, ni sa verve et n'est pas aussi « endormie » que le prétend parfois Jean Cocteau. Si elle a de moins en moins envie d'écrire, elle garde l'envie de parler. Et elle parle, éblouissant ceux et celles qui parviennent à l'approcher. Car Maurice et Pauline qui constatent que ces visites épuisent Colette n'ouvrent plus la porte qu'à quelques privilégiés.

Madeleine Milhaud, épouse du compositeur Darius Milhaud, qui connaît Colette depuis 1937, rapporte que, pendant l'une de ses visites en 1953, « Colette était une espèce d'arbre parlant ». Le musicien Jean-Michel Damase [1] dont les vingt-cinq printemps plaisent à l'écrivain, remarque, de son côté, que Colette se vengeait de son impotence, « en étant toujours soignée, maquillée, impeccable, avec sa

1. Né en 1928, il avait mis en musique, à neuf ans, un poème de Colette, *Le Rouge-gorge*, puis un autre, *Mon âne*, et enfin un troisième, *La Perle égarée*. Il avait rencontré l'écrivain grâce à Moune Jourdan-Morhange.

grande cravate, les ongles faits ». Car si, au début du siècle, Colette avait imposé l'uniforme de Claudine, elle impose maintenant son uniforme de vieille dame, vêtue d'un sobre tailleur classique et cravatée d'un foulard bleu à pois blancs. « C'était une belle femme qui vieillissait bien » reconnaît l'actrice Danièle Delorme qui, au cinéma, a interprété Gigi, Mitsou et Minne.

Bref, tous les témoignages concordent sur cette Colette allongée sur son radeau, soucieuse de son aspect, attentive à plaire encore une fois, et s'efforçant de séduire, voire de retenir encore quelques minutes, son dernier visiteur. Peut-être espère-t-elle ainsi retarder la venue de celle qui sera sa dernière visiteuse, la Mort ? Elle a beau continuer à affirmer, « La mort ne m'intéresse pas, et surtout pas la mienne », elle sait que le temps de la délivrance approche, et qu'il faudra bientôt dire adieu aux prisons et aux paradis.

Médailles, hommages, distinctions ne forment pas un rempart contre la mort, bien au contraire, ils en sont les signes annonciateurs. Colette ne connaît que trop ces messagers porteurs de rubans destinés à masquer l'ultime échéance.

Chapitre 65

Dernier regard et ultime scandale (3 août 1954)

Le 9 janvier 1954, Colette assiste à la première du film de Claude Autant-Lara, *Le Blé en herbe.* Dans le personnage de la Dame en Blanc, Edwige Feuillère éblouit, éclipsant ses partenaires, Nicole Berger en Vinca, et, en Phil, Pierre-Michel Beck, dont le physique n'est pas sans rappeler celui de Bertrand de Jouvenel adolescent...

Cette première est donnée au profit de la Caisse de solidarité des étudiants, ce qui explique la présence exceptionnelle de Colette à qui le vigilant Maurice évite ce genre de manifestation engendrant fatigue, et douleur, supplémentaires. Prévoyant qu'elle n'aurait pas la force de s'adresser directement au public, Maurice a fait enregistrer à son épouse un message aux étudiants qui est diffusé juste avant la projection du *Blé en herbe* et qui se termine par un hymne à la vie considérée comme une suite d'éclosions et de découvertes ininterrompues. Car on peut fleurir, et découvrir, à tout âge, telle est la conclusion que Colette offre aux étudiants, et certainement à elle-même : « L'heure de la fin des découvertes ne sonne jamais. Le monde m'est nouveau à mon réveil chaque matin et je ne cesserai d'éclore que pour cesser de vivre ».

Naître, ou renaître, avec le jour, telle aura été l'existence de cette éternelle apprentie jusqu'à son dernier jour. Bel exemple de vitalité sans faille, et d'amour de la vie, qui contraste tellement avec la nausée affichée par certains de ses contemporains comme Sartre, Beauvoir et compagnie.

Est-ce à la suite de la sortie de ce *Blé en herbe* qui lui rappelle tant de souvenirs ? Bertrand de Jouvenel vient, fin janvier, début février, voir Colette. Il a cinquante et un ans, et jouit, comme écrivain-journaliste, d'une renommée internationale qu'aurait pu lui envier son père. Il a enseigné l'économie politique à Oxford puis à Cambridge, et vient de publier les *Problèmes de l'Angleterre socialiste*, problèmes qui, il le sait, n'intéressent guère Colette.

Ni Maurice qui s'est éclipsé discrètement, ni Pauline qui s'est contenté d'ouvrir la porte, n'assistent à leurs retrouvailles. Rien n'a filtré de cet ultime duo entre cette octogénaire et ce quinquagénaire qui se sont passionnément aimés, autrefois, au mépris des convenances et des lois. Bertrand s'en va, portant sous son bras, l'ultime cadeau de Colette, un exemplaire de ses *Paradis terrestres*, avec cette dédicace qui se passe de commentaire et dans laquelle l'auteur a changé le pluriel en singulier en barrant simplement les deux *s*, « À Bertrand, le *Paradis terrestre*, me suis-je bien fait comprendre ? » Entre cette dédicace, et celle de *Chéri*, « À Bertrand, mon fils *Chéri* », deux vies se sont écoulées, parallèles, et parvenant enfin à se rejoindre encore une fois dans l'évocation des plaisirs passés et des paradis perdus.

On se souvient que *Le Matin*, en 1923, avait dû interrompre la publication en feuilleton du *Blé en herbe*, à la demande de ses lecteurs indignés par l'immoralité de ces amours adolescentes. À présent, en 1954, ce sont les descendants de ces lecteurs qui demandent l'interdiction du film pour les mêmes motifs. Chacun sait, à l'époque, que personne ne fait l'amour en France avant d'avoir atteint la majorité légale de vingt et un ans. Il est proprement scandaleux de voir, à l'écran, une Dame en Blanc, fût-elle Edwige Feuillère, initier un adolescent qui, à son tour, fait profiter de son nouveau savoir une adolescente. Cela ne se voit pas dans nos familles et cela ne se passe que dans les romans de Colette. La Normandie se révolte, et à Notre-Dame-de-Caen, le révérend père Bouley commence son prêche de carême en invoquant les règles élémentaires « d'hygiène et de prudence » que l'Église impose à ses fidèles à qui elle interdit, de surcroît, d'aller voir *Le Blé en herbe*. « Vous n'irez pas voir *Le Blé en herbe* » tonne, du haut de sa chaire, le révérend père Bouley. Ce tonnerre normand se répercute dans d'autres provinces qui, à leur tour, se mobilisent et manifestent devant les cinémas qui osent afficher ce film. Colette est encore une fois celle par qui le scandale arrive. Mais cela ne l'atteint plus guère, en son radeau lointain, déjà amarré aux étoiles, ou à une seule étoile, l'Étoile Vesper.

Le 24 février 1954, création de *Gigi* au théâtre des Arts, avec Évelyne Kerr dans le rôle de Gigi. Colette n'assiste pas à la première. Comme dit Pauline, « C'est tout un aria pour sortir madame ». Madame se sent de plus en plus faible et demande parfois à monsieur, « Crois-tu que je vais bientôt mourir ? » Et monsieur de répondre invariablement, « Pas avant que je ne t'en donne la permission ». Pour distraire Colette de telles pensées, Maurice l'emmène à Monaco, fin février, début mars.

À Monte-Carlo, elle est, plus que jamais, traitée comme une reine par les princes Pierre et Rainier de Monaco, par des pachas, des maharadjahs, et même des milliardaires américains. Tous s'inclinent devant celle que le scandale du *Blé en herbe* et le succès de *Gigi* ont placée au premier plan de l'actualité. Tout cela ne rend pas à Colette l'usage de ses jambes,

« Tout le monde est bien gentil pour moi, me comble de fleurs, de fruits, de bonbons. Si j'avais des jambes, ou seulement une, je serais la reine du monde ». À Saint-Sauveur, au temps de Sido, quand elle partait seule, pour assister à la naissance du jour, n'était-elle pas la reine du monde ? Et c'était la seule royauté qui comptait, elle s'en rend compte maintenant...

Des jambes, l'arthrite a gagné les bras et les mains. Colette écrit avec difficulté et constate que son écriture, sa belle écriture, est illisible. Dès qu'elle peut reprendre le stylo, elle en profite pour écrire à Moune, le 22 mars, « [...] le papier à lettres est encore quelque chose dont il faut me priver... Cela m'est douloureux et je n'écris à personne, – tu serais la seule à qui j'écrirais. Je souffre encore beaucoup des mains et des bras. La petite, ma fille, est charmante. Maurice aussi. La population n'est que trop empressée, – ne suis-je pas reine ? » Pauvre reine qui ne peut plus ni marcher, ni écrire !

« Un écrivain qui ne peut plus écrire », voilà ce qu'elle est devenue, comme elle le confie à Moune dans cette même lettre du 22 mars. Elle donnerait le succès de *Gigi* et du *Blé en herbe* pour retrouver un peu de santé, ne fût-ce qu'un seul jour. On sent qu'elle est sereinement à bout. Entourée de son époux, de sa fille et de sa gouvernante, elle guette une amélioration de son état qui reste désespérément stationnaire, « Je ne vais ni mieux, ni plus mal. [...] je n'ai aucune envie d'écrire ». Après avoir tellement vitupéré le métier d'écrire, la « gratteuse de papier » se plaint de ne plus pouvoir toucher un stylo, même pas pour adresser une lettre à ses plus chères amies.

En mai, Colette retrouve, avec bonheur, son Palais-Royal qu'elle accepte parfois d'abandonner pour une brève promenade au bois de Boulogne, pendant laquelle elle manifeste un émerveillement enfantin devant les arbres et la lumière, devant la lumière filtrant des arbres qu'elle semble recueillir dans ses mains tendues.

À partir de fin juin, elle n'ouvre plus son courrier, ne lit plus les journaux apportés le matin par Pauline. C'est Pauline qui fait la toilette de madame, et Pauline m'a rapporté, que, à la fin, madame la confondait avec sa mère, et disait, quand la toilette était terminée, « Merci, maman ».

Le 2 août, elle semble reprendre vie et boit quelques gorgées de vin de Champagne. Le 3, au matin, elle regarde les boîtes de papillons proches de son lit, les oiseaux sur la fenêtre, et dit à Maurice : « Regarde ». Elle répète encore une fois ce « Regarde » qu'elle a appris de Sido et qui a régi toute sa vie qu'elle abandonne, le 3 au soir, laissant retomber sa tête « par un mouvement d'une grâce infinie », comme le rapporte Maurice qui, avec Pauline, veille sur la moribonde, et comme elle-même l'avait, semble-t-il, prévu. « Que les dieux m'accordent une chute harmonieuse, les bras joints au-dessus de mon front, une jambe pliée et l'autre étendue, comme prête à franchir, d'un bond léger, le seuil noir du royaume des ombres... » avait-elle écrit, en 1908, dans *Les Vrilles de la vigne*, dans le texte intitulé « Chanson de la danseuse. »

À l'annonce de sa mort, la France entière prend le deuil. Des obsèques nationales sont décidées, un catafalque est dressé dans les jardins du Palais-Royal. Tout Paris défile, des plus grands jusqu'aux plus humbles, et l'accompagne au cimetière du Père-Lachaise où elle est enterrée, non loin de son bien-aimé Balzac.

Enterrement civil. Le curé de Saint-Roch auquel Maurice Goudeket est allé demander un service religieux a refusé. Pour l'Église, les Goudeket étaient mariés civilement, et non religieusement. Ils vivaient donc en concubinage pour l'Église qui ne peut pas donner sa bénédiction à l'auteur de ce *Blé en herbe* dont le scandale n'est pas encore éteint.

Révolté par cette intransigeance, le romancier anglais Graham Greene adresse à Mgr Feltin, archevêque de Paris, une lettre ouverte que publie le

Figaro littéraire du 14 août et dans laquelle on peut lire, entre autres, « Votre Éminence a donné, à son insu, l'impression que l'Église poursuivait la faute au-delà du lit de mort ».

Dans le *Figaro littéraire* du 21 août, Mgr Feltin réplique : « Un baptisé peut avoir droit à des funérailles religieuses, à condition que par son attitude il n'ait pas renoncé à cette société dont il était devenu membre par le baptême. Quand il l'a quittée volontairement et librement, l'Église ne peut lui imposer ses rites, la loyauté s'y oppose [...] »

Il est vrai que Colette, bien que baptisée, avait cessé de fréquenter l'Église depuis sa communion solennelle. Et si son premier mariage avait été un mariage religieux, les deux autres n'ont été que des mariages civils. Pour l'Église qui continue à déconseiller de lire ses livres et à aller voir les films que l'on a tirés de certains de ses romans, Colette représente le mal et, pis que le mal, son éclatant étalage. Puis le scandale cesse et tout rentre dans l'ordre et la routine.

Le 15 novembre 1954, Jean Cocteau écrit à un ami, Michel de Bry, « J'étais loin du Palais-Royal lorsque notre Colette fit semblant de disparaître. Je n'irai plus la voir chez elle, car elle a retrouvé sa jeunesse et elle entre dans ma chambre, sans ouvrir les portes, comme les chats ».

Colette aura, peut-être, eu la surprise de se retrouver telle que l'imagine Cocteau, jeune et légère. Délivrée alors de la prison de son corps, elle accède à un paradis où l'attendaient Sido, la Chatte Dernière et cette couleur qu'elle avait tant aimée, ce bleu céleste, cet azur où elle peut enfin se perdre pour renaître éternellement, et, à nouveau, resplendir.

Paris, 24 octobre 1997, jour anniversaire de la naissance d'Alexandra David-Néel et fête de saint Raphaël, patron des grands voyageurs qui, eux aussi, sont d'éternels apprentis.

Postface

Colette centenaire et révolutionnaire

J'ai été élevé sur les genoux de Chéri et nourri, si j'ose écrire, au sein de Léa. Je l'ai déjà écrit et je n'ai pas honte de le répéter. Il ne faut pas avoir honte d'aimer Colette sur qui pèse la plus stupide des accusations : « Elle est démodée ». Accusation qui ne repose sur rien, ou pis encore : une méconnaissance complète de ses œuvres. Les plus féroces accusateurs ont généralement borné leurs investigations aux *Claudine*, à *La Retraite sentimentale*, et parfois, c'est plus rare, à *Chéri*. Ils ignorent sereinement *La Naissance du jour*, *La Chatte*, *L'Étoile Vesper*, *Trois... six... neuf*, et même, ignorance sans nom, *La Fin de Chéri*.

Je veux bien reconnaître que Claudine, Minne, et Mitsou fleurent bon leur 1900, mais dépouillées de leurs costumes d'époque, et l'on sait avec quelle facilité Claudine, Minne et Mitsou se déshabillent, on se trouve face à nos plus modernes jeunes filles d'aujourd'hui, comme cette Maria Schneider, héroïne du film de Bertolucci, *Dernier Tango à Paris*. À propos de son partenaire, Marlon Brando, cette nouvelle Gigi confiait récemment à notre consœur

Elle, « C'est un homme encore enfant ». Or, les hommes-enfants qui pullulent en ces beaux jours de 1973 peuvent sans peine reconnaître leur frère dans le héros de *La Chatte*, Alain, qui « n'avait pas à rougir de certains gestes élaborés par le vœu inconscient de l'âge maniaque, entre la quatrième et la septième année ».

En 1973, les ingénues libertines triomphent à la scène comme à la ville, et les Chéri prolifèrent partout. En ces temps de polygamie intensive, les dames qui se plaignent d'avoir un mari trop... polygame devraient s'inspirer de la sage conduite prêchée par *La Seconde* puisque : « Un homme n'est jamais seul, Fanny. Et c'est assez terrible qu'il ait toujours une femme, une autre maîtresse, une mère, une servante, une secrétaire, une parente, une, quoi. »

Ces dames du Mouvement de libération féminine n'ont pas inventé grand-chose. Colette, à sa façon, s'était libérée et elle avait montré à ses sœurs infortunées le chemin à suivre, à une époque où la désertion conjugale, c'était « ...une idée énorme et peu maniable, encombrée de gendarmes, de malle bombée et de voilette épaisse, sans compter l'indicateur des chemins de fer ».

Colette divorça deux fois et enfanta une œuvre résolument hostile à l'homme qui y est réduit à son simple rôle de dispensateur de plaisirs ou de héros d'alcôve. Qu'attendent donc les militantes du M.L.F. pour élever une statue à Colette qui, dès *La Vagabonde*, en 1910, affirmait allègrement la supériorité de la femme sur l'homme ? « Soyez sûrs qu'une longue expérience, que des chagrins jalousement cachés ont formé, affiné, durci cette femme dont on s'écrie :

– Elle est en acier.

– Elle est en femme, simplement – et cela suffit. »

Cette prise de position ne suffisait pas à Colette qui décida dans *Ces plaisirs...* , titre qu'elle changea, hélas, en *Le Pur et l'Impur*, de rendre à Gomorrhe et surtout à Sodome, une espèce de dignité. Ces lignes qui vont suivre ne sont pas extraites d'un tract distribué à la sortie d'un lycée, mais appartiennent bel et bien à l'ouvrage *Le Pur et l'Impur*, publié en 1932, « Amitié, mâle amitié, sentiment insondable. Pourquoi le plaisir amoureux serait-il le seul sanglot d'exaltation qui te fût interdit ?... Je laisse paraître une complaisance qu'on trouvera étrange, qu'on blâmera. La paire d'hommes que je viens brièvement de peindre, il est vrai qu'elle m'a donné l'image de l'union et même de la dignité ».

On se demande pourquoi la presse *underground* comme *Actuel* qui multiplie les numéros spéciaux sur la libération des sens ignore cette alliée de choix que serait Colette qui, encore dans *Le Pur et l'Impur*, glorifia aussi Lesbos en la personne de la poétesse Renée Vivien.

Libérations diverses, mariages *open* pour employer le jargon à la mode, qui osera encore dire que Colette est démodée ? Un de nos plus urgents problèmes, l'avortement, trouve sa place dans l'une des nouvelles qui composent *Bella-Vista*, exactement dans *Gribiche*, du nom de l'héroïne « martyrisée, couchée à plat dans son lit ». Les adversaires de la contraception légale pourraient méditer ces cinquante pages dédiées aux horreurs de l'avortement clandestin et mortel !

Par son exemple personnel, Colette lutta contre la surpopulation, ne consentant à mettre au monde qu'une fille unique, connaissant à quarante ans ce qu'elle nomma brutalement « une grossesse d'homme ». Dans *L'Étoile Vesper*, Colette présente sa maternité de façon à décourager les ferventes de la maternité à outrance : « Vers la fin, j'avais l'air d'un rat qui traîne un œuf volé ».

Le matriarcat triomphant en Amérique et que nous allons bientôt subir, de gré ou de force, a-t-il été mieux dépeint que dans *Le Toutounier*, dans les personnes des quatre sœurs Eudes, « fringantes sur leurs talons tournés, et qui toisaient l'amour sans considération d'un air de dire : pousse-toi un peu, mon vieux, fais-toi petit... Avant toi, il y a la faim, la férocité et le besoin de rire. »

Quant aux méthodes de mante religieuse qu'ont ces « toutounières » pour asservir puis éliminer l'homme, je n'ose pas les rapporter ici. Et dire que des esprits chagrins ou bornés, à moins que ce ne soit les deux à la fois, ont osé limiter Colette et son œuvre, à « ces plaisirs qu'on nomme, à la légère, physiques ».

N'ai-je vraiment rien oublié de nos grands thèmes quotidiens de 1973 ? Ah oui, l'amour chez les jeunes, cela s'appelle chez Colette *Le Blé en herbe*. Les héros, Phil et Vinca, seize et quatorze ans, n'ont pas besoin de savoir si l'on doit, ou non, pratiquer l'éducation sexuelle à l'école : « Là ils eurent une trêve charmante et quasi fraternelle, où chacun eut pour l'autre un peu de pitié et l'affabilité, la discrétion des amants éprouvés ».

Parmi nos démons annuels figure Saint-Tropez dont on annonce toujours la disparition et qui renaît toujours de ses cendres, tel un Phénix purement touristique, et que Colette présente ainsi dans *Prisons et Paradis*, dans un texte qui semble avoir été écrit... l'été prochain, « Saint-Tropez ? Pyjamas. Dos nus. Boîtes à débardeurs truqués pour touristes riches. Deux cents autos de marque à partir de cinq heures, en travers du port. Cocktails, champagne sur les yachts à quai, et la nuit, sur le sable des petites criques, vous savez... »

La Sainte Vitesse que l'on idolâtre, hiver comme été, on trouve son éloge, qui l'eût cru ?, dans *La Naissance du jour*. Comme Paul Morand a écrit *L'Homme pressé*, Colette aurait pu écrire *La Femme pressée* : « Tous les travaux que je n'aime pas sont ceux qui réclament de la patience. Pour écrire un livre, il faut de la patience, et aussi pour apprivoiser un homme en état de sauvagerie, et pour raccommoder du linge usé, et pour trier les raisins de Corinthe destinés au plum-cake. Je n'aurai été ni bonne cuisinière, ni bonne épouse, et je coupe les ficelles la plupart du temps au lieu de dénouer les nœuds. »

Autre éloge d'un vice à la mode, celui de la cuisine

zen, que l'on rencontre dans *Paris de ma fenêtre* et que tous les innombrables restaurants macrobiotiques de Montparnasse et du Quartier latin devraient afficher à leur porte : « Une enfance, une jeunesse villageoise m'ont préservée d'une des exigences citadines, celle de la viande, la viande révérée, inéluctable centre monotone de toute agape parisienne. Une platée de fromage blanc, bien poivré, m'est déjeuner aussi bien que la tarte à la citrouille, que le gratin de poireaux ».

Je garde pour me préserver des futures invasions russe, chinoise ou qui sait ?, allemande, je garde ce *Paris de ma fenêtre* qui nous enseigne comment échapper aux fléaux de la guerre citadine. Plus précieux que le *Petit Livre rouge*, on y apprend comment ne jamais accepter une défaite, comment survivre dans ce que la survie peut avoir de plus humble, par exemple, ne pas mourir de froid, « Boudinons, d'un fil de fer, des rouleaux de papier journal, qui brûleront sans presque flamber... Une grille judicieusement assagie restreint sa gloutonnerie, sommeille sans arrêt s'éteindre, ni jour ni nuit ». Le tout couronné par cette belle pensée : « N'ayons pas peur de contempler ce qui nous manque ».

Il est temps d'arrêter ce bric-à-brac de preuves jetées au hasard pour démontrer que Colette n'est pas démodée. Elle est éternelle, simplement éternelle, et non pas « grande » comme on l'a dit trop souvent. Quand cessera-t-on d'épingler à son nom cette épithète qui l'aurait tant irritée, elle qui se méfia tant de la grandeur, et dont la seule ambition fut de vivre à ras-de-terre ? Elle y réussit parfaitement et cette réussite est aussi importante que les multiples leçons de son œuvre. Mais ceci est une autre histoire ou un autre article.

JC

L'article que vous venez de lire, et que j'ai placé en guise de postface, a paru, le 20 janvier 1973, dans le numéro que le *Figaro littéraire* avait consacré au centenaire de la naissance de Colette.

Brève bibliographie

Pendant que j'écrivais cette biographie, j'avais, à portée de la main, les ouvrages suivants :

Les trois volumes des œuvres complètes de Colette (Bouquins-Laffont), chronologie et notices établies par Françoise Burgaud.

Les trois volumes des œuvres de Colette parus jusqu'à maintenant dans la bibliothèque de la Pléiade sous la direction de Claude Pichois.

Les volumes de la correspondance de Colette, *Lettres à Hélène Picard, à Marguerite Moreno, au Petit Corsaire* (Flammarion), *Lettres de la Vagabonde* (Flammarion), *Lettres à ses pairs* (Flammarion), *Lettres à Annie de Pène et à Germaine Beaumont* (Flammarion), *Lettres à Moune et au Toutounet* (Éditions des Femmes), *Lettres aux Petites Fermières* (Le Castor Astral), Les Lettres à Natalie Barney contenues dans *Les Cahiers Colette nº 18.*

Lettres à sa fille de Sido (Éditions des Femmes).

Près de Colette de Maurice Goudeket (Flammarion).

La Douceur de vieillir de Maurice Goudeket (Flammarion).
Colette de Claude Chauvière (Firmin-Didot).
Colette libre et entravée de Michèle Sarde (Stock).
Amoureuse Colette de Geneviève Dormann (Albin Michel).
Colette d'Herbert Lottman (Gallimard).
Colette de Claude Francis et Fernande Gontier (Perrin).

Remerciements

Mes remerciements vont d'abord à Mme Maurice Goudeket qui m'a donné une très grande preuve d'amitié et de générosité en me permettant de consulter ses archives, en me confiant ses souvenirs, et en m'autorisant à publier certains passages des lettres que Maurice Goudeket adressait à Colette.

Mes remerciements vont ensuite à Foulques de Jouvenel, à Anne et Hugues de Jouvenel, qui m'ont également autorisé à publier certains textes inédits de Colette dont je possédais les originaux ou les photocopies.

Merci enfin à ceux et à celles qui, de différentes façons, m'ont aidé dans mes recherches, puis dans mon labeur. Par ordre alphabétique : Carlos de Angulo, Thibaut d'Anthonay, Pierre Assouline, Sophie Berlin, Thierry Bodin, Marie-France Bougie-Helleux, François Chapon, Madeleine Chapsal, Philippe de Chaunac-Lanzac, Claude Delay, Dicta Dimitriadis, Ghislain de Diesbach, Geneviève Dormann, professeur Jean-Paul Escande, José Escoda, Jacques Grange, Claudette Guilpin, Hélène de

Saint-Hippolyte, Gérard Ingold, Karl Lagerfeld, docteur Francis Lemue, Jeanine Liauzu, Isabelle d'Ornano, Monique Pivot, Dominique Perrin, Liliane de Rothschild, Silvio Saragossi, maître André Schmidt, Irène Stecyck, François de Teyssier, Olenka de Veer et Christian Vigneron.

En terminant cette liste de noms, pardon pour ceux ou pour celles que j'ai involontairement oubliés, je me demande s'il ne faudra pas un jour écrire le roman de la biographie et dire combien de portes il a fallu pousser, combien de gens il a fallu rencontrer, pour vérifier une anecdote ou recueillir un inédit...

Index

Table des matières

Cet ouvrage a été réalisé par la
SOCIÉTÉ NOUVELLE FIRMIN-DIDOT
Mesnil-sur-l'Estrée
pour le compte de France Loisirs
en novembre 1998